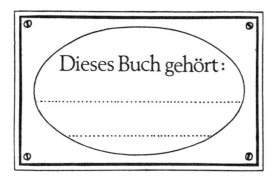

Dieses Buch gehört:

....

....

Die schönsten
Weihnachts-
geschichten

Im Auftrag hergestellte Sonderausgabe
Alle Rechte vorbehalten
Herausgegeben von Regina Zwerger, unter Mitarbeit von
Ulrike Koebke und Sabine Piepenhagen
Umschlagfoto: Österreichische Fremdenverkehrswerbung, Wien
© dieser Ausgabe by Tosa Verlag
im Verlag Carl Ueberreuter, Wien 1995
Printed in Austria

Inhalt

7   *Adalbert Stifter,* Bergkristall
64   *Hans Christian Andersen,* Der Tannenbaum
74   *Karl Heinrich Waggerl,* Der störrische Esel
      und die süße Distel
77   *Charles Dickens,* Ein Christbaum
100   *Hans Christian Andersen,* Die Schneekönigin
135   *Gretel Selig,* Der Weihnachtskaspar
141   *Paula Dehmel,* Wie der alte Christian
      Weihnachten feierte
149   *Frieda Jung,* Die Weihnachtswünsche
154   *Hans Fallada,* Lüttenweihnachten
161   *Karl Heinrich Waggerl,* Das Weihnachtsbrot
163   *Brigitte Moog,* Das erste Geschenk
165   *Bernhard Speh,* Die Nacht, in der das Christkind starb
174   *Rudolf Bayr,* Schnellzugweihnacht
178   *Selma Lagerlöf,* Die heilige Nacht
184   *Ernst Krüger,* Wie ich einmal den Weihnachtsmann traf
190   *Hans Zappe,* Die Dampfmaschine
196   *Hermann Hesse,* Weihnacht mit zwei Kindergeschichten
204   *Heinrich Böll,* Krippenfeier
210   *O. Henry,* Das Geschenk der Weisen
218   *Rita von Gaudecker,* Die Weihnachtsinsel
226   *Bert Brecht,* Das Paket des lieben Gottes
230   *Heinrich Böll,* Monolog eines Kellners
233   *Erich Kästner,* Felix holt Senf
236   *Langston Hughes,* Ein Heiligabend
243   *Hilde Fürstenberg,* Oleander und Sterntaler
247   *Wolfgang Borchert,* Die drei dunklen Könige
250   *Marie Luise Kaschnitz,* Das Wunder
256   *Ernst Heimeran,* Erinnerung an die Schiebetür

5

259 *Wolfdietrich Schnurre*, Die Leihgabe
268 *William Saroyan*, Am dritten Tag nach Weihnachten
280 *Ray Bradbury*, Das Geschenk
283 *Erich Kästner*, Sechsundvierzig Heiligabende

ADALBERT STIFTER

Bergkristall

Unsere Kirche feiert verschiedene Feste, welche zum Herzen dringen. Man kann sich kaum etwas Lieblicheres denken als Pfingsten und kaum etwas Ernsteres und Heiligeres als Ostern. Das Traurige und Schwermütige der Karwoche und darauf das Feierliche des Tages begleiten uns durch das Leben. Eines der schönsten Feste feiert die Kirche fast mitten im Winter, wo beinahe die längsten Nächte und kürzesten Tage sind, wo die Sonne am schiefsten gegen unsere Gefilde steht, und Schnee alle Fluren deckt, das Fest der Weihnacht. Wie in vielen Ländern der Tag vor dem Geburtsfeste des Herrn der Christabend heißt, so heißt er bei uns der Heilige Abend, der darauf folgende Tag der Heilige Tag und die dazwischen liegende Nacht die Weihnacht. Die katholische Kirche begeht den Christtag als den Tag der Geburt des Heilandes mit ihrer allergrößten kirchlichen Feier, in den meisten Gegenden wird schon die Mitternachtsstunde als Geburtsstunde des Herrn mit prangender Nachtfeier geheiligt, zu der die Glocken durch die stille finstere winterliche Mitternachtluft laden, zu der die Bewohner mit Lichtern oder auf dunkeln wohlbekannten Pfaden aus schneeigen Bergen an bereiften Wäldern vorbei und durch knarrende Obstgärten zu der Kirche eilen, aus der die feierlichen Töne kommen, und die aus der Mitte des in beeiste Bäume gehüllten Dorfes mit den langen beleuchteten Fenstern emporragt.
Mit dem Kirchenfeste ist auch ein häusliches verbunden. Es hat sich fast in allen christlichen Ländern verbreitet, daß man den Kindern die Ankunft des Christkindleins – auch eines Kindes, des wunderbarsten, das je auf der Welt war – als ein heiteres glänzendes feierliches Ding zeigt, das durch das ganze Leben fortwirkt, und manchmal noch spät im Alter bei trüben schwer-

mütigen oder rührenden Erinnerungen gleichsam als Rückblick in die einstige Zeit mit den bunten schimmernden Fittichen durch den öden, traurigen und ausgeleerten Nachthimmel fliegt. Man pflegt den Kindern die Geschenke zu geben, die das heilige Christkindlein gebracht hat, um ihnen Freude zu machen. Das tut man gewöhnlich am Heiligen Abende, wenn die tiefe Dämmerung eingetreten ist. Man zündet Lichter und meistens sehr viele an, die oft mit den kleinen Kerzlein auf den schönen grünen Ästen eines Tannen- oder Fichtenbäumchens schweben, das mitten in der Stube steht. Die Kinder dürfen nicht eher kommen, als bis das Zeichen gegeben wird, daß der Heilige Christ zugegen gewesen ist, und die Geschenke, die er mitgebracht, hinterlassen hat. Dann geht die Tür auf, die Kleinen dürfen hinein, und bei dem herrlichen schimmernden Lichterglanze sehen sie Dinge auf dem Baume hängen oder auf dem Tische herum gebreitet, die alle Vorstellungen ihrer Einbildungskraft weit übertreffen, die sie sich nicht anzurühren getrauen, und die sie endlich, wenn sie sie bekommen haben, den ganzen Abend in ihren Ärmchen herumtragen, und mit sich in das Bett nehmen. Wenn sie dann zuweilen in ihre Träume hinein die Glockentöne der Mitternacht hören, durch welche die Großen in die Kirche zur Andacht gerufen werden, dann mag es ihnen sein, als zögen jetzt die Englein durch den Himmel, oder als kehrte der Heilige Christ nach Hause, welcher nunmehr bei allen Kindern gewesen ist, und jedem von ihnen ein herrliches Geschenk hinterbracht hat.

Wenn dann der folgende Tag, der Christtag, kömmt, so ist er ihnen so feierlich, wenn sie frühmorgens mit ihren schönsten Kleidern angetan in der warmen Stube stehen, wenn der Vater und die Mutter sich zum Kirchgange schmücken, wenn zu Mittage ein feierliches Mahl ist, ein besseres als in jedem Tage des ganzen Jahres, und wenn nachmittags oder gegen den Abend hin Freunde und Bekannte kommen, auf den Stühlen und Bänken herumsitzen, miteinander reden, und behaglich durch die Fenster in die Wintergegend hinausschauen können, wo entweder die langsamen Flocken niederfallen oder ein trübender Nebel um die Berge steht oder die blutrote kalte Sonne hinabsinkt. An verschiedenen Stellen der Stube, entweder auf einem Stühlchen oder auf der Bank oder auf dem Fensterbrettchen liegen die zaubrischen, nun aber schon bekannteren und vertrauteren Geschenke von gestern abend herum.

Hierauf vergeht der lange Winter, es kömmt der Frühling und der unendlich dauernde Sommer – und wenn die Mutter wieder vom Heiligen Christe erzählt, daß nun bald sein Festtag sein wird, und daß er auch diesmal herabkommen werde, ist es den Kindern, als sei seit seinem letzten Erscheinen eine ewige Zeit vergangen und als liege die damalige Freude in einer weiten nebelgrauen Ferne.

Weil dieses Fest so lange nachhält, weil sein Abglanz so hoch in das Alter hinauf reicht, so stehen wir so gerne dabei, wenn Kinder dasselbe begehen und sich darüber freuen. –

In den hohen Gebirgen unseres Vaterlandes steht ein Dörfchen mit einem kleinen, aber sehr spitzigen Kirchturme, der mit seiner roten Farbe, mit welcher die Schindeln bemalt sind, aus dem Grün vieler Obstbäume hervorragt, und wegen derselben roten Farbe in dem duftigen und blauen Dämmern der Berge weithin ersichtlich ist. Das Dörfchen liegt gerade mitten in einem ziemlich weiten Tale, das fast wie ein länglicher Kreis gestaltet ist. Es enthält außer der Kirche eine Schule, ein Gemeindehaus und noch mehrere stattliche Häuser, die einen Platz gestalten, auf welchem vier Linden stehen, die ein steinernes Kreuz in ihrer Mitte haben. Diese Häuser sind nicht bloße Landwirtschaftshäuser, sondern sie bergen auch noch diejenigen Handwerke in ihrem Schoße, die dem menschlichen Geschlechte unentbehrlich sind, und die bestimmt sind, den Gebirgsbewohnern ihren einzigen Bedarf an Kunsterzeugnissen zu decken. Im Tale und an den Bergen herum sind noch sehr viele zerstreute Hütten, wie das in Gebirgsgegenden sehr oft der Fall ist, welche alle nicht nur zur Kirche und Schule gehören, sondern auch jenen Handwerken, von denen gesprochen wurde, durch Abnahme der Erzeugnisse ihren Zoll entrichten. Es gehören sogar noch weitere Hütten zu dem Dörfchen, die man von dem Tale aus gar nicht sehen kann, die noch tiefer in den Gebirgen stecken, deren Bewohner selten zu ihren Gemeindemitbrüdern herauskommen, und die im Winter oft ihre Toten aufbewahren müssen, um sie nach dem Wegschmelzen des Schnees zum Begräbnisse bringen zu können. Der größte Herr, den die Dörfler im Laufe des Jahres zu sehen bekommen, ist der Pfarrer. Sie verehren ihn sehr, und es geschieht gewöhnlich, daß derselbe durch längeren Aufenthalt im Dörfchen ein der Einsamkeit gewöhnter Mann wird, daß er nicht ungerne bleibt, und einfach fortlebt. Wenigstens hat man seit Menschengedenken nicht erlebt, daß der Pfarrer des Dörfchens ein auswärtssüchtiger oder seines Standes unwürdiger Mann gewesen wäre.

Es gehen keine Straßen durch das Tal, sie haben ihre zweigleisigen Wege, auf denen sie ihre Felderzeugnisse mit einspännigen Wäglein nach Hause bringen, es kommen daher wenig Menschen in das Tal, unter diesen manchmal ein einsamer Fußreisender, der ein Liebhaber der Natur ist, eine Weile in der bemalten Oberstube des Wirtes wohnt und die Berge betrachtet, oder gar ein Maler, der den kleinen spitzen Kirchturm und die schönen Gipfel der Felsen in seine Mappe zeichnet. Daher bilden die Bewohner eine eigene Welt, sie kennen einander alle mit Namen und mit den einzelnen Geschichten von Großvater und Urgroßvater her, trauern alle, wenn einer stirbt, wissen, wie er heißt, wenn einer geboren wird, haben eine Sprache, die von der der Ebene draußen abweicht, haben ihre Streitigkeiten, die schlichten, stehen einander bei und laufen zusammen, wenn sich etwas Außerordentliches begibt.

Sie sind sehr stetig, und es bleibt immer beim alten. Wenn ein Stein aus der Mauer fällt, wird derselbe wieder hineingesetzt, die neuen Häuser werden wie die alten gebaut, die schadhaften Dächer werden mit gleichen Schindeln ausgebessert, und wenn in einem Hause scheckige Kühe sind, so werden immer mehr solche Kälber aufgezogen, und die Farbe bleibt bei dem Hause. Gegen Mittag sieht man von dem Dorfe einen Schneeberg, der mit seinen glänzenden Hörnern fast oberhalb der Hausdächer zu sein scheint, aber in der Tat doch noch nicht so nahe ist. Er sieht das ganze Jahr, Sommer und Winter, mit seinen vorstehenden Felsen und mit seinen weißen Flächen in das Tal herab. Als das Auffallendste, was sie in ihrer Umgebung haben, ist der Berg der Gegenstand der Betrachtung der Bewohner, und er ist der Mittelpunkt vieler Geschichten geworden. Es lebt kein Mann und Greis in dem Dorfe, der nicht von den Zacken und Spitzen des Berges, von seinen Eisspalten und Höhlen, von seinen Wässern und Geröllströmen etwas zu erzählen wüßte, was er entweder selbst erfahren oder von andern erzählen gehört hat. Dieser Berg ist auch der Stolz des Dorfes, als hätten sie ihn selber gemacht, und es ist nicht so ganz entschieden, wenn man auch die Biederkeit und Wahrheitsliebe der Talbewohner hoch anschlägt, ob sie nicht zuweilen zur Ehre und zum Ruhme des Berges lügen. Der Berg gibt den Bewohnern außer dem, daß er ihre Merkwürdigkeit ist, auch wirklichen Nutzen; denn wenn eine Gesellschaft von Gebirgsreisenden hereinkömmt, um von dem Tale aus den Berg zu besteigen, so dienen die Bewohner des Dorfes als Führer, und einmal Führer gewesen zu sein, dieses und jenes erlebt zu haben, diese und jene Stelle zu kennen, ist eine Auszeichnung, die jeder gerne von sich darlegt. Sie reden oft davon, wenn sie in der Wirtsstube beieinandersitzen, und erzählen ihre Wagnisse und ihre wunderbaren Erfahrungen, und versäumen aber auch nie zu sagen, was dieser oder jener Reisende gesprochen habe, und was sie von ihm als Lohn für ihre Bemühungen empfangen hätten. Dann sendet der Berg von seinen Schneeflächen die Wasser ab, welche einen See in seinen Hochwäldern speisen und den Bach erzeugen, der lustig durch das Tal strömt, die Brettersäge, die Mahlmühle und andere kleine Werke treibt, das Dorf reinigt und das Vieh tränkt. Von den Wäldern des Berges kömmt das Holz, und sie halten die Lawinen auf. Durch die inneren Gänge und Lockerheiten der Höhen sinken die Wasser durch, die dann in Adern durch das Tal gehen und in Brünnlein und Quellen hervorkommen, daraus die Menschen trinken und ihr herrliches oft belobtes Wasser dem Fremden reichen. Allein an letzteren Nutzen denken sie nicht und meinen, das sei immer so gewesen.

Wenn man auf die Jahresgeschichte des Berges sieht, so sind im Winter die zwei Zacken seines Gipfels, die sie Hörner heißen, schneeweiß, und stehen, wenn sie an hellen Tagen sichtbar sind, blendend in der finstern Bläue der Luft; alle Bergfelder, die um diese Gipfel herum lagern, sind dann weiß; alle Abhänge sind so; selbst die steilrechten Wände, die die Bewohner Mauern heißen, sind mit einem angeflogenen weißen Reife bedeckt und mit zartem Eise wie mit einem Firnisse belegt, so daß die ganze Masse wie ein Zauberpalast aus dem bereiften Grau der Wälderlast emporragt, welche schwer um ihre Füße herum ausgebreitet ist. Im Sommer, wo Sonne und warmer Wind den Schnee von den Steilseiten wegnimmt, ragen die Hörner nach dem Ausdrucke der Bewohner schwarz in den Himmel und haben nur schöne weiße Äderchen und Sprenkeln auf ihrem Rükken, in der Tat aber sind sie zart fernblau, und was sie Äderchen und Sprenkeln heißen, das ist nicht weiß, sondern hat das schöne Milchblau des fernen Schnees gegen das dunklere der Felsen. Die Bergfelder um die Hörner aber verlieren, wenn es recht heiß ist, an ihren höheren Teilen wohl den Firn nicht, der gerade dann recht weiß auf das Grün der Talbäume herabsieht, aber es weicht von ihren unteren Teilen der Winterschnee, der nur einen Flaum machte, und es wird das unbestimmte Schillern von Bläulich und Grünlich sichtbar, das das Geschiebe von Eis ist, das dann bloßliegt und auf die Bewohner unten hinabgrüßt. Am Rande dieses Schillerns, wo es von ferne wie ein

Saum von Edelsteinsplittern aussieht, ist es in der Nähe ein Gemenge wilder riesenhafter Blöcke, Platten und Trümmer, die sich drängen und verwirrt ineinandergeschoben sind. Wenn ein Sommer gar heiß und lang ist, werden die Eisfelder weit hinauf entblößt, und dann schaut eine viel größere Fläche von Grün und Blau in das Tal, manche Kuppen und Räume werden entkleidet, die man sonst nur weiß erblickt hatte, der schmutzige Saum des Eises wird sichtbar, wo es Felsen, Erde und Schlamm schiebt, und viel reichlichere Wasser als sonst fließen in das Tal. Dies geht fort, bis es nach und nach wieder Herbst wird, das Wasser sich verringert, zu einer Zeit einmal ein grauer Landregen die ganze Ebene des Tales bedeckt, worauf, wenn sich die Nebel von den Höhen wieder lösen, der Berg seine weiche Hülle abermals umgetan hat und alle Felsen, Kegel und Zacken in weißem Kleide dastehen. So spinnt es sich ein Jahr um das andere mit geringen Abwechslungen ab und wird sich fortspinnen, solange die Natur so bleibt und auf den Bergen Schnee und in den Tälern Menschen sind. Die Bewohner des Tales heißen die geringen Veränderungen große, bemerken sie wohl und berechnen an ihnen den Fortschritt des Jahres. Sie bezeichnen an den Entblößungen die Hitze und die Ausnahmen der Sommer.

Was nun noch die Besteigung des Berges betrifft, so geschieht dieselbe von dem Tale aus. Man geht nach der Mittagsrichtung zu auf einem guten schönen Wege, der über einen sogenannten Hals in ein anderes Tal führt. Hals heißen sie einen mäßig hohen Bergrücken, der zwei größere und bedeutendere Gebirge miteinander verbindet und über den man zwischen den Gebirgen von einem Tale in ein anderes gelangen kann. Auf dem Halse, der den Schneeberg mit einem gegenüberliegenden großen Gebirgszuge verbindet, ist lauter Tannenwald. Etwa auf der größten Erhöhung desselben, wo nach und nach sich der Weg in das jenseitige Tal hinabzusenken beginnt, steht eine sogenannte Unglückssäule. Es ist einmal ein Bäcker, welcher Brot in seinem Korbe über den Hals trug, an jener Stelle tot gefunden worden.

Man hat den toten Bäcker mit dem Korbe und mit den umringenden Tannenbäumen auf ein Bild gemalt, darunter eine Erklärung und eine Bitte um ein Gebet geschrieben, das Bild auf eine rot angestrichene hölzerne Säule getan und die Säule an der Stelle des Unglückes aufgerichtet.

Bei dieser Säule biegt man von dem Wege ab und geht auf der Länge des Halses fort, statt über seine Breite in das jenseitige Tal hinüberzuwandern. Die Tannen bilden dort einen Durchlaß, als ob eine Straße zwischen ihnen hin ginge. Es führt auch manchmal ein Weg in dieser Richtung hin, der dazu dient, das Holz von den höheren Gegenden zu der Unglückssäule herabzubringen, der aber dann wieder mit Gras verwächst. Wenn man auf diesem Wege fortgeht, der sachte bergan führt, so gelangt man endlich auf eine freie, von Bäumen entblößte Stelle. Dieselbe ist dürrer Heideboden, hat nicht einmal einen Strauch, sondern ist mit schwachem Heidekraute, mit trockenen Moosen und mit Dürrbodenpflanzen bewachsen. Die Stelle wird immer steiler, und man geht lange hinan; man geht aber immer in einer Rinne gleichsam wie in einem ausgerundeten Graben hinan, was den Nutzen hat, daß man auf der großen baumlosen und überall gleichen Stelle nicht leicht irren kann. Nach einer Zeit erscheinen Felsen, die wie Kirchen gerade aus dem Grasboden aufsteigen und zwischen deren Mauern man längere Zeit hinangehen kann. Dann erscheinen wieder kahle, fast pflanzenlose Rücken, die bereits in die Lufträume der höheren Gegenden ragen und gerade zu dem Eise führen. Zu beiden Seiten dieses Weges sind steile Wände, und durch diesen Damm hängt der Schneeberg mit dem Halse zusammen. Um das Eis zu überwinden, geht man eine geraume Zeit an der Grenze desselben, wo es von den Felsen umstanden ist, dahin, bis man zu dem älteren Firn gelangt, der die Eisspalten überbaut und in den meisten Zeiten des Jahres den Wanderer trägt. An der höchsten Stelle des Firns erheben sich die zwei Hörner aus dem Schnee, wovon eines das höhere, mithin die Spitze des Berges ist. Diese Kuppen sind sehr schwer zu erklimmen; da sie mit einem oft breiteren, oft engeren Schneegraben – dem Firnschrunde – umgeben sind, der übersprungen werden muß, und da ihre steilrechten Wände nur kleine Absätze haben, in welche der Fuß eingesetzt werden muß, so begnügen sich die meisten Besteiger des Berges damit, bis zu dem Firnschrunde gelangt zu sein und dort die Rundsicht, soweit sie nicht durch das Horn verdeckt ist, zu genießen. Die den Gipfel besteigen wollen, müssen dies mit Hilfe von Steigeisen, Stricken und Klammern tun.

Außer diesem Berge stehen an derselben Mittagseite noch andere, aber keiner ist so hoch, wenn sie sich auch früh ım Herbste mit Schnee bedecken und ihn bis tief in den Frühling hinein mit Schnee behalten. Der Sommer aber nimmt denselben immer weg, und die Felsen glänzen freundlich im Sonnenscheine, und die tiefer gelegenen Wälder zeigen ihr sanftes Grün von breiten blauen Schatten durchschnitten, die so schön sind, daß man sich in seinem Leben nicht satt daran sehen kann.

An den anderen Seiten des Tales, nämlich von Mitternacht morgen und abend her, sind die Berge langgestreckt und niederer, manche Felder und Wiesen steigen ziemlich hoch hinauf, und oberhalb ihrer sieht man verschiedene Waldblößen, Alpenhütten und dergleichen, bis sie an ihrem Rande mit feingezacktem Walde am Himmel hingehen, welche Auszackung eben ihre geringe Höhe anzeigt, während die mittäglichen Berge, obwohl sie noch großartigere Wälder hegen, doch mit einem ganz glatten Rande an dem glänzenden Himmel hinstreichen. Wenn man so ziemlich mitten im Tale steht, so hat man die Empfindung, als ginge nirgends ein Weg in dieses Becken herein und keiner daraus hinaus; allein diejenigen, welche öfter im Gebirge gewesen sind, kennen diese Täuschung gar wohl: in der Tat führen nicht nur verschiedene Wege und darunter sogar manche durch die Verschiebungen der Berge fast auf ebenem Boden in die nördlichen Flächen hinaus, sondern gegen Mittag, wo das Tal durch steilrechte Mauern fast geschlossen scheint, geht sogar ein Weg über den obbenannten Hals.

Das Dörflein heißt Gschaid, und der Schneeberg, der auf seine Häuser herabschaut, heißt Gars.

Jenseits des Halses liegt ein viel schöneres und blühenderes Tal, als das von Gschaid ist, und es führt von der Unglückssäule der gebahnte Weg hinab. Es hat an seinem Eingange einen stattlichen Marktflecken, Millsdorf, der sehr groß ist, verschiedene Werke hat und in manchen Häusern städtische Gewerbe und Nahrung treibt. Die Bewohner sind viel wohlhabender als die in Gschaid, und obwohl nur drei Wegstunden zwischen den beiden Tälern liegen, was für die an große Entfernungen gewöhnten und Mühseligkeiten liebenden Gebirgsbewohner eine unbedeutende Kleinigkeit ist, so sind doch Sitten und Gewohnheiten in den beiden Tälern so verschieden, selbst der äußere Anblick derselben ist so ungleich, als ob eine große Anzahl Meilen zwischen ihnen läge. Das ist in Gebirgen sehr oft der Fall und hängt nicht nur von der verschiedenen Lage der Täler gegen die Sonne ab, die sie oft mehr oder weniger begünstigt, sondern auch von dem Geiste der Bewohner, der durch gewisse Beschäftigungen nach dieser oder jener Richtung gezogen wird. Darin stimmen aber alle überein, daß sie an Herkömmlichkeiten und Väterweise hängen, großen Verkehr leicht entbehren, ihr Tal außerordentlich lieben und ohne demselben kaum leben können.

Es vergehen oft Monate, oft fast ein Jahr, ehe ein Bewohner von Gschaid in das jenseitige Tal hinüberkömmt und den großen Marktflecken Millsdorf besucht. Die Millsdorfer halten es ebenso, obwohl sie ihrerseits doch Verkehr mit dem Lande draußen pflegen und daher nicht so abgeschieden sind wie die Gschaider. Es geht sogar ein Weg, der eine Straße heißen könnte, längs ihres Tales, und mancher Reisende und mancher Wanderer geht hindurch, ohne nur im geringsten zu ahnen,

16

daß mitternachtwärts seines Weges jenseits des hohen herab-
blickenden Schneebergs noch ein Tal sei, in dem viele Häuser
zerstreut sind und in dem das Dörflein mit dem spitzigen
Kirchturme steht.

Unter den Gewerben des Dorfes, welche bestimmt sind, den
Bedarf des Tales zu decken, ist auch das eines Schusters, das
nirgends entbehrt werden kann, wo die Menschen nicht in ihrem Urzustande sind. Die Gschaider aber sind soweit über diesem Stande, daß sie recht gute und tüchtige Gebirgsfußbeklei-
dung brauchen. Der Schuster ist mit einer kleinen Ausnahme
der einzige im Tale. Sein Haus steht auf dem Platze in
Gschaid, wo überhaupt die besseren stehen, und schaut mit seinen grauen Mauern, weißen Fenstersimsen und grün angestri-
chenen Fensterläden auf die vier Linden hinaus. Es hat im Erd-
geschosse die Arbeitsstube, die Gesellenstube, eine größere und
kleinere Wohnstube, ein Verkaufsstübchen nebst Küche und
Speisekammer und allen zugehörigen Gelassen; im ersten
Stockwerke, oder eigentlich im Raume des Giebels, hat es die
Oberstube oder eigentliche Prunkstube. Zwei Prachtbetten,
schöne geglättete Kästen mit Kleidern stehen da, dann ein Glä-
serkästchen mit Geschirren, ein Tisch mit eingelegter Arbeit,
gepolsterte Sessel, ein Mauerkästchen mit den Ersparnissen,
dann hängen an den Wänden Heiligenbilder, zwei schöne
Sackuhren, gewonnene Preise im Schießen, und endlich sind
auch Scheibengewehre und Jagdbüchsen nebst ihrem Zugehöre
in einem eigenen, mit Glastafeln versehenen Kasten aufgehängt. An das Schusterhaus ist ein kleineres Häuschen, nur
durch den Einfahrtsschwibbogen getrennt, angebaut, welches
genau dieselbe Bauart hat, und zum Schusterhause wie ein Teil
zum Ganzen gehört. Es hat nur eine Stube mit den dazugehö-
rigen Wohnteilen. Es hat die Bestimmung, dem Hausbesitzer,
sobald er das Anwesen seinem Sohne oder Nachfolger überge-
ben hat, als sogenanntes Ausnahmstübchen zu dienen, in welchem er mit seinem Weibe solange haust, bis beide gestorben

sind, die Stube wieder leersteht und auf einen neuen Bewohner wartet. Das Schusterhaus hat nach rückwärts Stall und Scheune; denn jeder Talbewohner ist, selbst wenn er ein Gewerbe treibt, auch Landbebauer und zieht hieraus seine gute und nachhaltige Nahrung. Hinter diesen Gebäuden ist endlich der Garten, der fast bei keinem besseren Hause in Gschaid fehlt, und von dem sie ihre Gemüse, ihr Obst und für festliche Gelegenheiten ihre Blumen ziehen. Wie oft im Gebirge, so ist auch in Gschaid die Bienenzucht in diesen Gärten sehr verbreitet.

Die kleine Ausnahme, deren oben Erwähnung geschah, und die Nebenbuhlerschaft der Alleinherrlichkeit des Schusters ist ein anderer Schuster, der alte Tobias, der aber eigentlich kein Nebenbuhler ist, weil er nur mehr flickt, hierin viel zu tun hat und es sich nicht im entferntesten beikommen läßt, mit dem vornehmen Platzschuster in einen Wettstreit einzugehen, insbesondere, da der Platzschuster ihn häufig mit Lederflecken, Sohlenabschnitten und dergleichen Dingen unentgeltlich versieht. Der alte Tobias sitzt im Sommer am Ende des Dörfchens unter Holunderbüschen und arbeitet. Er ist umringt von Schuhen und Bundschuhen, die aber sämtlich alt, grau, kotig und zerrissen sind. Stiefel mit langen Röhren sind nicht da, weil sie im Dorfe und in der Gegend nicht getragen werden; nur zwei Personen haben solche, der Pfarrer und der Schullehrer, welche aber beides, flicken und neue Ware machen, nur bei dem Platzschuster lassen. Im Winter sitzt der alte Tobias in seinem Stübchen hinter den Holunderstauden und hat warm geheizt, weil das Holz in Gschaid nicht teuer ist.

Der Platzschuster ist, ehe er das Haus angetreten hat, ein Gemsewildschütze gewesen und hat überhaupt in seiner Jugend, wie die Gschaider sagen, nicht gut getan. Er war in der Schule immer einer der besten Schüler gewesen, hatte dann von seinem Vater das Handwerk gelernt, ist auf Wanderung gegangen und ist endlich wieder zurückgekehrt. Statt, wie es sich für einen

Gewerbsmann ziemt und wie sein Vater es zeit Lebens getan, einen schwarzen Hut zu tragen, tat er einen grünen auf, steckte noch alle bestehenden Federn darauf und stolzierte mit ihm und mit dem kürzesten Lodenrocke, den es im Tale gab, herum, während sein Vater immer einen Rock von dunkler, womöglich schwarzer Farbe hatte, der auch, weil er einem Gewerbsmanne angehörte, immer sehr weit herabgeschnitten sein mußte. Der junge Schuster war auf allen Tanzplätzen und Kegelbahnen zu sehen. Wenn ihm jemand eine gute Lehre gab, so pfiff er ein Liedlein. Er ging mit seinem Scheibengewehre zu allen Schießen der Nachbarschaft und brachte manchmal einen Preis nach Hause, was er für einen großen Sieg hielt. Der Preis bestand meistens aus Münzen, die künstlich gefaßt waren, und zu deren Gewinnung der Schuster mehr gleiche Münzen ausgeben mußte, als der Preis enthielt, besonders da er wenig haushälterisch mit dem Gelde war. Er ging auf alle Jagden, die in der Gegend abgehalten wurden, und hatte sich den Namen eines guten Schützen erworben. Er ging aber auch manchmal allein mit seiner Doppelbüchse und mit Steigeisen fort, und einmal sagte man, daß er eine schwere Wunde im Kopfe erhalten habe.

In Millsdorf war ein Färber, welcher gleich am Anfange des Marktfleckens, wenn man auf dem Wege von Gschaid hinüberkam, ein sehr ansehnliches Gewerbe hatte, mit vielen Leuten und sogar, was im Tale etwas Unerhörtes war, mit Maschinen arbeitete. Außerdem besaß er noch eine ausgebreitete Feldwirtschaft. Zu der Tochter dieses reichen Färbers ging der Schuster über das Gebirge, um sie zu gewinnen. Sie war wegen ihrer Schönheit weit und breit berühmt, aber auch wegen ihrer Eingezogenheit, Sittsamkeit und Häuslichkeit belobt. Dennoch, hieß es, soll der Schuster ihre Aufmerksamkeit erregt haben. Der Färber ließ ihn nicht in sein Haus kommen; und hatte die schöne Tochter schon früher keine öffentlichen Plätze und Lustbarkeiten besucht und war selten außer dem Hause ihrer

Eltern zu sehen gewesen: so ging sie jetzt schon gar nirgends mehr hin als in die Kirche oder in ihren Garten oder in den Räumen des Hauses herum.

Einige Zeit nach dem Tode seiner Eltern, durch welchen ihm das Haus derselben zugefallen war, das er nun allein bewohnte, änderte sich der Schuster gänzlich. So wie er früher getollt hatte, so saß er jetzt in seiner Stube und hämmerte Tag und Nacht an seinen Sohlen. Er setzte prahlend einen Preis darauf, wenn es jemand gäbe, der bessere Schuhe und Fußbekleidung machen könne. Er nahm keinen andern Arbeiter als die besten, und drillte sie noch sehr herum, wenn sie in seiner Werkstätte arbeiteten, daß sie ihm folgten und die Sache so einrichteten, wie er befahl. Wirklich brachte er es jetzt auch dahin, daß nicht nur das ganze Dorf Gschaid, das zum größten Teile die Schusterarbeit aus benachbarten Tälern bezogen hatte, bei ihm arbeiten ließ, daß das ganze Tal bei ihm arbeiten ließ, und daß endlich sogar einzelne von Millsdorf und anderen Tälern hereinkamen und sich ihre Fußbekleidungen von dem Schuster in Gschaid machen ließen. Sogar in die Ebene hinaus verbreitete sich sein Ruhm, daß manche, die in die Gebirge gehen wollten, sich die Schuhe dazu von ihm machen ließen.

Er richtete das Haus sehr schön zusammen, und in dem Warengewölbe glänzten auf den Brettern die Schuhe, Bundstiefel und Stiefel; und wenn am Sonntage die ganze Bevölkerung des Tales hereinkam und man bei den vier Linden des Platzes stand, ging man gerne zu dem Schusterhause hin und sah durch die Gläser in die Warenstube, wo die Käufer und Besteller waren.

Nach seiner Vorliebe zu den Bergen machte er auch jetzt die Gebirgsbundschuhe am besten. Er pflegte in der Wirtsstube zu sagen: Es gäbe keinen, der ihm einen fremden Gebirgsbundschuh zeigen könne, der sich mit einem seinigen vergleichen lasse. »Sie wissen es nicht«, pflegte er beizufügen, »sie haben es in ihrem Leben nicht erfahren, wie ein solcher Schuh sein muß, daß der gestirnte Himmel der Nägel recht auf der Sohle sitze und das gebührende Eisen enthalte, daß der Schuh außen hart sei, damit kein Geröllstein, wie scharf er auch sei, empfunden werde, und daß er sich von innen doch weich und zärtlich wie ein Handschuh an die Füße lege.«

Der Schuster hatte sich ein sehr großes Buch machen lassen, in welches er alle verfertigte Ware eintrug, die Namen derer beifügte, die den Stoff geliefert und die Ware gekauft hatten, und eine kurze Bemerkung über die Güte des Erzeugnisses beischrieb. Die gleichartigen Fußbekleidungen hatten ihre fortlaufenden Zahlen, und das Buch lag in der großen Lade seines Gewölbes.

Wenn die schöne Färberstochter von Millsdorf auch nicht aus der Eltern Hause kam, wenn sie auch weder Freunde noch Verwandte besuchte, so konnte es der Schuster von Gschaid doch so machen, daß sie ihn von ferne sah, wenn sie in die Kirche ging, wenn sie in dem Garten war und wenn sie aus den Fenstern ihres Zimmers auf die Matten blickte. Wegen dieses unausgesetzten Sehens hatte es die Färberin durch langes, inständiges und ausdauerndes Flehen für ihre Tochter dahin gebracht, daß der halsstarrige Färber nachgab, und daß der Schuster, weil er denn nun doch besser geworden, die schöne reiche Millsdorferin als Eheweib nach Gschaid führte. Aber der Färber war desungeachtet auch ein Mann, der seinen Kopf hatte. Ein rechter Mensch, sagte er, müsse sein Gewerbe treiben, daß es blühe und vorwärts komme, er müsse daher sein Weib, seine Kinder, sich und sein Gesinde ernähren, Hof und Haus im Stande des Glanzes erhalten und sich noch ein Erkleckliches erübrigen, welches letztere doch allein imstande sei, ihm Ansehen und Ehre in der Welt zu geben; darum erhalte seine Tochter nichts als eine vortreffliche Ausstattung, das andere ist Sache des Ehemanns, daß er es mache und für alle Zukunft es besorge. Die Färberei in Millsdorf und die Landwirtschaft auf dem Färberhause sei für sich ein ansehnliches und ehrenwertes

Gewerbe, das seiner Ehre willen bestehen, und wozu alles, was da sei, als Grundstock dienen müsse, daher er nichts weggebe. Wenn einmal er und sein Eheweib, die Färberin, tot seien, dann gehöre Färberei und Landwirtschaft in Millsdorf ihrer einzigen Tochter, nämlich der Schusterin in Gschaid, und Schuster und Schusterin könnten dann damit tun, was sie wollten: aber alles dieses nur, wenn die Erben es wert wären, das Erbe zu empfangen; wären sie es nicht wert, so ginge das Erbe auf die Kinder derselben, und wenn keine vorhanden wären, mit der Ausnahme des lediglichen Pflichtteiles auf andere Verwandte über. Der Schuster verlangte auch nichts, er zeigte im Stolze, daß es ihm nur um die schöne Färberstochter in Millsdorf zu tun gewesen und daß er sie schon ernähren und erhalten könne, wie sie zu Hause ernährt und erhalten worden ist. Er kleidete sie als sein Eheweib nicht nur schöner als alle Gschaiderinnen und alle Bewohnerinnen des Tales, sondern auch schöner, als sie sich je zu Hause getragen hatte, und Speise, Trank und übrige Behandlung mußte besser und rücksichtsvoller sein, als sie das gleiche im väterlichen Hause genossen hatte. Und um dem Schwiegervater zu trotzen, kaufte er mit erübrigten Summen nach und nach immer mehr Grundstücke so ein, daß er einen tüchtigen Besitz beisammen hatte.

Weil die Bewohner von Gschaid so selten aus ihrem Tale kommen und nicht einmal oft nach Millsdorf hinübergehen, von dem sie durch Bergrücken und durch Sitten geschieden sind, weil ferner ihnen gar kein Fall vorkömmt, daß ein Mann sein Tal verläßt und sich in dem benachbarten ansiedelt (Ansiedlungen in großen Entfernungen kommen öfter vor), weil endlich auch kein Weib oder Mädchen gerne von einem Tale in ein anderes auswandert, außer in dem ziemlich seltenen Falle, wenn sie der Liebe folgt und als Eheweib zu dem Ehemanne in ein anderes Tal kömmt: so geschah es, daß die schöne Färberstochter von Millsdorf, da sie Schusterin in Gschaid geworden war, doch immer von allen Gschaidern als Fremde angesehen wurde, und wenn man ihr auch nichts Übles antat, ja wenn man sie ihres schönen Wesens und ihrer Sitten wegen sogar liebte, doch immer etwas vorhanden war, das wie Scheu oder wenn man will, wie Rücksicht aussah, und nicht zu dem Innigen und Gleichartigen kommen ließ, wie Gschaiderinnen gegen Gschaiderinnen, Gschaider gegen Gschaider hatten. Es war so, ließ sich nicht abstellen und wurde durch die bessere Tracht und durch das erleichterte häusliche Leben der Schusterin noch vermehrt.

Sie hatte ihrem Manne nach dem ersten Jahre einen Sohn und in einigen Jahren darauf ein Töchterlein geboren. Sie glaubte aber, daß er die Kinder nicht so liebe, wie sie sich vorstellte, daß es sein solle, und wie sie sich bewußt war, daß sie dieselben liebe; denn sein Angesicht war meistens ernsthaft und mit seinen Arbeiten beschäftigt. Er spielte und tändelte selten mit den Kindern und sprach stets ruhig mit ihnen gleichsam so, wie man mit Erwachsenen spricht. Was Nahrung und Kleidung und andere äußere Dinge anbelangte, hielt er die Kinder untadelig.

In der ersten Zeit der Ehe kam die Färberin öfter nach Gschaid, und die jungen Eheleute besuchten auch Millsdorf zuweilen bei Kirchweihen oder anderen festlichen Gelegenheiten. Als aber die Kinder auf der Welt waren, war die Sache anders geworden. Wenn schon Mütter ihre Kinder lieben und sich nach ihnen sehnen, so ist dieses von Großmüttern öfter in noch höherem Grade der Fall: sie verlangen zuweilen mit wahrlich krankhafter Sehnsucht nach ihren Enkeln. Die Färberin kam sehr oft nach Gschaid herüber, um die Kinder zu sehen, ihnen Geschenke zu bringen, eine Weile da zu bleiben und dann mit guten Ermahnungen zu scheiden. Da aber das Alter und die Gesundheitsumstände der Färberin die öfteren Fahrten nicht mehr so möglich machten und der Färber aus dieser Ursache Einsprache tat, wurde auf etwas anderes gesonnen, die Sache wurde umgekehrt, und die Kinder kamen jetzt zur

Großmutter. Die Mutter brachte sie selber öfter in einem Wagen, öfter aber wurden sie, da sie noch im zarten Alter waren, eingemummt einer Magd mitgegeben, die sie in einem Fuhrwerke über den Hals brachte. Als sie aber größer waren, gingen sie zu Fuße entweder mit der Mutter oder mit einer Magd nach Millsdorf, ja da der Knabe geschickt, stark und klug geworden war, ließ man ihn allein den bekannten Weg über den Hals gehen, und wenn es schön war und er bat, erlaubte man auch, daß ihn die kleine Schwester begleite. Dies ist bei den Gschaidern gebräuchlich, weil sie an starkes Fußgehen gewöhnt sind und die Eltern überhaupt, namentlich aber ein Mann wie der Schuster, es gerne sehen und eine Freude daran haben, wenn ihre Kinder tüchtig werden.

So geschah es, daß die zwei Kinder den Weg über den Hals öfter zurücklegten, als die übrigen Dörfler zusammen genommen, und da schon ihre Mutter in Gschaid immer gewissermaßen wie eine Fremde behandelt wurde, so wurden durch diesen Umstand auch die Kinder fremd, sie waren kaum Gschaider und gehörten halb nach Millsdorf hinüber.

Der Knabe Konrad hatte schon das ernste Wesen seines Vaters, und das Mädchen Susanna, nach ihrer Mutter so genannt, oder, wie man es zur Abkürzung nannte, Sanna, hatte viel Glauben zu seinen Kenntnissen, seiner Einsicht und seiner Macht und gab sich unbedingt unter seine Leitung, gerade so wie die Mutter sich unbedingt unter die Leitung des Vaters gab, dem sie alle Einsicht und Geschicklichkeit zutraute.

An schönen Tagen konnte man morgens die Kinder durch das Tal gegen Mittag wandern sehen, über die Wiese gehen und dort anlangen, wo der Wald des Halses gegen sie her schaut. Sie näherten sich dem Walde, gingen auf seinem Wege allgemach über die Erhöhung hinan und kamen, ehe der Mittag eingetreten war, auf den offenen Wiesen auf der anderen Seite gegen Millsdorf hinunter. Konrad zeigte Sanna die Wiesen, die dem Großvater gehörten, dann gingen sie durch seine Felder, auf denen er ihr die Getreidearten erklärte, dann sahen sie auf Stangen unter dem Vorsprunge des Daches die langen Tücher zum Trocknen herabhängen, die sich im Winde schlängelten oder närrische Gesichter machten, dann hörten sie seine Walkmühle und seinen Lohstampf, die er an seinem Bache für Tuchmacher und Gerber angelegt hatte, dann bogen sie noch um eine Ecke der Felder und gingen im kurzen durch die Hintertür in den Garten der Färberei, wo sie von der Großmutter empfangen wurden. Diese ahnte immer, wenn die Kinder kamen, sah zu den Fenstern aus, und erkannte sie von weitem, wenn Sannas rotes Tuch recht in der Sonne leuchtete.

Sie führte die Kinder dann durch die Waschstube und Presse in das Zimmer, ließ sie niedersetzen, ließ nicht zu, daß sie Halstücher oder Jäckchen lüfteten, damit sie sich nicht verkühlten, und behielt sie beim Essen da. Nach dem Essen durften sie sich lüften, spielen, durften in den Räumen des großväterlichen Hauses herumgehen oder sonst tun, was sie wollten, wenn es nur nicht unschicklich oder verboten war. Der Färber, welcher immer bei dem Essen war, fragte sie um ihre Schulgegenstände aus und schärfte ihnen besonders ein, was sie lernen sollten. Nachmittags wurden sie von der Großmutter schon, ehe die Zeit kam, zum Aufbruche getrieben, daß sie ja nicht zu spät kämen. Obgleich der Färber keine Mitgift gegeben hatte und vor seinem Tode von seinem Vermögen nichts wegzugeben gelobt hatte, glaubte sich die Färberin an diese Dinge doch nicht so strenge gebunden, und sie gab den Kindern nicht allein während ihrer Anwesenheit allerlei, worunter nicht selten ein Münzstück und zuweilen gar von ansehnlichem Werte war, sondern sie band ihnen auch immer zwei Bündelchen zusammen, in denen sich Dinge befanden, von denen sie glaubte, daß sie notwendig wären oder daß sie den Kindern Freude machen könnten. Und wenn oft die nämlichen Dinge im Schusterhause in Gschaid ohnedem in aller Trefflichkeit vorhanden waren, so gab sie die Großmutter in der Freude des Gebens doch, und die

Kinder trugen sie als etwas Besonderes nach Hause. So geschah es nun, daß die Kinder am Heiligen Abend schon unwissend die Geschenke in Schachteln gut versiegelt und verwahrt nach Hause trugen, die ihnen in der Nacht einbeschert werden sollten.

Weil die Großmutter die Kinder immer schon vor der Zeit zum Fortgehen drängte, damit sie nicht zu spät nach Hause kämen, so erzielte sie hiedurch, daß die Kinder gerade auf dem Wege bald an dieser, bald an jener Stelle sich aufhielten. Sie saßen gerne an dem Haselnußgehege, das auf dem Halse ist, und schlugen mit Steinen Nüsse auf, oder spielten, wenn keine Nüsse waren, mit Blättern oder mit Hölzlein oder mit den weichen braunen Zäpfchen, die im ersten Frühjahre von den Zweigen der Nadelbäume herabfielen. Manchmal erzählte Konrad dem Schwesterchen Geschichten, oder wenn sie zu der roten Unglückssäule kamen, führte er sie ein Stück auf dem Seitenwege links gegen die Höhen hinan und sagte ihr, daß man da auf den Schneeberg gelange, daß dort Felsen und Steine seien, daß die Gemsen herumspringen und große Vögel fliegen. Er führte sie oft über den Wald hinaus, sie betrachteten dann den dürren Rasen und die kleinen Sträucher der Heidekräuter; aber er führte sie wieder zurück und brachte sie immer vor der Abenddämmerung nach Hause, was ihm stets Lob eintrug.

Einmal war am Heiligen Abende, da die erste Morgendämmerung in dem Tale von Gschaid in Helle übergegangen war, ein dünner trockener Schleier über den ganzen Himmel gebreitet, so daß man die ohnedem schiefe und ferne Sonne im Südosten nur als einen undeutlichen roten Fleck sah, überdies war an diesem Tage eine milde, beinahe laulichte Luft unbeweglich im ganzen Tale und auch an dem Himmel, wie die unveränderte und ruhige Gestalt der Wolken zeigte. Da sagte die Schustersfrau zu ihren Kindern: »Weil ein so angenehmer Tag ist, weil es so lange nicht geregnet hat und die Wege fest sind, und weil es auch der Vater gestern unter der Bedingung erlaubt hat,

wenn der heutige Tag dazu geeignet ist, so dürft ihr zur Großmutter nach Millsdorf gehen; aber ihr müßt den Vater noch
vorher fragen.«

Die Kinder, welche noch in ihren Nachtkleidern dastanden, liefen in die Nebenstube, in welcher der Vater mit einem Kunden
sprach, und baten um die Wiederholung der gestrigen Erlaubnis, weil ein so schöner Tag sei. Sie wurde ihnen erteilt, und sie
liefen wieder zur Mutter zurück.

Die Schustersfrau zog nun ihre Kinder vorsorglich an, oder
eigentlich, sie zog das Mädchen mit dichten gut verwahrenden
Kleidern an; denn der Knabe begann sich selber anzukleiden
und stand viel früher fertig da, als die Mutter mit dem Mädchen hatte ins reine kommen können. Als sie dieses Geschäft
vollendet hatte, sagte sie: »Konrad, gib wohl acht: weil ich dir
das Mädchen mitgehen lasse, so müsset ihr beizeiten fortgehen,
ihr müsset an keinem Platze stehenbleiben, und wenn ihr bei
der Großmutter gegessen habt, so müsset ihr gleich wieder umkehren und nach Hause trachten; denn die Tage sind jetzt
kurz, und die Sonne geht gar bald unter.«

»Ich weiß es schon, Mutter«, sagte Konrad.

»Und siehe gut auf Sanna, daß sie nicht fällt oder sich erhitzt.«

»Ja, Mutter.«

»So, Gott behüte euch, und geht noch zum Vater und sagt, daß
ihr jetzt fortgehet.«

Der Knabe nahm eine von seinem Vater kunstvoll aus Kalbfel-
len genähte Tasche an einem Riemen um die Schulter, und die
Kinder gingen in die Nebenstube, um dem Vater Lebewohl zu
sagen. Aus dieser kamen sie bald heraus und hüpften, von der
Mutter mit einem Kreuz besegnet, fröhlich auf die Gasse.

Sie gingen schleunigst längs des Dorfplatzes hinab und dann
durch die Häusergasse und endlich zwischen den Planken der
Obstgärten, in das Freie hinaus. Die Sonne stand schon über
dem mit milchigen Wolkenstreifen durchwobenen Wald der
morgendlichen Anhöhen, und ihr trübes rötliches Bild schritt

durch die laublosen Zweige der Holzäpfelbäume mit den Kindern fort.

In dem ganzen Tale war kein Schnee, die größeren Berge, von denen er schon viele Wochen herab geglänzt hatte, waren damit bedeckt, die kleineren standen in dem Mantel ihrer Tannenwälder und im Fahlrot ihrer entblößten Zweige unbeschneit und ruhig da. Der Boden war noch nicht gefroren, und er wäre vermöge der vorhergegangenen langen regenlosen Zeit ganz trocken gewesen, wenn ihn nicht die Jahreszeit mit einer zarten Feuchtigkeit überzogen hätte, die ihn aber nicht schlüpfrig, sondern eher fest und widerprallend machte, daß sie leicht und gering darauf fortgingen. Das wenige Gras, welches noch auf den Wiesen und vorzüglich an den Wassergräben derselben war, stand in herbstlichem Ansehen. Es lag kein Reif und bei näherem Anblick nicht einmal ein Tau, was nach der Meinung der Landleute baldigen Regen bedeutet.

Gegen die Grenzen der Wiesen zu war ein Gebirgsbach, über welchen ein hoher Steg führte. Die Kinder gingen auf den Steg und schauten hinab. Im Bache war schier kein Wasser, ein dünner Faden von sehr stark blauer Farbe ging durch die trockenen Kiesel des Gerölles, die wegen Regenlosigkeit ganz weiß geworden waren, und sowohl die Wenigkeit als auch die Farbe des Wassers zeigten an, daß in den größeren Höhen schon Kälte herrschen müsse, die den Boden verschließe, daß er mit seiner Erde das Wasser nicht trübe, und die das Eis erhärte, daß es in seinem Innern nur wenige klare Tropfen abgeben könne.

Von dem Stege liefen die Kinder durch die Gründe fort und näherten sich immer mehr den Waldungen.

Sie trafen endlich die Grenze des Holzes und gingen in demselben weiter.

Als sie die höheren Wälder des Halses hinauf gekommen waren, zeigten sich die langen Furchen des Fahrweges nicht mehr weich, wie es unten im Tale der Fall gewesen war, sondern sie

waren fest, und zwar nicht aus Trockenheit, sondern, wie die
Kinder sich bald überzeugten, weil sie gefroren waren. An
manchen Stellen waren sie so überfroren, daß sie die Körper
der Kinder trugen. Nach der Natur der Kinder gingen sie nun
nicht mehr auf dem glatten Pfade neben dem Fahrwege, sondern in den Gleisen, und versuchten, ob dieser oder jener Fur-
chenaufwurf sie schon trage. Als sie nach Verlauf einer Stunde
auf der Höhe des Halses angekommen waren, war der Boden
bereits so hart, daß er klang, und Schollen wie Steine hatte.
An der roten Unglückssäule des Bäckers bemerkte Sanna zuerst, daß sie heute gar nicht da stehe. Sie gingen zu dem Platze
hinzu und sahen, daß der runde rot angestrichene Balken, der
das Bild trug, in dem dürren Grase liege, das wie dünnes Stroh
an der Stelle stand, und den Anblick der liegenden Säule verdeckte.
Sie sahen zwar nicht ein, warum die Säule liege, ob sie umgeworfen worden, oder ob sie von selber umgefallen sei, das sahen sie, daß sie an der Stelle, wo sie in die Erde ragte, sehr
morsch war, und daß sie daher sehr leicht habe umfallen können; aber da sie einmal lag, so machte es ihnen Freude, daß sie
das Bild und die Schrift so nahe betrachten konnten, wie es
sonst nie der Fall gewesen war. Als sie alles – den Korb mit den
Semmeln, die bleichen Hände des Bäckers, seine geschlossenen
Augen, seinen grauen Rock und die umstehenden Tannen –
betrachtet hatten, als sie die Schrift gelesen und laut gesagt hatten, gingen sie wieder weiter.
Abermal nach einer Stunde wichen die dunklen Wälder zu beiden Seiten zurück, dünnstehende Bäume, teils einzelne Eichen,
teils Birken und Gebüschgruppen, empfingen sie, geleiteten sie
weiter, und nach kurzem liefen sie auf den Wiesen in das Millsdorfer Tal hinab.
Obwohl dieses Tal bedeutend tiefer liegt als das von Gschaid
und auch um so viel wärmer war, daß man die Ernte immer um
vierzehn Tage früher beginnen konnte als in Gschaid, so war

doch auch hier der Boden gefroren, und als die Kinder bis zu den Loh- und Walkwerken des Großvaters gekommen waren, lagen auf dem Wege, auf den die Räder oft Tropfen herausspritzten, schöne Eistäfelchen. Den Kindern ist das gewöhnlich ein sehr großes Vergnügen.

Die Großmutter hatte sie kommen gesehen, war ihnen entgegen gegangen, nahm Sanna bei den erfrornen Händchen und führte sie in die Stube.

Sie nahm ihnen die wärmeren Kleider ab, sie ließ in dem Ofen nachlegen und fragte sie, wie es ihnen im Herübergehen gegangen sei.

Als sie hierauf die Antwort erhalten hatte, sagte sie: »Das ist schon recht, das ist gut, es freut mich gar sehr, daß ihr wieder gekommen seid; aber heute müßt ihr bald fort, der Tag ist kurz, und es wird auch kälter, am Morgen war es in Millsdorf nicht gefroren.«

»In Gschaid auch nicht«, sagte der Knabe.

»Siehst du, darum müßt ihr euch sputen, daß euch gegen Abend nicht zu kalt wird«, antwortete die Großmutter.

Hierauf fragte sie, was die Mutter mache, was der Vater mache, und ob nichts Besonderes in Gschaid geschehen sei.

Nach diesen Fragen bekümmerte sie sich um das Essen, sorgte, daß es früher bereitet wurde als gewöhnlich, und richtete selber den Kindern kleine Leckerbissen zusammen, von denen sie wußte, daß sie eine Freude damit erregen würde. Dann wurde der Färber gerufen, die Kinder bekamen an dem Tische aufgedeckt wie große Personen und aßen nun mit Großvater und Großmutter, und die letzte legte ihnen hiebei besonders Gutes vor.

Nach dem Essen streichelte sie Sannas unterdessen sehr rot gewordene Wangen. Hierauf ging sie geschäftig hin und her und steckte das Kalbfellränzchen des Knaben voll und steckte ihm noch allerlei in die Taschen. Auch in die Täschchen von Sanna tat sie allerlei Dinge. Sie gab jedem ein Stück Brot, es auf dem Wege zu verzehren, und in dem Ränzchen, sagte sie, seien noch zwei Weißbrote, wenn etwa der Hunger zu groß würde.

»Für die Mutter habe ich einen guten gebrannten Kaffee mitgegeben«, sagte sie, »und in dem Fläschchen, das zugestopft und gut verbunden ist, befindet sich auch ein schwarzer Kaffeeaufguß, ein besserer, als die Mutter bei euch gewöhnlich macht, sie soll ihn nur kosten, wie er ist, er ist eine wahre Arznei, so kräftig, daß nur ein Schlückchen den Magen so wärmt, daß es den Körper in den kältesten Wintertagen nicht frieren kann. Die anderen Sachen, die in der Schachtel und in den Papieren im Ränzchen sind, bringt unversehrt nach Hause.«

Da sie noch ein Weilchen mit den Kindern geredet hatte, sagte sie, daß sie gehen sollten.

»Habe acht, Sanna«, sagte sie, »daß du nicht frierst, erhitze dich nicht; und daß ihr nicht über die Wiesen hinauf und unter den Bäumen lauft. Etwa kömmt gegen Abend ein Wind, da müßt ihr langsamer gehen. Grüßet Vater und Mutter und sagt, sie sollen recht glückliche Feiertage haben.«

Die Großmutter küßte beide Kinder auf die Wangen und schob sie durch die Tür hinaus. Nichtsdestoweniger ging sie aber auch selber mit, geleitete sie durch den Garten, ließ sie durch das Hinterpförtchen hinaus, schloß wieder und ging in das Haus zurück.

Die Kinder gingen an den Eistäfelchen neben den Werken des Großvaters vorbei, sie gingen durch die Millsdorfer Felder und wendeten sich gegen die Wiesen hinan.

Als sie auf den Anhöhen gingen, wo, wie gesagt wurde, zerstreute Bäume und Gebüschgruppen standen, fielen äußerst langsam einzelne Schneeflocken.

»Siehst du, Sanna«, sagte der Knabe, »ich habe es gleich gedacht, daß wir Schnee bekommen; weißt du, da wir von zu Hause weg gingen, sahen wir noch die Sonne, die so blutrot war wie eine Lampe bei dem Heiligen Grabe, und jetzt ist nichts mehr von ihr zu erblicken, und nur der graue Nebel ist über den Baumwipfeln oben. Das bedeutet allemal Schnee.«

Die Kinder gingen freudiger fort, und Sanna war recht froh, wenn sie mit dem dunkeln Ärmel ihres Röckchens eine der fallenden Flocken auffangen konnte, und wenn dieselbe recht lange nicht auf dem Ärmel zerfloß. Als sie endlich an dem äußersten Rand der Millsdorfer Höhe angekommen waren, wo es gegen die dunkeln Tannen des Halses hineingeht, war die dichte Waldwand schon recht lieblich gesprenkelt von den immer reichlicher herabfallenden Flocken. Sie gingen nunmehr in den dicken Wald hinein, der den großen Teil ihrer noch bevorstehenden Wanderung einnahm.

Es geht von dem Waldrande noch immer aufwärts, und zwar bis man zur roten Unglückssäule kömmt, von wo sich, wie schon oben angedeutet wurde, der Weg gegen das Tal von Gschaid hinab wendet. Die Erhebung des Waldes von der Millsdorfer Seite aus ist sogar so steil, daß der Weg nicht gerade hineingeht, sondern daß er in sehr langen Abweichungen von Abend nach Morgen und von Morgen nach Abend hinanklimmt. An der ganzen Länge des Weges hinauf zur Säule und hinab bis zu den Wiesen von Gschaid sind hohe dichte ungelichtete Waldbestände, und sie werden erst ein wenig dünner, wenn man in die Ebene gelangt ist und gegen die Wiesen des Tales von Gschaid hinauskömmt. Der Hals ist auch, wenn er gleich nur eine kleine Verbindung zwischen zwei großen Gebirgshäuptern abgibt, doch selbst so groß, daß er in die Ebene gelegt einen bedeutenden Gebirgsrücken abgeben würde.

Das erste, was die Kinder sahen, als sie die Waldung betraten, war, daß der gefrorne Boden sich grau zeigte, als ob er mit Mehl besät wäre, daß die Fahne manches dünnen Halmes des am Wege hin und zwischen den Bäumen stehenden dürren Grases mit Flocken beschwert war, und daß auf den verschiedenen grünen Zweigen der Tannen und Fichten, die sich wie Hände öffneten, schon weiße Fläumchen saßen.

»Schneit es denn jetzt bei dem Vater zu Hause auch?« fragte Sanna.

»Freilich«, antwortete der Knabe, »es wird auch kälter, und du wirst sehen, daß morgen der ganze Teich gefroren ist.«

»Ja, Konrad«, sagte das Mädchen.

Es verdoppelte beinahe seine kleinen Schritte, um mit denen des dahinschreitenden Knaben gleichbleiben zu können.

Sie gingen nun rüstig in den Windungen fort, jetzt von Abend nach Morgen, jetzt von Morgen nach Abend.

Der von der Großmutter vorausgesagte Wind stellte sich nicht ein, im Gegenteile war es so stille, daß sich nicht ein Ästchen oder Zweig rührte, ja sogar es schien im Walde wärmer, wie es in lockeren Körpern, dergleichen ein Wald auch ist, immer im Winter zu sein pflegt, und die Schneeflocken fielen stets reichlicher, so daß der ganze Boden schon weiß war, daß der Wald sich grau zu bestäuben anfing, und daß auf dem Hute und den Kleidern des Knaben sowie auf denen des Mädchens der Schnee lag.

Die Freude der Kinder war sehr groß. Sie traten auf den weichen Flaum, suchten mit dem Fuße absichtlich solche Stellen, wo er dichter zu liegen schien, um dorthin zu treten, und sich den Anschein zu geben, als wateten sie bereits. Sie schüttelten den Schnee nicht von den Kleidern ab.

Es war große Ruhe eingetreten. Von den Vögeln, deren doch manche auch zuweilen im Winter in dem Walde hin und her fliegen, und von denen die Kinder im Herübergehen sogar mehrere zwitschern gehört hatten, war nichts zu vernehmen, sie sahen auch keine auf irgendeinem Zweige sitzen oder fliegen, und der ganze Wald war gleichsam ausgestorben.

Weil nur die bloßen Fußstapfen der Kinder hinter ihnen blieben, und weil vor ihnen der Schnee rein und unverletzt war, so war daraus zu erkennen, daß sie die einzigen waren, die heute über den Hals gingen.

Sie gingen in ihrer Richtung fort, sie näherten sich öfter den

Bäumen, öfter entfernten sie sich, und wo dichtes Unterholz war, konnten sie den Schnee auf den Zweigen liegen sehen.

Ihre Freude wuchs noch immer; denn die Flocken fielen stets dichter, und nach kurzer Zeit brauchten sie nicht mehr den Schnee aufzusuchen, um in ihm zu waten; denn er lag schon so dicht, daß sie ihn überall weich unter den Sohlen empfanden und daß er sich bereits um ihre Schuhe zu legen begann; und wenn es so ruhig und heimlich war, so war es, als ob sie das Knistern des in die Nadeln herabfallenden Schnees vernehmen könnten.

»Werden wir heute auch die Unglückssäule sehen«, fragte das Mädchen, »sie ist ja umgefallen, und da wird es darauf schneien, und da wird die rote Farbe weiß sein.«

»Darum können wir sie doch sehen«, antwortete der Knabe, »wenn auch der Schnee auf sie fällt, und wenn sie auch weiß ist, so müssen wir sie liegen sehen, weil sie eine dicke Säule ist, und weil sie das schwarze eiserne Kreuz auf der Spitze hat, das doch immer herausragen wird.«

»Ja, Konrad.«

Indessen, da sie noch weitergegangen waren, war der Schneefall so dicht geworden, daß sie nur mehr die allernächsten Bäume sehen konnten.

Von der Härte des Weges oder gar von Furchenaufwerfungen war nichts zu empfinden, der Weg war vom Schnee überall gleich weich, und war überhaupt nur daran zu erkennen, daß er als ein gleichmäßiger weißer Streifen in dem Walde fortlief. Auf allen Zweigen lag schon die schöne weiße Hülle.

Die Kinder gingen jetzt mitten auf dem Wege, sie furchten den Schnee mit ihren Füßlein, und gingen langsamer, weil das Gehen beschwerlicher ward. Der Knabe zog seine Jacke empor an dem Halse zusammen, damit ihm nicht der Schnee in den Nakken falle, und er setzte den Hut tiefer in das Haupt, daß er geschützter sei. Er zog auch seinem Schwesterlein das Tuch, das ihm die Mutter um die Schulter gegeben hatte, besser zusammen, und zog es ihm mehr vorwärts in die Stirne, daß es ein Dach bilde.

Der von der Großmutter vorausgesagte Wind war noch immer nicht gekommen; aber dafür wurde der Schneefall nach und nach so dicht, daß auch nicht mehr die nächsten Bäume zu erkennen waren, sondern daß sie wie neblige Säcke in der Luft standen.

Die Kinder gingen fort. Sie duckten die Köpfe dichter in ihre Kleider und gingen fort.

Sanna nahm den Riemen, an welchem Konrad die Kalbfelltasche um die Schulter hängen hatte, mit den Händchen, hielt sich daran, und so gingen sie ihres Weges.

Die Unglückssäule hatten sie noch immer nicht erreicht. Der Knabe konnte die Zeit nicht ermessen, weil keine Sonne am Himmel stand und weil es immer gleichmäßig grau war.

»Werden wir bald zu der Unglückssäule kommen?« fragte Sanna.

»Ich weiß es nicht«, antwortete der Knabe, »ich kann heute die Bäume nicht sehen und den Weg nicht erkennen, weil er so weiß ist. Die Unglückssäule werden wir wohl gar nicht sehen, weil so viel Schnee liegen wird, daß sie verhüllt sein wird, und daß kaum ein Gräschen oder ein Arm des schwarzen Kreuzes hervorragen wird. Aber es macht nichts. Wir gehen immer auf dem Wege fort, der Weg geht zwischen den Bäumen, und wenn er zu dem Platze der Unglückssäule kömmt, dann wird er abwärts gehen, wir gehen auf ihm fort, und wenn er aus den Bäumen hinausgeht, dann sind wir schon auf den Wiesen von Gschaid, dann kömmt der Steg, und dann haben wir nicht mehr weit nach Hause.«

»Ja, Konrad«, sagte das Mädchen.

Sie gingen auf ihrem aufwärtsführenden Wege fort. Die hinter ihnen liegenden Fußstapfen waren jetzt nicht mehr lange sichtbar; denn die ungemeine Fülle des herabfallenden Schnees deckte sie bald zu, daß sie verschwanden. Der Schnee knisterte in seinem Falle nun auch nicht mehr in den Nadeln, sondern legte sich eilig und heimlich auf die weiße, schon daliegende Decke nieder. Die Kinder nahmen die Kleider noch fester, um das immerwährende allseitige Hineinrieseln abzuhalten.

Sie gingen sehr schleunig, und der Weg führte noch stets aufwärts.

Nach langer Zeit war noch immer die Höhe nicht erreicht, auf welcher die Unglückssäule stehen sollte und von wo der Weg gegen die Gschaider Seite sich hinunter wenden mußte.

Endlich kamen die Kinder in eine Gegend, in welcher keine Bäume mehr standen.

»Ich sehe keine Bäume mehr«, sagte Sanna.

»Vielleicht ist nur der Weg so breit, daß wir sie wegen des Schneiens nicht sehen können«, antwortete der Knabe.

»Ja, Konrad«, sagte das Mädchen.

Nach einer Weile blieb der Knabe stehen und sagte: »Ich sehe selber keine Bäume mehr, wir müssen aus dem Walde gekommen sein, auch geht der Weg immer bergan. Wir wollen ein wenig stehen bleiben und herumsehen, vielleicht erblicken wir etwas.«

Aber sie erblickten nichts. Sie sahen durch einen trüben Raum in den Himmel. Wie bei dem Hagel über die weißen oder grünlich gedunsenen Wolken die finsteren fransenartigen Streifen herabstarren, so war es hier, und das stumme Schütten dauerte fort. Auf der Erde sahen sie nur einen runden Fleck Weiß und dann nichts mehr.

»Weißt du, Sanna«, sagte der Knabe, »wir sind auf dem dürren Grase, auf welches ich dich oft im Sommer heraufgeführt habe, wo wir saßen, und wo wir den Rasen betrachteten, der nacheinander hinaufgeht, und wo die schönen Kräuterbüschel wachsen. Wir werden da jetzt gleich rechts hinabgehen!«

»Ja, Konrad.«

»Der Tag ist kurz, wie die Großmutter gesagt hat, und wie du auch wissen wirst, wir müssen uns daher sputen.«

»Ja, Konrad«, sagte das Mädchen.

»Warte ein wenig, ich will dich besser einrichten«, erwiderte der Knabe.

Er nahm seinen Hut ab, setzte ihn Sanna auf das Haupt und befestigte ihn mit den beiden Bändchen unter ihrem Kinne. Das Tüchlein, welches sie umhatte, schützte sie zu wenig, während auf seinem Haupte eine solche Menge dichter Locken war, daß noch lange Schnee darauffallen konnte, ehe Nässe und Kälte durchzudringen vermochten. Dann zog er sein Pelzjäckchen aus und zog dasselbe über die Ärmelein der Schwester. Um seine eigenen Schultern und Arme, die jetzt das bloße Hemd zeigten, band er das kleinere Tüchlein, das Sanna über die Brust, und das größere, das sie über die Schultern gehabt hatte. Das sei für ihn genug, dachte er, wenn er nur stark auftrete, werde ihn nicht frieren.

Er nahm das Mädchen bei der Hand, und so gingen sie jetzt fort.

Das Mädchen schaute mit den willigen Äuglein in das ringsum herrschende Grau, und folgte ihm gerne, nur daß es mit den kleinen eilenden Füßlein nicht so nachkommen konnte, wie er vorwärts strebte, gleich einem, der es zur Entscheidung bringen wollte.

Sie gingen nun mit der Unablässigkeit und Kraft, die Kinder und Tiere haben, weil sie nicht wissen, wie viel ihnen beschieden ist und wann ihr Vorrat erschöpft ist.

Aber wie sie gingen, so konnten sie nicht merken, ob sie über den Berg hinabkämen oder nicht.

Sie hatten gleich rechts nach abwärts gebogen, allein sie kamen wieder in Richtungen, die bergan führten, bergab und wieder bergan.

Oft begegneten ihnen Steilheiten, denen sie ausweichen mußten, und ein Graben, in dem sie fortgingen, führte sie in einer Krümmung herum. Sie erklommen Höhen, die sich unter ihren Füßen steiler gestalteten, als sie dachten, und was sie für abwärts hielten, war wieder eben oder es war eine Höhlung oder es ging immer gedehnt fort.

»Wo sind wir denn, Konrad?« fragte das Mädchen.

»Ich weiß es nicht«, antwortete er.

»Wenn ich nur mit diesen meinen Augen etwas zu erblicken imstande wäre«, fuhr er fort, »daß ich mich darnach richten könnte.«

Aber es war rings um sie nichts als das blendende Weiß, überall das Weiß, das aber selber nur einen immer kleineren Kreis um sie zog und dann in einen lichten streifenweise niederfallenden Nebel überging, der jedes weitere verzehrte und verhüllte und zuletzt nichts anderes war als der unersättlich niederfallende Schnee.

»Warte, Sanna«, sagte der Knabe, »wir wollen ein wenig stehenbleiben und horchen, ob wir nicht etwas hören können, was sich im Tale meldet, sei es nun ein Hund oder eine Glocke oder die Mühle oder sei es ein Ruf, der sich hören läßt, hören müssen wir etwas, und dann werden wir wissen, wohin wir zu gehen haben.«

Sie blieben nun stehen, aber sie hörten nichts.

Sie blieben noch ein wenig länger stehen, aber es meldete sich nichts.

Es war nicht ein einziger Laut, auch nicht der leiseste außer ihrem Atem zu vernehmen; ja in der Stille, die herrschte, war es, als sollten sie den Schnee hören, der auf ihre Wimpern fiel. Die Voraussage der Großmutter hatte sich noch immer nicht erfüllt, der Wind war nicht gekommen, ja was in diesen Gegenden selten ist, nicht das leiseste Lüftchen rührte sich an dem ganzen Himmel.

Nachdem sie lange gewartet hatten, gingen sie wieder fort.

»Es tut auch nichts, Sanna«, sagte der Knabe, »sei nur nicht verzagt, folge mir, ich werde dich doch noch hinüberführen. – Wenn nur das Schneien aufhörte!«

Sie war nicht verzagt, sondern hob die Füßchen, so gut es gehen wollte, und folgte ihm. Er führte sie in dem weißen, lichten, regsamen, undurchsichtigen Raume fort.

Nach einer Weile sahen sie Felsen. Sie hoben sich dunkel und undeutlich aus dem weißen und undurchsichtigen Lichte empor. Da die Kinder sich näherten, stießen sie fast daran. Sie stiegen wie eine Mauer hinauf und waren ganz gerade, so daß kaum ein Schnee an ihrer Seite haften konnte.

»Sanna, Sanna«, sagte er, »da sind die Felsen, gehen wir nur weiter, gehen wir weiter.«

Sie ging weiter, sie mußten zwischen die Felsen hinein und unter ihnen fort. Die Felsen ließen sie nicht rechts und nicht links ausweichen und führten sie in einem engen Wege dahin. Nach einer Zeit verloren sie dieselben wieder und konnten sie nicht mehr erblicken. So wie sie unversehens unter sie gekommen waren, kamen sie wieder unversehens von ihnen. Es war wieder nichts um sie als das Weiß, und ringsum war kein unterbrechendes Dunkel zu schauen. Es schien eine große Lichtfülle zu sein, und doch konnte man nicht drei Schritte vor sich sehen; alles war, wenn man so sagen darf, in eine einzige weiße Finsternis gehüllt, und weil kein Schatten war, so war kein Urteil über die Größe der Dinge, und die Kinder konnten nicht wissen, ob sie aufwärts oder abwärts gehen würden, bis eine Steilheit ihren Fuß faßte und ihn aufwärts zu gehen zwang.

»Mir tun die Augen weh«, sagte Sanna.

»Schaue nicht auf den Schnee«, antwortete der Knabe, »sondern in die Wolken. Mir tun sie schon lange weh; aber es tut nichts, ich muß doch auf den Schnee schauen, weil ich auf den Weg zu achten habe. Fürchte dich nur nicht, ich führe dich doch hinunter ins Gschaid.«

»Ja, Konrad.«

Sie gingen wieder fort; aber wie sie auch gehen mochten, wie sie sich auch wenden mochten, es wollte kein Anfang zum Hinabwärtsgehen kommen. An beiden Seiten waren steile Dachlehnen nach aufwärts, mitten gingen sie fort, aber auch immer aufwärts. Wenn sie den Dachlehnen entrannen und sie nach abwärts beugten, wurde es gleich so steil, daß sie wieder umkehren mußten, die Füßlein stießen oft auf Unebenheiten, und sie mußten häufig Bühlen ausweichen.

Sie merkten auch, daß ihr Fuß, wo er tiefer durch den jungen Schnee einsank, nicht erdigen Boden unter sich empfand, sondern etwas anderes, das wie älterer gefrorener Schnee war; aber sie gingen immer fort, und sie liefen mit Hast und Ausdauer. Wenn sie stehenblieben, war alles still, unermeßlich still; wenn sie gingen, hörten sie das Rascheln ihrer Füße, sonst nichts; denn die Hüllen des Himmels sanken ohne Laut hernieder und so reich, daß man den Schnee hätte wachsen sehen können. Sie selber waren so bedeckt, daß sie sich von dem allgemeinen Weiß nicht hervorhoben und sich, wenn sie um ein paar Schritte getrennt worden wären, nicht mehr gesehen hätten.

Eine Wohltat war es, daß der Schnee so trocken war wie Sand, so daß er von ihren Füßen und den Bundschühlein und Strümpfen daran leicht abglitt und abrieselte, ohne Ballen und Nässe zu machen

Endlich gelangten sie wieder zu Gegenständen.

Es waren riesenhaft große, sehr durcheinander liegende Trümmer, die mit Schnee bedeckt waren, der überall in die Klüfte hineinrieselte und an die sie sich ebenfalls fast anstießen, ehe sie sie sahen. Sie gingen ganz hinzu, die Dinge anzublicken.

Es war Eis – lauter Eis.

Es lagen Platten da, die mit Schnee bedeckt waren, an deren beiden Seitenwänden aber das glatte grünliche Eis sichtbar war, es lagen Hügel da, die wie zusammengeschobener Schaum aussahen, an deren Seiten es aber matt nach einwärts flimmerte und glänzte, als wären Balken und Stangen von Edelsteinen durcheinander geworfen worden, es lagen ferner gerundete Kugeln da, die ganz mit Schnee umhüllt waren, es standen Platten und andere Körper auch schief oder gerade aufwärts so hoch wie der Kirchturm in Gschaid oder wie Häuser. In einigen waren Höhlen eingefressen, durch die man mit einem Arme durchfahren konnte, mit einem Kopfe, mit einem Körper, mit einem ganzen großen Wagen voll Heu. Alle diese Stücke waren zusammen oder empor gedrängt und starrten, so daß sie oft Dächer bildeten, oder Überhänge, über deren Ränder sich der Schnee herüberlegte und herabgriff wie lange weiße Tatzen.

Selbst ein großer schreckhaft schwarzer Stein, wie ein Haus, lag unter dem Eise und war emporgestellt, daß er auf der Spitze stand, daß kein Schnee an seinen Seiten liegen bleiben konnte. Und nicht dieser Stein allein – noch mehrere und größere staken in dem Eise, die man erst später sah, und die wie eine Trümmermauer an ihm hingingen.

»Da muß recht viel Wasser gewesen sein, weil so viel Eis ist«, sagte Sanna.

»Nein, das ist von keinem Wasser«, antwortete der Bruder, »das ist das Eis des Berges, das immer oben ist, weil es so eingerichtet ist.«

»Ja, Konrad«, sagte Sanna.

»Wir sind jetzt bis zu dem Eise gekommen«, sagte der Knabe, »wir sind auf dem Berge, Sanna, weißt du, den man von unserem Garten aus im Sonnenscheine so weiß sieht. Merke gut auf, was ich dir sagen werde. Erinnerst du dich noch, wie wir oft nachmittags in dem Garten saßen, wie es recht schön war, wie die Bienen um uns summten, die Linden dufteten und die Sonne von dem Himmel schien?«

»Ja, Konrad, ich erinnere mich.«

»Da sahen wir auch den Berg. Wir sahen, wie er so blau war, so blau, wie das sanfte Firmament, wir sahen den Schnee, der oben ist, wenn auch bei uns Sommer war, eine Hitze herrschte und die Getreide reif wurden.«

»Ja, Konrad.«

»Und unten, wo der Schnee aufhört, da sieht man allerlei Far-

ben, wenn man genau schaut, grün, blau, weißlich – das ist das
Eis, das unten nur so klein ausschaut, weil man sehr weit entfernt ist, und das, wie der Vater sagte, nicht weggeht bis an das
Ende der Welt. Und da habe ich oft gesehen, daß unterhalb des
Eises die blaue Farbe noch fortgeht, das werden Steine sein,
dachte ich, oder es wird Erde und Weidegrund sein, und dann
fangen die Wälder an, die gehen herab und immer weiter
herab, man sieht auch allerlei Felsen in ihnen, dann folgen die
Wiesen, die schon grün sind, und dann die grünen Laubwälder,
und dann kommen unsere Wiesen und Felder, die in dem Tale
von Gschaid sind. Siehst du nun, Sanna, weil wir jetzt bei dem
Eise sind, so werden wir über die blaue Farbe hinabgehen, dann
durch die Wälder, in denen die Felsen sind, dann über die Wiesen und dann durch die grünen Laubwälder, und dann werden
wir in dem Tale von Gschaid sein und recht leicht unser Dorf
finden.«
»Ja, Konrad«, sagte das Mädchen.
Die Kinder gingen nun in das Eis hinein, wo es zugänglich war.
Sie waren winzig kleine wandelnde Punkte in diesen ungeheuren Stücken.
Wie sie so unter die Überhänge hineinsahen, gleichsam als gäbe
ihnen ein Trieb ein, ein Obdach zu suchen, gelangten sie in
einen Graben, in einen breiten, tiefgefurchten Graben, der gerade aus dem Eise hervorging. Er sah aus wie das Bett eines
Stromes, der aber jetzt ausgetrocknet und überall mit frischem
Schnee bedeckt war. Wo er aus dem Eise hervorkam, ging er
gerade unter einem Kellergewölbe heraus, das recht schön aus
Eis über ihn gespannt war. Die Kinder gingen in dem Graben
fort und gingen in das Gewölbe hinein und immer tiefer hinein.
Es war ganz trocken, und unter ihren Füßen hatten sie glattes
Eis. In der ganzen Höhlung aber war es blau, so blau wie gar
nichts in der Welt ist, viel tiefer und viel schöner blau als das
Firmament, gleichsam wie himmelblau gefärbtes Glas, durch
welches lichter Schein hineinsinkt. Es waren dickere und dün-

nere Bogen, es hingen Zacken, Spitzen und Troddeln herab, der Gang wäre noch tiefer zurückgegangen, sie wußten nicht wie tief, aber sie gingen nicht mehr weiter. Es wäre auch sehr gut in der Höhle gewesen, es war warm, es fiel kein Schnee, aber es war so schreckhaft blau, die Kinder fürchteten sich und gingen wieder hinaus. Sie gingen eine Weile in dem Graben fort und kletterten dann über den Rand hinaus.

Sie gingen an dem Eise hin, so fern es möglich war, durch das Getrümmer und zwischen den Platten durchzudringen.

»Wir werden jetzt da noch hinübergehen und dann von dem Eise abwärts laufen«, sagte Konrad.

»Ja«, sagte Sanna und klammerte sich an ihn an.

Sie schlugen von dem Eise eine Richtung durch den Schnee abwärts ein, die sie in das Tal führen sollte. Aber sie kamen nicht weit hinab. Ein neuer Strom von Eis, gleichsam ein riesenhaft aufgetürmter und aufgewölbter Wall, lag quer durch den weichen Schnee und griff gleichsam mit Armen rechts und links um sie herum. Unter der weißen Decke, die ihn verhüllte, glimmerte es seitwärts grünlich und bläulich und dunkel und schwarz und selbst gelblich und rötlich heraus. Sie konnten es nun auf weitere Strecken sehen, weil das ungeheure und unermüdliche Schneien sich gemildert hatte und nur mehr wie an gewöhnlichen Schneetagen vom Himmel fiel. Mit dem Starkmute der Unwissenheit kletterten sie in das Eis hinein, um den vorgeschobenen Strom desselben zu überschreiten und dann jenseits weiter hinabzukommen. Sie schoben sich in die Zwischenräume hinein, sie setzten den Fuß auf jedes Körperstück, das mit einer weißen Schneehaube versehen war, war es Fels oder Eis, sie nahmen die Hände zur Hilfe, krochen, wo sie nicht gehen konnten, und arbeiteten sich mit ihren leichten Körpern hinauf, bis sie die Seite des Walles überwunden hatten und oben waren.

Jenseits wollten sie wieder hinabklettern.

Aber es gab kein Jenseits.

So weit die Augen der Kinder reichen konnten, war lauter Eis. Es standen Spitzen und Unebenheiten und Schollen empor wie lauter furchtbares überschneites Eis. Statt ein Wall zu sein, über den man hinübergehen könnte und der dann wieder von Schnee abgelöst würde, wie sie sich unten dachten, stiegen aus der Wölbung neue Wände aus von Eis empor, geborsten und geklüftet, mit unzähligen blauen, geschlängelten Linien versehen, und hinter ihnen waren wieder solche Wände und hinter diesen wieder solche, bis der Schneefall das Weitere in seinem Grau verdeckte.

»Sanna, da können wir nicht gehen«, sagte der Knabe.

»Nein«, antwortete die Schwester.

»Da werden wir wieder umkehren und anderswo hinabzukommen suchen.«

»Ja, Konrad.«

Die Kinder versuchten nun von dem Eiswalle wieder da hinabzukommen, wo sie hinaufgeklettert waren, aber sie kamen nicht hinab. Es war lauter Eis, als hätten sie die Richtung, in der sie gekommen waren, verfehlt. Sie wandten sich hierhin und dorthin und konnten aus dem Eise nicht herauskommen, als wären sie von ihm umschlungen. Sie kletterten abwärts und kamen wieder in Eis. Endlich, da der Knabe die Richtung immer verfolgte, in der sie nach seiner Meinung gekommen waren, gelangten sie in zerstreutere Trümmer, aber sie waren auch größer und furchtbarer, wie sie gerne am Rande des Eises zu sein pflegen, und die Kinder gelangten kriechend und kletternd hinaus. An dem Eisessaume waren ungeheure Steine, sie waren gehäuft, wie sie die Kinder ihr Leben lang nicht gesehen hatten. Viele waren in Weiß gehüllt, viele zeigten die unteren schiefen Wände sehr glatt und fein geschliffen, als wären sie daraufgeschoben worden, viele waren wie Hütten und Dächer gegeneinander gestellt, viele lagen aufeinander wie ungeschlachte Knollen. Nicht weit von dem Standorte der Kinder standen mehrere mit den Köpfen gegeneinander gelehnt, und über sie lagen breite gelagerte Blöcke wie ein Dach. Es war ein Häuschen, das gebildet war, das gegen vorne offen, rückwärts und an den Seiten aber geschützt war. Im Innern war es trocken, da der steilrechte Schneefall keine einzige Flocke hineingetragen hatte. Die Kinder waren recht froh, daß sie nicht mehr in dem Eise waren und auf ihrer Erde standen.

Aber es war auch endlich finster geworden.

»Sanna«, sagte der Knabe, »wir können nicht mehr hinabgehen, weil es Nacht geworden ist und weil wir fallen oder gar in eine Grube geraten könnten. Wir werden da unter die Steine hineingehen, wo es so trocken und so warm ist, und da werden wir warten. Die Sonne geht bald wieder auf, dann laufen wir hinunter. Weine nicht, ich bitte dich recht schön, weine nicht, ich gebe dir alle Dinge zu essen, welche uns die Großmutter mitgegeben hat.«

Sie weinte auch nicht, sondern nachdem sie beide unter das steinerne Überdach hineingegangen waren, wo sie nicht nur bequem sitzen, sondern auch stehen und herumgehen konnten, setzte sie sich so dicht an ihn und war mäuschenstille.

»Die Mutter«, sagte Konrad, »wird nicht böse sein, wir werden ihr von dem vielen Schnee erzählen, der uns aufgehalten hat, und sie wird nichts sagen; der Vater auch nicht. Wenn uns kalt wird – weißt du –, dann mußt du mit den Händen an deinen Leib schlagen, wie die Holzhauer getan haben, und dann wird dir wärmer werden.«

»Ja, Konrad«, sagte das Mädchen.

Sanna war nicht gar so untröstlich, daß sie heute nicht mehr über den Berg hinabgingen und nach Hause liefen, wie er etwa glauben mochte; denn die unermeßliche Anstrengung, von der die Kinder nicht einmal gewußt haben, wie groß sie gewesen sei, ließ ihnen das Sitzen süß, unsäglich süß erscheinen, und sie gaben sich hin.

Jetzt machte sich aber auch der Hunger gelten. Beide nahmen fast zu gleicher Zeit ihre Brote aus den Taschen und aßen sie.

Sie aßen auch die Dinge – kleine Stückchen Kuchen, Mandeln und Nüsse und andere Kleinigkeiten –, die die Großmutter ihnen in die Tasche gesteckt hatte.

»Sanna, jetzt müssen wir aber auch den Schnee von unseren Kleidern tun«, sagte der Knabe, »daß wir nicht naß werden.«

»Ja, Konrad«, erwiderte Sanna.

Die Kinder gingen aus ihrem Häuschen, und zuerst reinigte Konrad das Schwesterlein von Schnee. Er nahm die Kleiderzipfel, schüttelte sie, nahm ihr den Hut ab, den er ihr aufgesetzt hatte, entleerte ihn von Schnee, und was noch zurückgeblieben war, das stäubte er mit einem Tuche ab. Dann entledigte er auch sich, so gut es ging, des auf ihm liegenden Schnees.

Der Schneefall hatte zu dieser Stunde ganz aufgehört. Die Kinder spürten keine Flocke.

Sie gingen wieder in die Steinhütte und setzten sich nieder. Das Aufstehen hatte ihnen ihre Müdigkeit erst recht gezeigt, und sie freuten sich auf das Sitzen. Konrad legte die Tasche aus Kalbfell ab. Er nahm das Tuch heraus, in welches die Großmutter eine Schachtel und mehrere Papierpäckchen gewickelt hatte, und tat es zu größerer Wärme um seine Schultern. Auch die zwei Weißbrote nahm er aus dem Ränzchen und reichte sie beide an Sanna: das Kind aß begierig. Es aß eines der Brote und von dem zweiten auch noch einen Teil. Den Rest reichte es aber Konrad, da es sah, daß er nicht aß. Er nahm es und verzehrte es.

Von da an saßen die Kinder und schauten.

So weit sie in der Dämmerung zu sehen vermochten, lag überall der flimmernde Schnee hinab, dessen einzelne winzige Täfelchen hie und da in der Finsternis seltsam zu funkeln begannen, als hätte er bei Tag das Licht eingesogen und gäbe es jetzt von sich.

Die Nacht brach mit der in großen Höhen gewöhnlichen Schnelligkeit herein. Bald war es ringsherum finster, nur der Schnee fuhr fort, mit seinem bleichen Lichte zu leuchten. Der

Schneefall hatte nicht nur aufgehört, sondern der Schleier an dem Himmel fing auch an, sich zu verdünnen und zu verteilen; denn die Kinder sahen ein Sternlein blitzen. Weil der Schnee wirklich gleichsam ein Licht von sich gab und weil von den Wolken kein Schleier mehr herabhing, so konnten die Kinder von ihrer Höhle aus die Schneehügel sehen, wie sie sich in Linien von dem dunkeln Himmel abschnitten. Weil es in der Höhle viel wärmer war, als es an jedem andern Platze im ganzen Tage gewesen war, so ruhten die Kinder enge aneinander sitzend und vergaßen sogar, die Finsternis zu fürchten. Bald vermehrten sich auch die Sterne, jetzt kam hier einer zum Vorscheine, jetzt dort, bis es schien, als wäre am ganzen Himmel keine Wolke mehr.

Das war der Zeitpunkt, in welchem man in den Tälern die Lichter anzuzünden pflegt. Zuerst wird eines angezündet und auf den Tisch gestellt, um die Stube zu erleuchten, oder es brennt auch nur ein Span, oder es brennt das Feuer auf der Leuchte, und es erhellen sich alle Fenster von bewohnten Stuben und glänzen in die Schneenacht hinaus – aber heute erst – am Heiligen Abende –, da wurden viel mehrere angezündet, um die Gaben zu beleuchten, welche für die Kinder auf den Tischen lagen oder an den Bäumen hingen, es wurden wohl unzählige angezündet; denn beinahe in jedem Hause, in jeder Hütte, jedem Zimmer war eines oder mehrere Kinder, denen der Heilige Christ etwas gebracht hatte und wozu man Lichter stellen mußte. Der Knabe hatte geglaubt, daß man sehr bald von dem Berge hinabkommen könne, und doch, von den vielen Lichtern, die heute in dem Tale brannten, kam nicht ein einziges zu ihnen herauf; sie sahen nichts als den blassen Schnee und den dunkeln Himmel, alles andere war ihnen in die unsichtbare Ferne hinabgerückt. In allen Tälern bekamen die Kinder in dieser Stunde die Geschenke des Heiligen Christ: nur die zwei saßen oben am Rande des Eises, und die vorzüglichsten Geschenke, die sie heute hätten bekommen sollen, lagen in versiegelten Päckchen in der Kalbfelltasche im Hintergrunde der Höhle.

Die Schneewolken waren ringsum hinter die Berge hinabgesunken, und ein ganz dunkelblaues, fast schwarzes Gewölbe spannte sich um die Kinder voll von dichten, brennenden Sternen, und mitten durch diese Sterne war ein schimmerndes, breites, milchiges Band gewoben, das sie wohl auch unten im Tale aber nie so deutlich gesehen hatten. Die Nacht rückte vor. Die Kinder wußten nicht, daß die Sterne gegen Westen rücken und weiter wandeln, sonst hätten sie an ihrem Vorschreiten den Stand der Nacht erkennen können; aber es kamen neue und gingen die alten, sie aber glaubten, es seien immer dieselben. Es wurde von dem Scheine der Sterne auch lichter um die Kinder; aber sie sahen kein Tal, keine Gegend, sondern überall nur Weiß – lauter Weiß. Bloß ein dunkles Horn, ein dunkles Haupt, ein dunkler Arm wurde sichtbar und ragte dort und hier aus dem Schimmer empor. Der Mond war nirgends am Himmel zu erblicken, vielleicht war er schon frühe mit der Sonne untergegangen, oder er ist noch nicht erschienen.

Als eine lange Zeit vergangen war, sagte der Knabe: »Sanna, du mußt nicht schlafen; denn weißt du, wie der Vater gesagt hat, wenn man im Gebirge schläft, muß man erfrieren, so wie der alte Eschenjäger auch geschlafen hat und vier Monate tot auf dem Steine gesessen ist, ohne daß jemand gewußt hatte, wo er sei.«

»Nein, ich werde nicht schlafen«, sagte das Mädchen matt.

Konrad hatte es an dem Zipfel des Kleides geschüttelt, um es zu jenen Worten zu erwecken.

Nun war es wieder stille.

Nach einer Zeit empfand der Knabe ein sanftes Drücken gegen seinen Arm, das immer schwerer wurde. Sanna war eingeschlafen und war gegen ihn herübergesunken.

»Sanna, schlafe nicht, ich bitte dich, schlafe nicht«, sagte er.

»Nein«, lallte sie schlaftrunken, »ich schlafe nicht.«

Er rückte weiter von ihr, um sie in Bewegung zu bringen, allein sie sank um und hätte auf der Erde liegend fortgeschlafen. Er nahm sie an der Schultern und rüttelte sie. Da er sich dabei selber etwas stärker bewegte, merkte er, daß ihn friere und daß sein Arm schwerer sei.

Er erschrak und sprang auf. Er ergriff die Schwester, schüttelte sie stärker und sagte: »Sanna, stehe ein wenig auf, wir wollen eine Zeit stehen, daß es besser wird.«

»Mich friert nicht, Konrad«, antwortete sie.

»Ja, ja, es friert dich, Sanna, stehe auf«, rief er.

»Die Pelzjacke ist warm«, sagte sie.

»Ich werde dir emporhelfen«, sagte er.

»Nein«, erwiderte sie und war stille.

Da fiel dem Knaben etwas anderes ein. Die Großmutter hatte gesagt: Nur ein Schlückchen wärmt den Magen so, daß es den Körper in den kältesten Wintertagen nicht frieren kann.

Er nahm das Kalbfellränzchen, öffnete es und griff so lange, bis er das Fläschchen fand, in welchem die Großmutter der Mutter einen schwarzen Kaffeeabsud schicken wollte. Er nahm das Fläschchen heraus, tat den Verband weg und öffnete mit Anstrengung den Kork. Dann bückte er sich zu Sanna und sagte: »Da ist der Kaffee, den die Großmutter der Mutter schickt, koste ihn ein wenig, er wird dir warm machen. Die Mutter gibt ihn uns, wenn sie nur weiß, wozu wir ihn nötig gehabt haben.«

Das Mädchen, dessen Natur zur Ruhe zog, antwortete: »Mich friert nicht.«

»Nimm nur etwas«, sagte der Knabe, »dann darfst du schlafen.« Diese Aussicht verlockte Sanna, sie bewältigte sich so weit, daß sie fast das eingegossene Getränk verschluckte. Hierauf trank der Knabe auch etwas.

Der ungemein starke Auszug wirkte sogleich, und zwar um so heftiger, da die Kinder in ihrem Leben keinen Kaffee gekostet hatten. Statt zu schlafen, wurde Sanna nun lebhafter und sagte selber, daß sie friere, daß es aber von innen recht warm sei und auch schon so in die Hände und Füße gehe. Die Kinder redeten sogar eine Weile miteinander.

So tranken sie trotz der Bitterkeit immer wieder von dem Getränke, sobald die Wirkung nachzulassen begann, und steigerten ihre unschuldigen Nerven zu einem Fieber, das imstande war, den zum Schlummer ziehenden Gewichten entgegenzuwirken.

Es war nun Mitternacht gekommen. Weil sie noch so jung waren und an jedem Heiligen Abende in höchstem Drange der Freude stets erst sehr spät entschlummerten, wenn sie nämlich der körperliche Drang übermannt hatte, so hatten sie nie das mitternächtliche Läuten der Glocken, nie die Orgel der Kirche gehört, wenn das Fest gefeiert wurde, obwohl sie nahe an der Kirche wohnten. In diesem Augenblicke der heutigen Nacht wurde nun mit allen Glocken geläutet, es läuteten die Glocken in Millsdorf, es läuteten die Glocken in Gschaid, und hinter dem Berge war noch ein Kirchlein mit drei hellen klingenden Glocken, die läuteten. In den fernen Ländern draußen waren unzählige Kirchen und Glocken, und mit allen wurde zu dieser Zeit geläutet, von Dorf zu Dorf ging die Tonwelle, ja man konnte wohl zuweilen von einem Dorfe zum anderen durch die blätterlosen Zweige das Läuten hören: nur zu den Kindern herauf kam kein Laut, hier wurde nichts vernommen; denn hier war nichts zu verkündigen. In den Talkrümmen gingen jetzt an den Berghängen die Lichter der Laternen hin, und von manchem Hofe tönte das Hausglöcklein, um die Leute zu erinnern; aber dieses konnte um so weniger heraufgesehen und gehört werden, es glänzten nur die Sterne, und sie leuchteten und funkelten ruhig fort.

Wenn auch Konrad sich das Schicksal des erfrorenen Eschenjägers vor Augen hielt, wenn auch die Kinder das Fläschchen mit dem schwarzen Kaffee fast ausgeleert hatten, wodurch sie ihr Blut zu größerer Tätigkeit brachten, aber gerade dadurch eine folgende Ermattung herbeizogen: so würden sie den

Schlaf nicht haben überwinden können, dessen verführende Süßigkeit alle Gründe überwiegt, wenn nicht die Natur in ihrer Größe ihnen beigestanden wäre und in ihrem Innern eine Kraft aufgerufen hätten, welche imstande war, dem Schlafe zu widerstehen.

In der ungeheueren Stille, die herrschte, in der Stille, in der sich kein Schneespitzchen zu rühren schien, hörten die Kinder dreimal das Krachen des Eises. Was das Starrste scheint und doch das Regsamste und Lebendigste ist, der Gletscher, hatte die Töne hervorgebracht. Dreimal hörten sie hinter sich den Schall, der entsetzlich war, als ob die Erde entzweigesprungen wäre, der sich nach allen Richtungen im Eise verbreitete und gleichsam durch alle Aderchen des Eises lief. Die Kinder blieben mit offenen Augen sitzen und schauten in die Sterne hinaus.

Auch für die Augen begann sich etwas zu entwickeln. Wie die Kinder so saßen, erblühte am Himmel vor ihnen ein bleiches Licht mitten unter den Sternen und spannte einen schwachen Bogen durch dieselben. Es hatte einen grünlichen Schimmer, der sich sachte nach unten zog. Aber der Bogen wurde immer heller und heller, bis sich die Sterne vor ihm zurückzogen und erblaßten. Auch in andere Gegenden des Himmels sandte er einen Schein, der schimmergrün sachte und lebendig unter die Sterne floß. Dann standen Garben verschiedenen Lichtes auf der Höhe des Bogens wie Zacken einer Krone, und brannten. Es floß helle durch die benachbarten Himmelsgegenden, es sprühte leise und ging in sanftem Zucken durch lange Räume. Hatte sich nun der Gewitterstoff des Himmels durch den unerhörten Schneefall so gespannt, daß er in diesen stummen, herrlichen Strömen des Lichtes ausfloß, oder war es eine andere Ursache der unergründlichen Natur? Nach und nach wurde es schwächer und immer schwächer, die Garben erloschen zuerst, bis es allmählich und unmerklich immer geringer wurde und wieder nichts am Himmel war, als die tausend und tausend einfachen Sterne.

Die Kinder sagten keines zu dem anderen ein Wort, sie blieben fort und fort sitzen und schauten mit offenen Augen in den Himmel.

Es geschah nun nichts Besonderes mehr. Die Sterne glänzten, funkelten und zitterten, nur manche schießende Schnuppe fuhr durch sie.

Endlich, nachdem die Sterne lange allein geschienen hatten und nie ein Stückchen Mond an dem Himmel zu erblicken gewesen war, geschah etwas anderes. Es fing der Himmel an, heller zu werden, langsam heller, aber doch zu erkennen; es wurde seine Farbe sichtbar, die bleichsten Sterne erloschen, und die anderen standen nicht mehr so dicht. Endlich wichen auch die stärkeren, und der Schnee vor den Höhen wurde deutlicher sichtbar. Zuletzt färbte sich eine Himmelgegend gelb, und ein Wolkenstreifen, der in derselben war, wurde zu einem leuchtenden Faden entzündet. Alle Dinge waren klar zu sehen, und die entfernten Schneehügel zeichneten sich scharf in die Luft.

»Sanna, der Tag bricht an«, sagte der Knabe.

»Ja, Konrad«, antwortete das Mädchen.

»Wenn es nur noch ein bißchen heller wird, dann gehen wir aus der Höhle und laufen über den Berg hinunter.«

Es wurde heller, an dem ganzen Himmel war kein Stern mehr sichtbar, und alle Gegenstände standen in der Morgendämmerung da.

»Nun, jetzt gehen wir«, sagte der Knabe.

»Ja, wir gehen«, antwortete Sanna.

Die Kinder standen auf und versuchten ihre erst heute recht müden Glieder. Obwohl sie nichts geschlafen hatten, waren sie doch durch den Morgen gestärkt, wie das immer so ist. Der Knabe hing sich das Kalbfellränzchen um und machte das Pelzjäckchen an Sanna fester zu. Dann führte er sie aus der Höhle.

Weil sie nach ihrer Meinung nur über den Berg hinabzulaufen hatten, dachten sie an kein Essen und untersuchten das Ränzchen nicht, ob noch Weißbrote oder andere Eßwaren darinnen seien.

Von dem Berge wollte nun Konrad, weil der Himmel ganz heiter war, in die Täler hinabschauen, um das Gschaider Tal zu erkennen und in dasselbe hinunterzugehen. Aber er sah gar keine Täler. Es war nicht, als ob sie sich auf einem Berge befänden, von dem man hinabsieht, sondern in einer fremden, seltsamen Gegend, in der lauter unbekannte Gegenstände sind. Sie sahen heute auch in größerer Entfernung furchtbare Felsen aus dem Schnee emporstehen, die sie gestern nicht gesehen hatten, sie sahen das Eis, sie sahen Hügel und Schneelehnen emporstarren, und hinter diesen war entweder der Himmel, oder es ragte die blaue Spitze eines sehr fernen Berges am Schneerande hervor.

In diesem Augenblicke ging die Sonne auf.

Eine riesengroße blutrote Scheibe erhob sich an dem Schneesaume in den Himmel, und in dem Augenblicke errötete der Schnee um die Kinder, als wäre er mit Millionen Rosen überstreut worden. Die Kuppen und die Hörner warfen sehr lange grünliche Schatten längs des Schnees.

»Sanna, wir werden jetzt da weiter vorwärts gehen, bis wir an den Rand des Berges kommen und hinuntersehen«, sagte der Knabe.

Sie gingen nun in den Schnee hinaus. Er war in der heiteren Nacht noch trockener geworden und wich den Tritten noch besser aus. Sie wateten rüstig fort. Ihre Gesichter wurden sogar geschmeidiger und stärker, da sie gingen. Allein sie kamen an keinen Rand und sahen nicht hinunter. Schneefeld entwickelte sich aus Schneefeld, und am Saume eines jeden stand allemal wieder der Himmel.

Sie gingen desohngeachtet fort.

Da kamen sie wieder in das Eis. Sie wußten nicht, wie das Eis dahergekommen sei, aber unter den Füßen empfanden sie den glatten Boden und waren gleich nicht die fürchterlichen Trümmer wie an jenem Rande, an dem sie die Nacht zugebracht hatten, so sahen sie doch, daß sie auf glattem Eise fortgingen, sie sahen hie und da Stücke, die immer mehr wurden, die sich näher an sie drängten und die sie wieder zu klettern zwangen. Aber sie verfolgten doch ihre Richtung.

Sie kletterten neuerdings an Blöcken empor. Da standen sie wieder auf dem Eisfelde. Heute bei der hellen Sonne konnten sie erst erblicken, was es ist. Es war ungeheuer groß, und jenseits standen wieder schwarze Felsen empor, es ragte gleichsam Welle hinter Welle auf, das beschneite Eis war gedrängt, gequollen, emporgehoben, gleichsam als schöbe es sich noch vorwärts und flösse gegen die Brust der Kinder heran. In dem Weiß sahen sie unzählige vorwärts gehende, geschlängelte blaue Linien. Zwischen jenen Stellen, wo die Eiskörper gleichsam wie aneinandergeschmettert starrten, gingen auch Linien wie Wege, aber sie waren weiß und waren Streifen, wo sich fester Eisboden vorfand oder die Stücke doch nicht gar so sehr verschoben waren. In diese Pfade gingen die Kinder hinein, weil sie doch einen Teil des Eises überschreiten wollten, um an den Bergrand zu gelangen und endlich einmal hinunterzusehen. Sie sagten kein Wörtlein. Das Mädchen folgte dem Knaben. Aber es war auch heute wieder Eis, lauter Eis. Wo sie hinübergelangen wollten, wurde es gleichsam immer breiter und breiter. Da schlugen sie ihre Richtung aufgebend den Rückweg ein. Wo sie nicht gehen konnten, griffen sie sich durch die Mengen des Schnees hindurch, der oft dicht vor ihrem Auge wegbrach und den sehr blauen Streifen einer Eisspalte zeigte, wo doch früher alles weiß gewesen war; aber sie kümmerten sich nicht darum, arbeiteten sich fort, bis sie wieder irgendwo aus dem Eise herauskamen.

»Sanna«, sagte der Knabe, »wir werden gar nicht mehr in das Eis hineingehen, weil wir in demselben nicht fortkommen. Und weil wir schon in unser Tal gar nicht hinabsehen können, so werden wir gerade über den Berg hinabgehen. Wir müssen in ein Tal kommen, dort werden wir den Leuten sagen, daß wir aus Gschaid sind, die werden uns einen Wegweiser nach Hause mitgeben.«

»Ja, Konrad«, sagte das Mädchen.

So begannen sie nun in dem Schnee nach jener Richtung abwärts zu gehen, welche sich ihnen eben darbot. Der Knabe führte das Mädchen an der Hand. Allein, nachdem sie eine Weile abwärts gegangen waren, hörte in dieser Richtung das Gehänge auf, und der Schnee stieg wieder empor. Also änderten die Kinder die Richtung und gingen nach der Länge einer Mulde hinab. Aber da fanden sie wieder Eis. Sie stiegen also an der Seite der Mulde empor, um nach einer anderen Richtung ein Abwärts zu suchen. Es führte sie eine Fläche hinab, allein die wurde nach und nach so steil, daß sie kaum noch einen Fuß einsetzen konnten und abwärts zu gleiten fürchteten. Sie klommen also wieder empor, um wieder einen anderen Weg nach abwärts zu suchen. Nachdem sie lange im Schnee emporgeklommen und dann auf einen ebenen Rücken fortgelaufen waren, war es wie früher: entweder ging der Schnee so steil ab, daß sie gestürzt wären, oder er stieg wieder hinan, daß sie auf den Berggipfel zu kommen fürchteten. Und so ging es immer fort.

Da wollten sie die Richtung suchen, in der sie gekommen waren, und zur roten Unglückssäule hinabgehen. Weil es nicht schneit und der Himmel so helle ist, so würden sie, dachte der Knabe, die Stelle schon erkennen, wo die Säule sein solle, und würden von dort nach Gschaid hinabgehen können.

Der Knabe sagte diesen Gedanken dem Schwesterchen, und diese folgte.

Allein auch der Weg auf den Hals hinab war nicht zu finden. So klar die Sonne schien, so schön die Schneehöhen da standen und die Schneefelder da lagen, so konnten sie doch die Gegenden nicht erkennen, durch die sie gestern heraufgegangen waren. Gestern war alles durch den fürchterlichen Schneefall verhängt gewesen, daß sie kaum einige Schritte von sich gesehen hatten, und da war alles ein einziges Weiß und Grau durcheinander gewesen. Nur die Felsen hatten sie gesehen, an denen und zwischen denen sie gegangen waren: allein auch heute hatten sie bereits viele Felsen gesehen, die alle den nämlichen Anschein gehabt hatten, wie die gestern gesehenen. Heute ließen sie frische Spuren in dem Schnee zurück; aber gestern sind alle Spuren von dem fallenden Schnee verdeckt worden. Auch aus dem bloßen Anblicke konnten sie nicht erraten, welche Gegend auf den Hals führe, da alle Gegenden gleich waren. Schnee, lauter Schnee. Sie gingen aber doch immer fort und meinten, es zu erringen. Sie wichen den steilen Abstürzen aus und kletterten keine steilen Anhöhen hinauf.

Auch heute blieben sie öfter stehen, um zu horchen; aber sie vernahmen auch heute nichts, nicht den geringsten Laut. Zu sehen war auch nichts als der Schnee, der helle weiße Schnee, aus dem hie und da die schwarzen Hörner und die schwarzen Steinrippen emporstanden.

Endlich war es dem Knaben, als sähe er auf einem fernen schiefen Schneefelde ein hüpfendes Feuer. Es tauchte auf, es tauchte nieder. Jetzt sahen sie es, jetzt sahen sie es nicht. Sie blieben stehen und blickten unverwandt auf jene Gegend hin. Das Feuer hüpfte immer fort, und es schien, als ob es näher käme; denn sie sahen es größer und sahen das Hüpfen deutlicher. Es verschwand nicht mehr so oft und nicht mehr auf so lange Zeit wie früher. Nach einer Weile vernahmen sie in der stillen blauen Luft schwach, sehr schwach, etwas wie einen lange anhaltenden Ton aus einem Hirtenhorne. Wie aus Instinkt schrien beide Kinder laut. Nach einer Zeit hörten sie den Ton wieder. Sie schrien wieder und blieben auf der nämlichen Stelle stehen. Das Feuer näherte sich auch. Der Ton wurde zum dritten Male vernommen, und dieses Mal deutlicher. Die Kinder antworteten wieder durch lautes Schreien. Nach einer geraumen Weile erkannten sie auch das Feuer. Es war kein Feuer, es war eine rote Fahne, die geschwungen wurde. Zugleich ertönte das Hirtenhorn näher, und die Kinder antworteten.

»Sanna«, rief der Knabe, »da kommen Leute aus Gschaid, ich kenne die Fahne, es ist die rote Fahne, welche der fremde Herr, der mit dem jungen Eschenjäger den Gars bestiegen hatte, auf dem Gipfel aufpflanzte, daß sie der Herr Pfarrer mit dem Fernrohre sähe, was als Zeichen gälte, daß sie oben seien, und welche Fahne damals der fremde Herr dem Herrn Pfarrer geschenkt hat. Du warst noch ein recht kleines Kind.«

»Ja, Konrad.«

Nach einer Zeit sahen die Kinder auch die Menschen, die bei der Fahne waren, kleine schwarze Stellen, die sich zu bewegen schienen. Der Ruf des Hornes wiederholte sich von Zeit zu Zeit und kam immer näher. Die Kinder antworteten jedesmal. Endlich sahen sie über den Schneehang gegen sich her mehrere Männer mit ihren Stöcken herabfahren, die die Fahne in ihrer Mitte hatten.

Da sie näher kamen, erkannten sie dieselben. Es war der Hirt Philipp mit dem Horne, seine zwei Söhne, dann der junge Eschenjäger und mehrere Bewohner von Gschaid.

»Gebenedeit sei Gott«, schrie Philipp, »da seid ihr ja. Der ganze Berg ist voll Leute. Laufe doch einer gleich in die Sideralpe hinab und läute die Glocke, daß die dort hören, daß wir sie gefunden haben, und einer muß auf den Krebsstein gehen und die Fahne dort aufpflanzen, daß sie dieselbe in dem Tale sehen und die Böller abschießen, damit die es wissen, die im Millsdorfer Walde suchen, und damit sie in Gschaid die Rauchfeuer anzünden, die in der Luft gesehen werden, und alle, die noch auf dem Berge sind, in die Sideralpe hinab bedeuten. Das sind Weihnachten!«

»Ich laufe in die Alpe hinab«, sagte einer.

»Ich trage die Fahne auf den Krebsstein«, sagte ein anderer.

»Und wir werden die Kinder in die Sideralpe hinabbringen, so gut wir es vermögen und so gut uns Gott helfe«, sagte Philipp.

Ein Sohn Philipps schlug den Weg nach abwärts ein, und der andere ging mit der Fahne durch den Schnee dahin.

Der Eschenjäger nahm das Mädchen bei der Hand, der Hirt Philipp den Knaben. Die anderen halfen, wie sie konnten. So begann man den Weg. Er ging in Windungen. Bald gingen sie nach einer Richtung, bald schlugen sie die entgegengesetzte ein, bald gingen sie abwärts, bald aufwärts. Immer ging es durch Schnee, immer durch Schnee, und die Gegend blieb sich beständig gleich. Über sehr schiefe Flächen taten sie Steigeisen an die Füße und trugen die Kinder. Endlich nach langer Zeit hörten sie ein Glöcklein, das sanft und fein zu ihnen heraufkam, und das erste Zeichen war, das ihnen die niederen Gegenden wieder zusandten. Sie mußten wirklich sehr tief herabgekommen sein; denn sie sahen ein Schneehaupt recht hoch und recht blau über sich ragen. Das Glöcklein aber, das sie hörten, war das der Sideralpe, das geläutet wurde, weil dort die Zusammenkunft verabredet war. Da sie noch weiterkamen, hörten sie auch schwach in die stille Luft die Böllerschüsse herauf, die in Folge der ausgesteckten Fahne abgefeuert wurden, und sahen dann in die Luft feine Rauchsäulen aufsteigen.

Da sie nach einer Weile über eine sanfte schiefe Fläche abgingen, erblickten sie die Sideralphütte. Sie gingen auf sie zu. In der Hütte brannte ein Feuer, die Mutter der Kinder war da, und mit einem furchtbaren Schrei sank sie in den Schnee zurück, als sie die Kinder mit dem Eschenjäger kommen sah.

Dann lief sie herzu, betrachtete sie überall, wollte ihnen zu essen geben, wollte sie wärmen, wollte sie in vorhandenes Heu legen; aber bald überzeugte sie sich, daß die Kinder durch die Freude stärker seien, als sie gedacht hatte, daß sie nur einiger warmer Speise bedurften, die sie bekamen, und daß sie nur ein wenig ausruhen mußten, was ihnen ebenfalls zuteil werden sollte.

Da nach einer Zeit der Ruhe wieder eine Gruppe Männer über die Schneefläche herabkam, während das Hüttenglöcklein immerfort läutete, liefen die Kinder selber mit den anderen hinaus, um zu sehen, wer es sei. Der Schuster war es, der einstige Alpensteiger, mit Alpenstock und Steigeisen, begleitet von seinen Freunden und Kameraden.

»Sebastian, da sind sie«, schrie das Weib.

Er aber war stumm, zitterte, und lief auf sie zu. Dann rührte er die Lippen, als wollte er etwas sagen, sagte aber nichts, riß die Kinder an sich und hielt sie lange. Dann wandte er sich gegen sein Weib, schloß es an sich und rief: »Sanna, Sanna!«

Nach einer Weile nahm er den Hut, der ihm in den Schnee gefallen war, auf, trat unter die Männer und wollte reden. Er sagte aber nur: »Nachbarn, Freunde, ich danke euch.«

Da man noch gewartet hatte, bis die Kinder sich zur Beruhigung erholt hatten, sagte er: »Wenn wir alle beisammen sind, so können wir in Gottes Namen aufbrechen.«

»Es sind wohl noch nicht alle«, sagte der Hirt Philipp, »aber die noch abgehen, wissen aus dem Rauche, daß wir die Kinder haben, und sie werden schon nach Hause gehen, wenn sie die Alphütte leer finden.«

Man machte sich zum Aufbruche bereit.

Man war auf der Sideralphütte nicht gar weit von Gschaid entfernt, aus dessen Fenstern man im Sommer recht gut die grüne Matte sehen konnte, auf der die graue Hütte mit dem kleinen Glockentürmlein stand; aber es war unterhalb eine fallrechte Wand, die viele Klaftern hoch hinabging und auf der man im Sommer nur mit Steigeisen, im Winter gar nicht hinabkommen konnte. Man mußte daher den Umweg zum Halse machen, um von der Unglückssäule aus nach Gschaid hinabzukommen. Auf dem Wege gelangte man über die Siderwiese, die noch näher an Gschaid ist, so daß man die Fenster des Dörfleins zu erblicken meinte.

Als man über die Wiese ging, tönte hell und deutlich das Glöcklein der Gschaider Kirche herauf, die Wandlung des heiligen Hochamtes verkündend.

Der Pfarrer hatte wegen der allgemeinen Bewegung, die am Morgen in Gschaid war, die Abhaltung des Hochamtes verschoben, da er dachte, daß die Kinder zum Vorscheine kommen würden. Allein endlich, da noch immer keine Nachricht eintraf, mußte die heilige Handlung doch vollzogen werden.

Als das Wandlungsglöcklein tönte, sanken alle, die über die Siderwiese gingen, auf die Knie in den Schnee und beteten. Als der Klang des Glöckleins aus war, standen sie auf und gingen weiter.

Der Schuster trug meistens das Mädchen und ließ sich von ihm alles erzählen.

Als sie schon gegen den Wald des Halses kamen, trafen sie Spuren, von denen der Schuster sagte: »Das sind keine Fußstapfen von Schuhen meiner Arbeit.«

Die Sache klärte sich bald auf. Wahrscheinlich durch die vielen Stimmen, die auf dem Platze tönten, angelockt, kam wieder eine Abteilung Männer auf die Herabgehenden zu. Es war der aus Angst aschenhaft entfärbte Färber, der an der Spitze seiner Knechte, seiner Gesellen und mehrerer Millsdorfer bergab kam.

»Sie sind über das Gletschereis und über die Schründe gegangen, ohne es zu wissen«, rief der Schuster seinem Schwiegervater zu.

»Da sind sie ja – da sind sie ja –, Gott sei Dank«, antwortete der Färber, »ich weiß es schon, daß sie oben waren, als dein Bote in der Nacht zu uns kam, und wir mit den Lichtern den ganzen Wald durchsucht und nichts gefunden hatten, und als dann das Morgengrauen anbrach, bemerkte ich an dem Wege, der von der roten Unglückssäule links gegen den Schneeberg hinanführt, daß dort, wo man eben von der Säule weggeht, hin und wieder mehrere Reiserchen und Rütchen geknickt sind, wie Kinder gerne tun, wo sie eines Weges gehen – da wußte ich es –, die Richtung ließ sie nicht mehr aus, weil sie in der Höhlung gingen, weil sie zwischen den Felsen gingen, und weil sie dann auf dem Grat gingen, der rechts und links so steil ist, daß sie nicht hinabkommen konnten. Sie mußten hinauf. Ich schickte nach dieser Beobachtung gleich nach Gschaid, aber der Holzknecht Michael, der hinüberging, sagte bei der Rückkunft, da er uns fast am Eise oben traf, daß ihr sie schon habet, weshalb wir wieder herunter gingen.«

»Ja«, sagte Michael, »ich habe es gesagt, weil die rote Fahne schon auf dem Krebssteine steckt und die Gschaider dieses als Zeichen erkannten, das verabredet worden war. Ich sagte euch, daß auf diesem Wege da alle herabkommen müssen, weil man über die Wand nicht gehen kann.«

»Und kniee nieder und danke Gott auf den Knieen, mein Schwiegersohn«, fuhr der Färber fort, »daß kein Wind gegangen ist. Hundert Jahre werden wieder vergehen, daß so ein wunderbarer Schneefall niederfällt, und daß er gerade niederfällt wie nasse Schnüre von einer Stange hängen. Wäre ein Wind gegangen, so wären die Kinder verloren gewesen.«

»Ja, danken wir Gott, danken wir Gott«, sagte der Schuster.

Der Färber, der seit der Ehe seiner Tochter nie in Gschaid gewesen war, beschloß, die Leute nach Gschaid zu begleiten.

Da man schon gegen die rote Unglückssäule zukam, wo der Holzweg begann, wartete ein Schlitten, den der Schuster auf alle Fälle dahin bestellt hatte. Man tat die Mutter und die Kinder hinein, versah sie hinreichend mit Decken und Pelzen, die im Schlitten waren, und ließ sie nach Gschaid vorausfahren.

Die anderen folgten und kamen am Nachmittage in Gschaid an.

Die, welche noch auf dem Berge gewesen waren und erst durch den Rauch das Rückzugszeichen erfahren hatten, fanden sich auch nach und nach ein. Der letzte, welcher erst am Abende kam, war der Sohn des Hirten Philipp, der die rote Fahne auf den Krebsstein getragen und sie dort aufgepflanzt hatte.

In Gschaid wartete die Großmutter, welche herübergefahren war.

»Nie, nie«, rief sie aus, »dürfen die Kinder in ihrem ganzen Leben mehr im Winter über den Hals gehen.«

Die Kinder waren von dem Getriebe betäubt. Sie hatten noch etwas zu essen bekommen, und man hatte sie in das Bett gebracht. Spät gegen Abend, da sie sich ein wenig erholt hatten, da einige Nachbarn und Freunde sich in der Stube eingefunden hatten, und dort von dem Ereignisse redeten, die Mutter aber in der Kammer an dem Bettchen Sannas saß und sie streichelte, sagte das Mädchen: »Mutter, ich habe heute nacht, als wir auf dem Berge saßen, den Heiligen Geist gesehen.«

»O du mein geduldiges, du mein liebes, du mein herziges Kind«, antwortete die Mutter, »er hat dir auch Gaben gesendet, die du bald bekommen wirst.«

Die Schachteln waren ausgepackt worden, die Lichter waren angezündet, die Tür in die Stube wurde geöffnet, und die Kinder sahen von dem Bette auf den verspäteten hell leuchtenden, freundlichen Christbaum hinaus. Trotz der Erschöpfung mußte man sie noch ein wenig ankleiden, daß sie hinausgingen, die Gaben empfingen, bewunderten und endlich mit ihnen entschliefen.

In dem Wirtshause in Gschaid war es an diesem Abende lebhafter als je. Alle, die nicht in der Kirche gewesen waren, waren jetzt dort, und die anderen auch. Jeder erzählte, was er gesehen und gehört, was er getan, was er geraten und was für Begebnisse und Gefahren er erlebt hatte. Besonders aber wurde hervorgehoben, wie man alles hätte anders und besser machen können.

Das Ereignis hat einen Abschnitt in die Geschichte von Gschaid gebracht, es hat auf lange den Stoff zu Gesprächen gegeben, und man wird noch nach Jahren davon reden, wenn man den Berg an heiteren Tagen besonders deutlich sieht oder wenn man den Fremden von seinen Merkwürdigkeiten erzählt.

Die Kinder waren von dem Tage an erst recht das Eigentum des Dorfes geworden, sie wurden von nun an nicht mehr als

Auswärtige, sondern als Eingeborne betrachtet, die man sich von dem Berge herabgeholt hatte.

Auch ihre Mutter Sanna war nun eine Eingeborne von Gschaid. Die Kinder aber werden den Berg nicht vergessen und werden ihn jetzt noch ernster betrachten, wenn sie in dem Garten sind, wenn wie in der Vergangenheit die Sonne sehr schön scheint, der Lindenbaum duftet, die Bienen summen und er so schön und so blau wie das sanfte Firmament auf sie herniederschaut.

HANS CHRISTIAN ANDERSEN

Der Tannenbaum

Im Walde wuchs ein hübscher, kleiner Tannenbaum. Er hatte einen guten Platz; Sonne und Luft vollauf – und gute Kameraden, größer und stärker als er, umringten ihn. Aber der kleine Tannenbaum sehnte sich nur danach, groß zu sein. Er freute sich nicht an dem warmen Sonnenschein und der frischen Luft, und er kümmerte sich auch nicht um die Bauernkinder, die plaudernd vorübergingen, um Erdbeeren und Himbeeren im Walde zu suchen. Zuweilen kamen sie mit gefüllten Körbchen, oder sie hatten die Beeren auf Grashalme gereiht und setzten sich dicht bei dem kleinen Baume nieder. Dann sagten sie wohl: »Ach, wie klein und nett er ist!« Aber davon wollte das Tannenbäumchen nichts hören.

Das Jahr darauf war es um einen Schoß höher, und im folgenden hatte es wieder einen kräftigen Ansatz gemacht. Bei den Tannenbäumen kann man an der Zahl der Ansätze sehen, wieviel Jahre sie alt sind.

»Ach, wenn ich nur auch so groß wäre wie die andern«, seufzte die kleine Tanne. »Da könnte ich meine Zweige wie eine Schleppe ausbreiten und mit dem Wipfel in die weite Welt hinausschauen. Die Vögel würden dann ihre Nester in meinen Zweigen bauen, und wenn der Wind wehte, könnte ich mich ebenso vornehm wie die andern verneigen.« Nichts machte ihm Vergnügen, weder der Sonnenschein noch die Vögel noch die roten Wölkchen, welche morgens und abends über ihn hinsegelten. Wenn es Winter war, und der Schnee lag weiß und glitzernd ringsum, so kam oft ein Hase gesprungen und setzte gerade über den kleinen Baum hinweg. Ach, das war ihm so ärgerlich! –

Aber zwei Winter vergingen, und im dritten war das Bäumchen

64

so groß, daß der Hase nicht mehr darüber springen konnte, sondern einen Bogen machen mußte. »Ach, wachsen, wachsen, groß und alt werden, das ist doch das einzig Herrliche in dieser Welt!« dachte der Tannenbaum.

Im Herbst kamen immer Holzhauer und fällten einige der stärksten Bäume. Das geschah jedes Jahr, und die junge Tanne, welche nun schon hübsch herangewachsen war, erbebte dabei; denn die großen, prächtigen Bäume fielen mit Ächzen und Krachen zur Erde. Die Zweige wurden ihnen abgehauen. Nun sahen sie ganz kahl und lang und schmal aus, gar nicht wiederzuerkennen; und dann wurden sie auf Wagen geladen, und die Pferde zogen sie davon, hinaus aus dem Walde.

Wohin kamen sie? Was wurde aus ihnen?

Im Frühling, als die Schwalben und Störche kamen, fragte sie das Bäumchen: »Habt ihr meine Kameraden nicht gesehen? Wißt ihr nicht, wo sie geblieben sind?«

Die Schwalben wußten nichts, aber der Storch sah nachdenklich aus, nickte mit dem Kopf und sagte: »Ja, ich glaube doch. Ich sah viele neue Schiffe, als ich von Ägypten herüberflog. Auf den Fahrzeugen waren prächtige Mastbäume. Es liegt sehr nahe, daß sie es waren, denn sie rochen nach Tannen. Ich kann also von ihnen grüßen. Oh, die sahen so stolz, so stolz aus!«

»Ach, wenn ich doch erst groß genug wäre, um auch über das Meer fahren zu können! Was ist das eigentlich, das Meer? Wie sieht es aus?«

»Ja, das ist zu weitläufig zu erklären«, sagte der Storch und ging seiner Wege.

»Freue dich deiner Jugend«, sagten die Sonnenstrahlen. »Freue dich über dein frisches Wachstum, über dein kräftiges Gedeihen!«

Und der Wind küßte den Baum, und der Tau begoß ihn mit seinen Tränen; aber das verstand der Tannenbaum nicht.

Um die Weihnachtszeit wurden ganz junge Bäume gefällt, die oft nicht einmal so groß und so alt waren wie unser Bäumchen, dem die Sehnsucht, hinauszukommen, keine Ruhe ließ. Diese jungen Tannen – und es waren gerade die allerhübschesten – behielten ihre grünen Zweige. Auch diese wurden auf Wagen hinweggefahren.

»Was wird aus ihnen?« fragte der Tannenbaum. »Sie sind nicht größer als ich, ja, es waren sogar kleinere darunter. Warum dürfen diese alle ihre Zweige behalten? Wohin werden sie gebracht?«

»Das wissen wir, das wissen wir!« riefen die Sperlinge, »wir haben in der Stadt durch die Fensterscheiben geguckt. Wir wissen's, wohin sie gekommen sind! Ach, sie erleben das Herrlichste, was man sich denken kann. Wir haben zugesehen, wie sie mitten in der warmen Stube aufgepflanzt und mit den schönsten Sachen – vergoldeten Äpfeln, Pfefferkuchen, Spielzeug und hundert Lichtern – geschmückt wurden.

»Und dann –?« fragte der Tannenbaum und bebte vor Wonne in allen Zweigen. »Und dann? Was geschah weiter?«

»Ja, weiter haben wir nichts gesehen. Aber das war unbeschreiblich schön!«

»Sollte ich für dieses große Glück ausersehen sein?« jubelte das Bäumchen. »Das wäre noch schöner, als über das Meer zu fahren! Ach, ich sterbe vor Sehnsucht! Wenn's doch erst Weihnachten wäre! Nun bin ich auch so groß und schön wie die andern, welche voriges Jahr weggeholt wurden. Oh, wäre ich nur erst auf dem Wagen! Stünde ich nur erst in der warmen Stube in all der Pracht und Herrlichkeit! Und dann –? Ja, dann kommt gewiß noch etwas viel Schöneres, Besseres, denn warum würde man mich sonst so aufputzen? Es muß noch etwas Höheres, Herrlicheres folgen! Aber was? Oh, wie ich mich sehne! Wie ich leide! Ich weiß selbst nicht, wie mir ist.«

»Freue dich über uns«, sagten Luft und Sonnenschein, »freue dich deiner glücklichen Jugend hier draußen im Walde!«

Aber der Baum freute sich durchaus nicht; er wuchs und wuchs. Winter und Sommer stand er da in seinem grünen

Kleide, und die Leute, die ihn sahen, sagten: »Ei, das ist ein schöner Baum!« Zur Weihnachtszeit war er denn auch der erste von allen, welche gefällt wurden. Die Axt ging ihm tief ins Mark, und mit einem Seufzer fiel er zu Boden. Der Schmerz machte ihn so ohnmächtig, daß ihm alle Gedanken an Glück vergingen. Und auch die Trennung von der Heimat tat ihm weh, von dem Fleck, wo er aufgewachsen war. Er wußte wohl, daß er die lieben alten Kameraden und die kleinen Büsche und Blumen ringsum nie wieder sehen würde, ja vielleicht nicht einmal die Vögel. Die Abreise war durchaus kein Vergnügen.

Der Tannenbaum kam erst wieder zur Besinnung, als er mit den andern in einem Hofe abgeladen und zum Verkauf gestellt wurde.

Er hörte einen Herrn sagen: »Dieser hier ist prächtig, wir brauchen uns nach keinem andern umzusehen.«

Nun kamen zwei herrschaftliche Diener und trugen den Baum in einen großen, schönen Saal. Ringsum an den Wänden hingen schöne Gemälde, und auf dem Kaminsims standen chinesische Vasen, deren Deckel mit Löwen verziert waren. Die prächtigen Polstermöbel waren mit Seidendamast bezogen und die Tische mit Bilderbüchern und Spielzeug für tausend und abertausend Mark – wenigstens sagten die Kinder so – bedeckt. Der Tannenbaum wurde nun in ein großes, mit Sand gefülltes Gefäß gestellt. Das war ganz mit grünem Stoff verhüllt und stand auf einem schönen, bunten Teppich. Oh, wie der Baum vor Wonne bebte! Was würde nun wohl geschehen? Die Diener trugen auf großen Präsentierbrettern allerlei schöne, glitzernde Sachen herbei, und die Damen des Hauses schmückten den Baum. Kleine, aus farbigem Papier geschnittene Netze, die mit Zuckerwerk gefüllt waren, wurden an seinen Zweigen befestigt; vergoldete Äpfel und Nüsse strahlten aus dem dunklen Grün, als ob sie angewachsen wären, und unzählige rote, blaue, gelbe und weiße Lichter zierten den Baum. Zuckerpüppchen, die zum Küssen niedlich aussahen, schwebten im Grünen, und ganz oben an der Spitze wurde ein Stern von Flittergold befestigt. Das war herrlich, unvergleichlich prächtig!

»Wie wird er erst heute abend strahlen!« sagten sie alle.

»Ach, wenn es doch nur erst Abend wäre«, dachte der Baum. »Wenn nur die Lichter erst angezündet würden! Und was ereignet sich dann wohl weiter? Ob die Bäume aus dem Walde kommen, mich anzusehen? Ob die Sperlinge gegen die Fensterscheiben fliegen? Ob ich hier festwachse und den Winter und Sommer im Schmuck stehenbleibe?«

Ja, er machte sich schöne Illusionen! Die Borke tat ihm ordentlich weh vor lauter Sehnsucht, und das ist bei einem Baum gerade so schlimm, wie Kopfschmerzen bei einem Menschen.

Nun wurden die Lichter angezündet. Welcher Glanz! Welche Pracht! Die Tanne bebte an allen Zweigen, so daß eins der Lichter die Nadeln versengte. Das schmerzte!

»Gott bewahre uns!« riefen die Damen und löschten die Glut hastig aus.

Nun wagte der Baum nicht einmal mehr zu zittern, vor Angst, daß ihm etwas von seinem schönen Schmuck verlorenginge. Er war ganz betäubt von all dem Glanze – und nun flogen die Flügeltüren auf, und eine Menge Kinder stürzten herein. Die Erwachsenen folgten langsamer nach. Einen Augenblick standen die Kleinen ganz stumm, aber dann jubelten sie, daß es nur so schallte. Sie tanzten um den Baum herum und freuten sich über ihre Geschenke.

»Was wird nun kommen?« dachte der Baum. Und die Lichter brannten allmählich nieder bis an die Zweige; dann wurden sie eins nach dem andern ausgelöscht, und als sie alle verlöscht waren, erhielten die Kinder die Erlaubnis, den Baum zu plündern. So ungestüm fuhren sie über ihn her, daß er in allen Zweigen knackte; wäre er nicht mit der Spitze an der Decke befestigt gewesen, so wäre er umgestürzt.

Die Kinder kehrten wieder zu ihrem prächtigen Spielzeug zurück. Keiner kümmerte sich mehr um den Baum, außer dem alten Kinderfrauchen, das sich noch damit zu schaffen machte; aber es war nur, um zu sehen, ob nicht etwa eine Feige oder ein Apfel in seinen Zweigen vergessen wäre.

»Eine Geschichte, eine Geschichte!« riefen die Kinder und zogen einen kleinen, dicken Mann nach dem Tannenbaum. Er setzte sich gerade unter denselben. »Da sind wir hübsch im Grünen«, sagte er, »und dem Baum kann's auch nicht schaden, wenn er zuhört. Aber ich erzähle nur eine Geschichte. Wollt ihr die von Ivede-Avede hören oder die von Klumpe-Dumpe, der die Treppe hinunterfiel und doch zu Ehren kam und die Prinzessin heiratete?«

»Ivede-Avede!« schrien einige.

»Klumpe-Dumpe!« schrien die andern. Das war ein Rufen und Schreien; nur der Tannenbaum schwieg ganz still und dachte: »Welche Rolle werde ich dabei spielen?«

Ach, seine Rolle war schon ausgespielt; aber er ahnte es nicht. Und der Mann erzählte von Klumpe-Dumpe, welcher die Treppe hinunterfiel und doch zu Ehren kam und die Prinzessin heiratete. Die Kinder klatschten in die Hände und riefen: »Mehr, mehr!« Sie wollten auch gern die Geschichte von Ivede-Avede hören; aber sie mußten sich mit Klumpe-Dumpe begnügen. Der Tannenbaum stand ganz still und gedankenvoll. Dergleichen hatten die Vögel im Walde nie erzählt. Ja, ja, so ging es in der Welt zu. Er glaubte alles aufs Wort, weil es ein so rechtschaffener Mann erzählt hatte. Klumpe-Dumpe fiel die Treppe hinunter und bekam doch die Prinzessin. Wer weiß, vielleicht geht es mir ebenso. Und er freute sich darauf, am folgenden Tage wieder mit Lichtern und Spielzeug, Schaumgold und Früchten geschmückt zu werden.

»Morgen werde ich nicht wieder beben«, dachte er. »Ich will die ganze Herrlichkeit aus dem Grunde genießen. Gewiß werde ich morgen wieder die schöne Geschichte von Klumpe-Dumpe hören, und vielleicht auch noch die von Ivede-Avede.« Schweigend und gedankenvoll stand der Baum die ganze

Nacht. Am Morgen kamen der Diener und das Stubenmädchen herein.

»Nun fängt die Herrlichkeit von neuem an«, dachte der Baum: aber sie trugen ihn aus dem Zimmer, die Treppe hinauf auf den Boden, und da stellten sie ihn in eine dunkle Ecke, wo kein Tageslicht hinschien.

»Was soll denn das bedeuten?« dachte der Baum. »Was soll ich hier wohl anfangen? Werde ich auch hier schöne Geschichten hören?«

Er lehnte sich gegen die Mauer und sann und sann – – und er hatte Zeit genug dazu, denn es vergingen Tage und Nächte. Niemand kam herauf, und wenn es doch einmal geschah, so war es nur, um leere Kisten beiseite zu stellen. Der Baum war schon ganz dahinter versteckt. Sollte man ihn gänzlich vergessen haben?

»Nun ist es Winter draußen«, dachte der Baum. »Die Erde ist hart und mit Schnee bedeckt. Da können mich die Menschen jetzt nicht wieder einpflanzen, deshalb soll ich wohl hier bis zum Frühjahr ungestört bleiben. Das ist wohl überlegt. Die Menschen meinen es doch sehr gut mit mir. Wenn es nur nicht so dunkel und so schrecklich einsam hier wäre. Nicht einmal ein kleiner Hase! – Es war doch hübsch draußen im Walde, wenn der Schnee lag und der Hase vorbeisprang; ja sogar, wenn er über mich hinwegsetzte, obgleich es mich damals sehr ärgerte. Hier oben ist es doch zu einsam.«

»Piep, piep«, sagte da eine kleine Maus und huschte aus dem Loche hervor, und dann kam noch eine. Sie beschnüffelten den Tannenbaum und schlüpften in seine Zweige.

»Es ist abscheulich kalt«, sagten die kleinen Mäuse, »sonst wäre es hier sehr nett. Meinst du nicht auch, alter Tannenbaum?«

»Ich bin gar nicht alt«, sagte die Tanne. »Es gibt viel ältere, als ich bin.«

»Wo kommst du her?« fragten die Mäuse, »und was weißt du?« Sie waren so entsetzlich neugierig. »Erzähle uns etwas von dem schönsten Ort der Welt. Bist du dort gewesen? Wir meinen in der Speisekammer, wo die Schinken von der Decke herabhängen und die Käse auf langen Brettern liegen; wo man mager hineingeht und fett herauskommt.«

»Nein, davon weiß ich nichts«, sagte der Baum, »aber den Wald kenne ich und die Vögel und den Sonnenschein.« Und dann erzählte er alles aus seiner Jugend, und die kleinen Mäuse, die früher nie dergleichen gehört hatten, horchten auf und sagten: »Nein, wieviel du gesehen hast!«

»Ich?« sagte der Baum und überdachte noch einmal, was er eben erzählt hatte. »Ja, es war eigentlich eine hübsche Zeit gewesen.« Aber dann erzählte er von dem Weihnachtsabend, wo man ihn mit Lichtern und Zuckerwerk geschmückt hatte.

»Ach«, sagten die kleinen Mäuse, »muß das ein Glück gewesen sein, du alter Tannenbaum!«

»Ich bin durchaus nicht alt«, erwiderte der Tannenbaum, »ich bin in meinen besten Jahren. Erst diesen Winter bin ich aus dem Walde gekommen.«

»Wie schön du erzählst«, sagten die kleinen Mäuse, und in der nächsten Nacht brachten sie noch vier andere mit, die den Baum auch erzählen hören sollten. Aber je mehr er aus seiner Jugend erzählte, desto deutlicher fiel ihm alles wieder ein, und er sagte sich: »Es war doch eine schöne Zeit! Konnte sie denn nicht wiederkehren? Klumpe-Dumpe fiel die Treppe hinunter und bekam doch die Prinzessin. Vielleicht ist für mich auch eine da.« Dabei dachte er an eine niedliche, kleine Birke, die draußen im Walde wuchs. Sie war für den Tannenbaum eine richtige, schöne Prinzessin.

»Wer ist Klumpe-Dumpe?« fragten die kleinen Mäuse. Da erzählte ihnen der Tannenbaum das ganze Märchen. Es war ihm kein einziges Wort entfallen. Die kleinen Mäuse tanzten vor Entzücken in seinen Zweigen. In der folgenden Nacht kamen noch mehr, und am Sonntag sogar zwei Ratten. Aber die fanden die Geschichte gar nicht hübsch, und das betrübte die klei-

nen Mäuse, denn nun konnten sie sich auch nicht mehr so darüber freuen.

»Weißt du nur die eine Geschichte?« fragten die Ratten.

»Ja, nur die eine«, antwortete der Baum. »Die hörte ich an dem
glücklichsten Abend meines Lebens: aber damals wußte ich
nicht, wie glücklich ich war.«

»Das ist eine ganz erbärmliche Geschichte. Kennst du keine
Speisekammergeschichte, von Wurst und Speck?«

»Nein«, sagte der Baum.

»Dann danken wir bestens!« erwiderten die Ratten und gingen
stolz zu ihrer Sippe zurück.

Auch die kleinen Mäuse blieben schließlich weg. Da seufzte der
Baum: »Es war doch hübsch, als die kleinen, beweglichen Din-
ger um mich herum saßen und zuhörten, wie ich erzählte. Nun
ist auch das vorbei! – In Zukunft will ich mich zur rechten Zeit
freuen. Wenn ich nur erst wieder draußen bin!«

Aber wann geschah das? – Eines Morgens kamen Leute und
stöberten auf dem Boden herum. Die Kisten wurden wegge-
räumt, und der Baum kam zum Vorschein. Sie warfen ihn un-
sanft auf den Fußboden, und dann ging's kopfüber die Treppe
hinunter in den Hof.

»Nun beginnt das Leben wieder«, dachte der Baum. Er fühlte
die frische Luft und die ersten Sonnenstrahlen und vergaß vor
Wonne, sich selbst zu betrachten. Es gab ja auch so viel
ringsum zu sehen. Der Hof stieß an einen Garten, und da
blühte und duftete es drin. Prangende Rosen hingen über den
Zaun, und die bunten Sommerblumen wiegten sich in der bal-
samischen Luft. Die Schwalben flogen hin und her und zwitscherten »Quivitt, quivitt, mein Mann ist gekommen«; aber den
Tannenbaum meinten sie damit nicht.

»Nun werde ich leben und mich des Lebens freuen«, dachte der
Baum und breitete seine Zweige weit aus. Ach, sie waren alle
vertrocknet und gelb, und er lag in einem Winkel zwischen
Unkraut und Nesseln. Nur der Stern von Flittergold saß noch

oben in der Spitze und glänzte im Sonnenschein. In dem Hofe spielten die Kinder, welche am Weihnachtsabend um den Tannenbaum getanzt und sich so über ihn gefreut hatten. Der kleinste Knabe lief hin und riß ihm den Goldstern ab.

»Sieh einer, was sich der alte, häßliche Weihnachtsbaum noch aufgehoben hat«, sagte er und trat mit seinen kleinen Stiefeln auf die Zweige, daß sie knackten. Der Baum aber sah auf die Blumenpracht und Frische des Gartens und sah sich selber an und wünschte, daß er in seinem dunkeln Winkel auf dem Boden geblieben wäre. Er dachte an seine fröhliche Jugend draußen im Walde, an den herrlichen Weihnachtsabend und an die kleinen Mäuse, die mit solcher Freude die Geschichte von Klumpe-Dumpe angehört hatten.

»Vorbei, vorbei!« seufzte der arme Baum. »Hätte ich mich doch gefreut, als ich es gut hatte; vorbei, vorbei!«

Bald kam denn auch der Knecht und zerhackte den Baum in kleine Stücke. Hei! wie die lustig unter dem großen Waschkessel flackerten und knatterten – wie Schüsse. Die Kinder liefen herbei, setzten sich vor das Feuer und riefen: »piff, paff, puff!« Aber jeder Knall war ein tiefer Seufzer, und der Baum dachte dabei an die schönen Sommertage im Walde oder an die Winternächte da draußen, wenn die Sterne funkelten. Er dachte an den Weihnachtsabend und an Klumpe-Dumpe, das einzige Märchen, welches er gehört hatte und erzählen konnte. – Und dann war auch das letzte Stückchen verbrannt. Die Kinder spielten im Garten. Das kleinste hatte den Goldstern an der Brust, den der Baum an seinem glücklichsten Abend getragen hatte. Der war längst vorbei, und mit dem Tannenbaum war es vorbei, und mit der Geschichte auch. Vorbei, vorbei – und so geht es mit allen Geschichten.

KARL HEINRICH WAGGERL

Der störrische Esel und die süße Distel

Als der heilige Josef im Traum erfuhr, daß er mit seiner Familie
vor der Bosheit des Herodes fliehen müsse, in dieser bösen
Stunde weckte der Engel auch den Esel im Stall.

»Steh auf!« sagte er von oben herab, »du darfst die Jungfrau
Maria mit dem Herrn nach Ägypten tragen.«

Dem Esel gefiel das gar nicht. Er war kein sehr frommer Esel,
sondern eher ein wenig störrisch im Gemüt. »Kannst du das
nicht selber besorgen?« fragte er verdrossen. »Du hast doch
Flügel, und ich muß alles auf dem Buckel schleppen! Warum
denn gleich nach Ägypten, so himmelweit!«

»Sicher ist sicher!« sagte der Engel, und das war einer von den
Sprüchen, die selbst einem Esel einleuchten müssen.

Als er nun aus dem Stall trottete und zu sehen bekam, welch
eine Fracht der heilige Josef für ihn zusammengetragen hatte,
das Bettzeug für die Wöchnerin und einen Pack Windeln für
das Kind, das Kistchen mit dem Gold der Könige und zwei
Säcke mit Weihrauch und Myrrhe, einen Laib Käse und eine
Stange Rauchfleisch von den Hirten, den Wasserschlauch und
schließlich Maria selbst mit dem Knaben, auch beide wohlge-
nährt, da fing er gleich wieder an, vor sich hinzumaulen. Es
verstand ihn ja niemand außer dem Jesuskind.

»Immer dasselbe«, sagte er, »bei solchen Bettelleuten! Mit
nichts sind sie hergekommen, und schon haben sie eine Fuhre
für zwei Paar Ochsen beisammen. Ich bin doch kein Heuwa-
gen«, sagte der Esel, und so sah er auch wirklich aus, als ihn Josef am Halfter nahm, es waren kaum noch die Hufe zu sehen.
Der Esel wölbte den Rücken, um die Last zurechtzuschieben,
und dann wagte er einen Schritt, vorsichtig, weil er dachte, daß
der Turm über ihm zusammenbrechen müsse, sobald er einen

Fuß voransetze. Aber seltsam, plötzlich fühlte er sich wunderbar leicht auf den Beinen, als ob er selber getragen würde, er tänzelte geradezu über Stock und Stein in der Finsternis.

Nicht lange, und es ärgerte ihn auch das wieder. »Will man mir einen Spott antun?« brummte er. »Bin ich etwa nicht der einzige Esel in Bethlehem, der vier Gerstensäcke auf einmal tragen kann?«

In seinem Zorn stemmte er plötzlich die Beine in den Sand und ging keinen Schritt mehr von der Stelle.

»Wenn er mich jetzt auch noch schlägt«, dachte der Esel erbittert, »dann hat er seinen ganzen Kram im Graben liegen!«

Allein, Josef schlug ihn nicht. Er griff unter das Bettzeug und suchte nach den Ohren des Esels, um ihn dazwischen zu kraulen. »Lauf noch ein wenig«, sagte der heilige Josef sanft, »wir rasten bald!«

Darauf seufzte der Esel und setzte sich wieder in Trab. »So einer ist nun ein großer Heiliger«, dachte er, »und weiß nicht einmal, wie man einen Esel antreibt!«

Mittlerweile war es Tag geworden, und die Sonne brannte heiß. Josef fand ein Gesträuch, das dürr und dornig in der Wüste stand, in seinem dürftigen Schatten wollte er Maria ruhen lassen. Er lud ab und schlug Feuer, um eine Suppe zu kochen, der Esel sah es voll Mißtrauen. Er wartete auf sein eigenes Futter, aber nur, damit er es verschmähen konnte. »Eher fresse ich meinen Schwanz«, murmelte er, »als euer staubiges Heu!«

Es gab jedoch gar kein Heu, nicht einmal ein Maul voll Stroh, der heilige Josef in seiner Sorge um Weib und Kind hatte es rein vergessen. Sofort fiel den Esel ein unbändiger Hunger an. Er ließ seine Eingeweide so laut knurren, daß Josef entsetzt um sich blickte, weil er meinte, ein Löwe säße im Busch.

Inzwischen war auch die Suppe gar geworden, und alle aßen davon, Maria aß, und Josef löffelte den Rest hinterher, und auch das Kind trank an der Brust seiner Mutter, und nur der

Esel stand da und hatte kein einziges Hälmchen zu kauen. Es wuchs da überhaupt nichts, nur etliche Disteln im Geröll.

»Gnädiger Herr!« sagte der Esel erbost und richtete eine lange Rede an das Jesuskind, eine Eselsrede zwar, aber ausgekocht scharfsinnig und ungemein deutlich in allem, worüber die leidende Kreatur vor Gott zu klagen hat. »I-A!« schrie er am Schluß, das heißt: »so wahr ich ein Esel bin.«

Das Kind hörte alles aufmerksam an. Als der Esel fertig war, beugte es sich herab und brach einen Distelstengel, den bot es ihm an.

»Gut!« sagte er, bis ins Innerste beleidigt. »So fresse ich eben eine Distel! Aber in deiner Weisheit wirst du voraussehen, was dann geschieht. Die Stacheln werden mir den Bauch zerstechen, so daß ich sterben muß, und dann seht zu, wie ihr nach Ägypten kommt!«

Wütend biß er in das harte Kraut, und sogleich blieb ihm das Maul offen stehen. Denn die Distel schmeckte durchaus nicht, wie er es erwartet hatte, sondern nach süßestem Honigklee, nach würzigstem Gemüse. Niemand kann sich etwas derart Köstliches vorstellen, er wäre denn ein Esel.

Für diesmal vergaß der Graue seinen ganzen Groll. Er legte seine langen Ohren andächtig über sich zusammen, was bei einem Esel soviel bedeutet, wie wenn unsereins die Hände faltet.

Ein Christbaum

Ich habe heute abend einer fröhlichen Kindergesellschaft zugesehen, die um jenes hübsche deutsche Spielzeug, den Christbaum, versammelt war. Der Baum stand in der Mitte eines großen runden Tisches und ragte hoch über die kleinen Köpfe der
Kinder empor. Er war mit einer Menge kleiner Kerzen besetzt,
die ihn in hellem Licht erstrahlen ließen, und überall funkelten
und glitzerten bunte Gegenstände an ihm. Da gab es rosen-
wangige Puppen, die sich hinter den grünen Blättern verbar-
gen; da gab es richtige Uhren (wenigstens mit beweglichen Zei-
gern und der Möglichkeit, sie endlos aufzuziehen), die von
zahllosen Zweigen herabbaumelten; da gab es polierte Tische,
Stühle, Bettstellen, Kleiderschränke, Achttageuhren und verschiedene andere Möbelstücke (in Wolverhampton wunderbar
aus Zinn angefertigt), die mitten in den Baum gesetzt werden,
als sollten sie für einen Feenhaushalt Verwendung finden; da
gab es fröhliche, breitgesichtige kleine Männer, die viel angenehmer anzusehen waren als viele richtige Männer, und das
war auch kein Wunder, denn ihre Köpfe waren abnehmbar,
und dann konnte man sehen, daß sie voll Zuckermandeln
steckten; da gab es Fiedeln und Trommeln, Tamburine, Bücher, Arbeitskästen, Malkästen, Bonbonkästen, Guckkästen
und alle möglichen anderen Kästen; da gab es Geschmeide für
die älteren Mädchen, das viel heller glitzerte als die Gold- und
Juwelensachen für die Erwachsenen; da gab es Körbchen und
Nadelkissen in allen möglichen Ausführungen; Flinten, Säbel
und Fahnen; Hexen, die in Zauberkreisen von Pappe standen,
um zu weissagen; Drehwürfel, Kreisel, Nadelbehälter, Feder-
wischer, Riechfläschchen, Konversationskarten, Blumenvasen;
wirkliche Früchte, die durch Goldpapier einen künstlichen

Glanz erhalten hatten; nachgeahmte Äpfel, Birnen und Nüsse, die vollgestopft mit Überraschungen waren; kurz, wie ein hübsches Kind vor mir einem anderen hübschen Kinde, seiner Busenfreundin, zuflüsterte: »Es gab alles und noch mehr.« Diese bunte Sammlung von allen möglichen Gegenständen trug der Baum wie einen Behang von Zauberfrüchten, und die hellen Augen, die von allen Seiten darauf gerichtet waren, spiegelten sich darin. Einige von den Diamantenaugen, die sie bewunderten, reichten dabei kaum bis an den Tisch, und einige andere lagen sogar noch in schüchterner Verwunderung an der Brust hübscher Mütter, Tanten und Ammen. Das Ganze aber erschien mir wie eine lebhafte Verwirklichung der phantastischen Träume der Kindheit, und ich dachte daran, wie alle Bäume, die wachsen, und alle anderen Dinge, die auf Erden ins Dasein treten, ihren wilden Schmuck zu dieser unvergeßlichen Zeit tragen.

Da ich jetzt wieder zu Hause und allein bin, als einziger im ganzen Hause noch wach, werden meine Gedanken durch einen Zauber, dem ich mich nicht ungern überlasse, zu meiner eigenen Kindheit zurückgezogen. Ich beginne zu überlegen, welche Gegenstände uns wohl am besten in der Erinnerung geblieben sind, wenn wir uns die Zweige des Christbaums unserer eigenen Kindertage vergegenwärtigen, an dem wir uns ins wirkliche Leben emporschwangen.

Gerade in der Mitte des Zimmers, in seinem freien Wuchs durch keine einschließenden Mauern oder eine bald erreichte Decke eingeengt, erhebt sich ein schattenhafter Baum. Ich blicke zu der träumerischen Helligkeit seiner Spitze empor – denn ich beobachte an diesem Baum die sonderbare Eigenschaft, daß er nach unten gegen die Erde zu wachsen scheint –, und ich nehme meine jüngsten Weihnachtserinnerungen wahr!

Zuerst lauter Spielzeug, wie ich finde. Dort oben zwischen den grünen Stechpalmenzweigen und den roten Beeren befindet sich der Clown mit den Händen in den Taschen, der sich niemals niederlegen wollte, sondern, wenn man ihn auf den Boden legte, hartnäckig seinen fetten Körper rundherum drehte, bis er sich ausgerollt hatte. Dann starrte er mich mit seinen Hummeraugen an, und ich tat so, als ob ich fürchterlich lachen müßte, aber im innersten Herzen kam er mir unheimlich genug vor. Dicht neben ihm befindet sich jene infernalische Schnupftabaksdose, aus der ein dämonischer Ratsherr im schwarzen Talar, mit einem Kopf voll verwilderter Haare und weit geöffnetem Mund, aus rotem Tuch heraussprang. Er war ein ganz unerträglicher Geselle; man konnte ihn aber auch nicht loswerden. Denn er pflegte plötzlich in stark vergrößertem Zustand in Träumen aus Mammut-Schnupftabaksdosen hervorzuschnellen, wenn man es am wenigsten erwartete. Auch der Frosch mit dem Schusterpech auf dem Schwanz ist nicht weit weg. Man konnte niemals wissen, wohin er springen würde; und wenn er über die Kerze geflogen kam und sich mit seinem gefleckten Rücken – rot auf grünem Grunde – auf der Hand niederließ, dann war er schrecklich. Die Karton-Dame in dem blauen Seidenkleid, die man zum Tanzen gegen den Leuchter stellte und die ich auf demselben Zweige wahrnehme, war harmloser, und außerdem war sie schön. Das gleiche kann ich aber nicht von dem größeren Karton-Mann behaupten, der auf der Wand aufgehängt und an einem Faden gezogen wurde. Um seine Nase lag ein finsterer Ausdruck, und wenn er sich die Beine um den Hals schlug (was er sehr oft tat), war er schaudererregend und kein Wesen, mit dem man gern allein war.

Wann blickte mich jene schreckliche Maske zum erstenmal an? Wer setzte sie auf, und weshalb war ich so erschrocken, daß ihr Anblick ein Einschnitt in meinem Leben ist? Sie ist nicht an sich selbst ein schreckliches Gesicht; sie sollte sogar komisch wirken; weshalb erschienen mir dann ihre blöden Züge so unerträglich? Sicherlich nicht nur deshalb, weil sie das Gesicht des Trägers verhüllte. Das hätte auch eine Schürze getan, und

wenn es mir auch lieber gewesen wäre, daß die Schürze abgelegt würde, so wäre sie mir doch nicht so ganz unerträglich gewesen wie die Maske. War es ihre Unbeweglichkeit? Das Gesicht der Puppe war auch unbeweglich, und doch hatte ich keine Angst vor ihr. Vielleicht rief diese plötzliche starre Veränderung, die über ein wirkliches Gesicht kam, in meinem klopfenden Herzen eine entfernte Erinnerung und eine Furcht vor der großen Veränderung wach, die dereinst über jedes Gesicht kommen und es still machen wird? Jedenfalls konnte mich nichts mit der Maske aussöhnen. Keine Trommler, die beim Drehen eines Griffs ein melancholisches Zirpen vernehmen ließen; kein Regiment Soldaten mit einer stummen Musikkapelle, die aus einer Schachtel hervorgeholt und einer nach dem andern auf einem Drahtgestell aufgestellt werden konnten; kein altes Weib, das aus brauner Pappe und Drähten hergestellt war und ständig für zwei kleine Kinder eine Pastete in Stücke schnitt – nichts konnte mir lange Zeit einen dauernden Trost gewähren. Auch nützte es nichts, wenn mir gezeigt wurde, daß die Maske bloß ein Stück Pappe war, oder wenn sie eingeschlossen wurde und ich sicher sein konnte, daß niemand sie trug. Die bloße Erinnerung an dieses starre Gesicht, das bloße Wissen, daß sie irgendwo existierte, genügte, daß ich in der Nacht vor Entsetzen mit Schweiß bedeckt aufwachte mit dem Schrei! »Oh, ich weiß, sie kommt! Oh, die Maske!«
Ich habe mich damals nie gefragt, woraus der liebe alte Esel mit den Tragkörben – da ist er wieder! – gemacht war. Ich erinnere mich daran, daß seine Haut sich wie lebendig anfühlte. Und das große schwarze Pferd mit den runden roten Tupfen überall – das Pferd, das ich sogar besteigen konnte –, ich habe mich nie gefragt, wieso es so sonderbar aussah, und es kam mir nie der Gedanke, daß man ein solches Pferd in Newmarket gewöhnlich nicht zu sehen bekam. Die vier farblosen Pferde neben ihm, die in den Käsewagen eingespannt und wieder ausgespannt und unter das Piano in den Stall gestellt werden konn-

ten, scheinen Stückchen von Pelzkragen als Schwänze und Mähnen zu haben und auf Pflöcken statt auf Beinen zu stehen. Als sie als Weihnachtsgeschenke nach Hause gebracht wurden, verhielt sich das freilich nicht so. Damals war nichts an ihnen auszusetzen; und auch ihr Geschirr war nicht ohne alle Umstände an ihre Brüste genagelt, wie es jetzt der Fall zu sein scheint. Die klingelnden Werke des Musikkarrens bestanden, wie ich herausfand, aus Federkiel-Zahnstochern und Draht. Immer hielt ich den kleinen Clown in Hemdärmeln, der beständig auf der einen Seite einer Holzleiter hinauf- und auf der anderen mit dem Kopfe voran wieder hinunterlief, für einen ziemlichen Schafskopf. Die Jakobsleiter neben ihm aber aus kleinen Quadraten von rotem Holz, die sich klappernd übereinanderschoben, wobei auf jedem ein anderes Bild erschien und kleine Glöckchen das Ganze belebten, war ein mächtiges Wunder und eine große Herzensfreude.

Ah! Das Puppenhaus! – das sich nicht in meinem Besitz befand, aber zu dem ich als Besucher Zutritt hatte. Ich bewundere die Parlamentsgebäude nicht halb so sehr wie dieses Haus mit steinerner Front, mit richtigen Glasfenstern und Türschwellen und einem richtigen Balkon – grüner, als ich jetzt je einen zu sehen bekomme, ausgenommen in Badeorten, und selbst da sind sie bloß eine schwache Nachahmung. Und obwohl die ganze Hausfront auf einmal aufging – dies war ein Schlag, wie ich einräumen muß, da es die Fiktion einer Treppe zerstörte –, so brauchte ich sie nur wieder zuzumachen, und dann konnte ich wieder daran glauben. Selbst wenn es geöffnet war, gab es drei gesonderte Zimmer darin: ein Wohnzimmer und ein Schlafzimmer, beide elegant möbliert, und als Bestes von allem eine Küche mit ungewöhnlich feinen Feuereisen, einer reichen Ausstattung an winzigen Geräten – oh, die Wärmflasche! – und einem zinnernen Koch im Profil, der stets dabei war, zwei Fische zu braten. Wie habe ich doch bei den Barmeciden-Schmäusen von den hölzernen Schüsseln geschwelgt, auf deren

Jeder eine besondere Delikatesse, wie ein Schinken oder ein Truthahn, festgeklebt und mit etwas Grünem, das ich als Moos in der Erinnerung habe, garniert war! Alle Mäßigkeitsvereine, die in den letzten Jahren entstanden sind, zusammen hätten mir nicht einen so köstlichen Nachmittagstee vorsetzen können, wie ich ihn aus jenem kleinen Steingutservice genossen habe. Es war wirkliche Flüssigkeit darin (sie lief aus dem kleinen hölzernen Fäßchen, erinnere ich mich, und schmeckte nach Streichhölzern), und der Tee wurde in dem Geschirr zum Nektar. Und wenn die beiden Beine der unnützen kleinen Zuckerzange übereinanderstürzten und, wie Kasperles Hände, zwecklos in der Luft umherfuhren, was tat das?

Und wenn ich einstmals aufschrie wie ein vergiftetes Kind und die vornehme Gesellschaft in Verwirrung brachte, weil ich einen kleinen Teelöffel, den ich unachtsamerweise in zu heißen Tee sich hatte auflösen lassen, getrunken hatte, so hat das mir auch nichts weiter geschadet, höchstens daß ich ein Pulver einnehmen mußte.

Auf den folgenden Zweigen des Baumes weiter unten, nahe bei der grünen Walze und den Miniatur-Gartengerätschaften, beginnen die Bücher in Massen zu hängen. Zuerst nur dünne Bücher an und für sich, aber in großer Zahl und mit hübschen glatten glänzend roten oder grünen Einbänden. Aber jetzt verändert sich der ganze Baum und wird zu einer Bohnenranke – die wunderbare Bohnenranke, an der Jack nach dem Hause des Riesen emporkletterte! Und nun beginnen diese furchtbar interessanten doppelköpfigen Riesen mit ihren Keulen über den Schultern massenhaft an den Zweigen entlangzuschreiten, indem sie Ritter und Damen an dem Haar nach Hause schleifen, um sie zu verspeisen. Und Jack, wie edel mit seinem scharfen Schwert und seinen schnellen Schuhen! Wie ich zu ihm emporblicke, kommen mir die alten Gedanken wieder in den Sinn. Ich frage mich, ob es mehr als einen Jack gegeben hat (was ich nicht gern für möglich halten möchte) oder bloß den einen echten ursprünglichen bewunderswerten Jack, der alle die berichteten Heldentaten vollführt hat.

Gut zur Weihnachtszeit paßt die rötliche Farbe des Mantels, in dem – während der Baum an sich selbst einen Wald für sich bildet, durch den sie mit ihrem Körbchen hindurchtrippelt – Rotkäppchen an einem Christabend zu mir kommt. Sie erzählt mir von der Grausamkeit und Verräterei des heuchlerischen Wolfs, der ihre Großmutter auffraß, ohne daß das auf seinen Appetit irgendwelchen Eindruck machte, und dann sie fraß, nachdem er sich jenen grimmigen Scherz über seine Zähne geleistet hatte. Sie war meine erste Liebe. Ich fühlte, daß ich in der Ehe mit Rotkäppchen vollkommen glücklich hätte werden können. Jedoch sollte es nicht sein; und es ließ sich nichts weiter tun, als den Wolf in der Arche Noah dort herauszusuchen und ihn in der Prozession auf dem Tisch ans Ende zu setzen, als ein Ungeheuer, das gebrandmarkt werden mußte. O die wunderbare Arche Noah! Sie erwies sich als nicht seetüchtig, als ich sie in einen Waschzuber steckte, und die Tiere wurden durch das Dach hineingezwängt, und selbst da mußten ihre Beine erst ordentlich geschüttelt werden, bevor man sie hineinbekam. Waren sie aber drin, so war zehn gegen eins zu wetten, daß sie wieder zur Tür hinausstürzten, die nur unvollkommen mit einer Drahtklinke geschlossen war. Jedoch, was machte das alles! Man betrachte die edle Fliege, die nur wenig kleiner war als der Elefant; den Marienkäfer, den Schmetterling – alles Triumphe der Kunst! Man betrachte die Gans, deren Füße so klein und deren Gleichgewicht so unsicher war, daß sie gewöhnlich nach vorn stürzte und die ganze Tierwelt umriß. Man betrachte Noah und seine Familie, die wie idiotische Pfeifenstopfer aussahen. Der Leopard blieb an warmen kleinen Fingern haften, und die Schwänze der größeren Tiere lösten sich nach und nach in ausgefaserte Bindfadenstückchen auf.

Still! Wiederum ein Wald und jemand oben in einem Baume – nicht Robin Hood, nicht Valentine, nicht der gelbe Zwerg, sondern ein orientalischer König mit funkelndem Krummsäbel und Turban. Ja, bei Allah! Zwei orientalische Könige, denn ich nehme noch einen zweiten wahr, der ihm über die Schulter blickt! Unten im Gras am Fuße des Baumes liegt, der Länge nach ausgestreckt, ein kohlschwarzer Riese schlafend da. Sein Haupt ruht im Schoß einer Dame, und neben ihnen steht ein Glaskasten mit vier Schlössern von glänzendem Stahl, in dem er die Dame gefangenhält, wenn er wach ist. Ich sehe die vier Schlüssel jetzt an seinem Gürtel. Die Dame macht den beiden Königen im Baum Zeichen, und sie steigen behutsam herab. Es ist der Beginn der wundervollen Tausendundeinen Nacht.

Oh, jetzt werden alle gewohnten Gegenstände ungewohnt und verzaubert für mich. Alle Lampen sind Zauberlampen, alle Ringe Talismane. Gewöhnliche Blumentöpfe sind voller Schätze, oben mit ein wenig Erde zugedeckt; in den Bäumen hat sich Ali Baba versteckt; Beefsteaks sind dazu bestimmt, in das Diamantental hinabgeworfen zu werden, daß die kostbaren Steine an ihnen haften bleiben und von den Adlern in ihre Nester getragen werden, aus denen sie die Händler mit lauten Schreien verscheuchen werden. Torten werden nach dem Rezept des Sohnes des Wesirs von Basra angefertigt, der Zuckerbäcker wurde, nachdem er in Unterhosen am Tore von Damaskus abgesetzt worden war; Schuhflicker sind sämtliche Mustafas und pflegen gevierteilte Leute einzunähen, zu denen sie mit verbundenen Augen geführt werden.

Jeder in einen Stein eingelassene Eisenring ist der Eingang zu einer Höhle, die nur auf den Zauberer und das kleine Feuer und die Zauberformel wartet, die die Erde zum Beben bringen wird. Alle eingeführten Datteln stammen von demselben Baum wie jene unglückselige Dattel, mit deren Schale der Kaufmann dem unsichtbaren Sohn des Dschinns das Auge ausschlug. Alle Oliven kommen von dem Baum jener frischen Frucht, über die der Herrscher der Gläubigen zufällig den Jungen den fingierten Prozeß gegen den betrügerischen Olivenhändler führen hörte; alle Äpfel haben etwas mit dem Apfel zu schaffen, der (zusammen mit zwei anderen) um drei Zechinen von dem Gärtner des Sultans erstanden wurde und den der große schwarze Sklave dem Kinde stahl. Alle Hunde erinnern an den Hund, in Wirklichkeit ein verzauberter Mensch, der auf den Ladentisch des Bäckers sprang und seine Pfote auf das falsche Geldstück setzte. Bei jedem Reis taucht der Gedanke an den Reis auf, den die schreckliche Dame, die eine Ghule war, nur körnerweise picken konnte, weil sie nächtlicherweile auf dem Friedhof schmauste. Sogar mein Schaukelpferd – dort steht es mit ganz und gar nach außen gewendeten Nasenlöchern, einem Zeichen von Blutdurst! – sollte einen Pflock im Nacken haben, durch dessen Kraft es mit mir davonfliegen könnte, wie es das hölzerne Pferd angesichts des ganzen Hofstaats seines Vaters mit dem Prinzen von Persien machte.

Ja, über jeden Gegenstand, den ich zwischen den oberen Zweigen meines Christbaumes erkenne, ist dieses feenhafte Licht ausgegossen! Wenn ich an den kalten, finsteren Wintermorgen bei Tagesanbruch im Bett aufwache und den weißen Schnee draußen durch den Frost auf der Fensterscheibe undeutlich wahrnehme, dann höre ich Dinarzade sprechen:

»Schwester, Schwester, wenn du noch wachst, dann bitte ich dich, die Geschichte des jungen Königs von den schwarzen Inseln zu beenden.«

Scheherazade erwidert darauf:

»Wenn mein Herr, der Sultan, mich noch einen Tag am Leben lassen will, will ich nicht nur diese beenden, sondern dir eine noch wunderbarere erzählen.«

Darauf geht der gnädige Sultan aus dem Gemach, ohne Befehl zur Hinrichtung zu geben, und wir atmen alle drei auf.

Auf dieser Höhe meines Baumes beginne ich einen ungeheuren Nachtmar wahrzunehmen, der zwischen den Blättern kauert. Vielleicht kommt er von diesen vielen Geschichten her, vielleicht ist er auch die Folge eines an Truthahn oder Pudding oder Fleischpastete verdorbenen Magens, lebhafter Phantasie und zu viel Arzneien. Er ist so außerordentlich undeutlich, daß ich nicht weiß, warum er so furchtbar ist – aber ich weiß, daß er es ist. Ich unterscheide bloß eine kolossale Menge gestaltloser Gegenstände, die auf einer ungeheuren Vergrößerung des Drahtgestells für die Soldaten aus der Schachtel aufgepflanzt zu sein scheinen. Das Ganze kommt langsam bis dicht an meine Augen heran und entweicht dann wieder in unermeßliche Fernen. Wenn es ganz nahe kommt, ist es am schlimmsten. In Verbindung damit tauchen Erinnerungen an unglaublich lange Winternächte auf; an ein frühes Zu-Bett-geschickt-Werden als Strafe für irgendein kleines Vergehen und ein Erwachen nach zwei Stunden, mit dem Gefühl, zwei Nächte lang geschlafen zu haben; an die schwere Hoffnungslosigkeit, daß der Morgen je wieder dämmern würde; und an die drückende Last eines bösen Gewissens.

Und jetzt sehe ich eine wunderbare Reihe kleiner Lichter vor einem großen grünen Vorhang sich ruhig aus dem Boden erheben. Jetzt ertönt eine Glocke – eine Zauberglocke, die noch jetzt ganz anders als alle anderen Glocken in meinen Ohren klingt –, und Musik spielt zwischen einem Stimmengesumm und dem Duft von Orangenschalen und Öl. Nun befiehlt die Zauberglocke der Musik zu schweigen, der große grüne Vorhang geht majestätisch in die Höhe, und die Vorstellung beginnt! Der treue Hund Montargis' rächt den Tod seines Herrn, der im Walde von Bondy heimtückisch ermordet worden ist. Ein humoristischer Bauer mit einer roten Nase und einem sehr kleinen Hut, den ich von Stund an als Freund in mein Herz schließe, bemerkt dazu, der Scharfsinn dieses Hundes wäre wirklich überraschend. Ich glaube, er war ein Kellner oder ein Hausknecht in einem Dorfgasthaus, aber es sind viele Jahre seitdem vergangen, und ich weiß es nicht mehr genau. Dieser Witz jedoch wird bis an mein Lebensende frisch und unvergeßlich in meinem Gedächtnis leben und alle anderen Witze ausstechen. Oder jetzt erfahre ich unter bitteren Tränen, wie die arme Jane Shore, ganz in Weiß gekleidet und ihr braunes Haar lose herabhängend, hungernd durch die Straßen ging; oder wie George Barnwell den besten Onkel umbrachte, den je ein Mensch gehabt hat, und es nachher so bereute, daß man ihn hätte laufen lassen sollen. Da kommt rasch, um mich zu trösten, die Pantomime – ein verblüffendes Phänomen! Clowns werden aus geladenen Mörsern in den großen Kandelaber geschossen, der wie ein helles Gestirn leuchtet; Harlekine, ganz mit Schuppen aus reinem Gold bedeckt, verrenken ihre Glieder und funkeln wie wunderbare Fische; Pantalon (den ich, ohne es für einen Verstoß gegen die schuldige Ehrerbietung zu halten, im Geiste mit meinem Großvater vergleiche) steckt glühendrote Schüreisen in seine Tasche und ruft: »Jetzt kommt jemand!« oder beschuldigt den Clown des Diebstahls, indem er sagt: »Ich habe doch gesehen, wie du es tatest!« Alles verwandelt sich mit der größten Leichtigkeit in jeden beliebigen Gegenstand, und »Nichts ist, aber das Denken gibt ihm Gestalt.« Jetzt lerne ich auch zum erstenmal das traurige Gefühl kennen – es sollte sich später im Leben noch oft wiederholen –, daß ich am nächsten Tage unfähig bin, mich wieder in die langweilige Alltagswelt zurückzufinden. Ich möchte für immer in der glanzerfüllten Atmosphäre leben, die ich verlassen habe; ich bin in die kleine Fee mit ihrer Rute, gleich der Aushängestange eines himmlischen Barbiers, verliebt und sehne mich nach einer Feenunsterblichkeit mit ihr gemeinsam. Ach, sie tritt noch in vielen Gestalten vor mich hin, während mein Auge die Zweige des Christbaumes hinabwandert, aber sie geht ebensooft wieder und hat noch nie bei mir verweilen mögen!

Aus diesen wonnigen Erinnerungen heraus entsteht das Puppentheater vor meinen Augen – da ist es mit seinem vertrauten Proszenium und den Damen mit den Federhüten in den Logen. Vielerlei Hantierungen mit Pappe und Leim und Gummi und Wasserfarben gehören dazu bei der Inszenierung von »Der

Müller und seine Knechte« und »Elisabeth oder das sibirische Exil«. Zwar gibt es einige unangenehme Zufälle und Mißerfolge dabei; besonders zeigen der achtungswerte Kelmar und einige andere eine unvernünftige Neigung, an aufregenden Stellen des Dramas in den Knien schwach zu werden und zusammenzuknicken; aber es ist trotzdem eine Phantasiewelt von so reichem Gehalt, daß ich tief darunter auf meinem Christbaum finstere, schmutzige, wirkliche Theater bei Tage sehe, um die diese Erinnerungen sich wie frische Girlanden mit den seltensten Blumen schlingen und mich noch jetzt entzücken.

Aber horch! Die Weihnachtsmusikanten spielen auf der Straße, und sie wecken mich aus meinem Kinderschlaf. Welche Bilder knüpfen sich in meinem Geist an die Weihnachtsmusik, so wie ich sie auf dem Christbaum zur Schau gestellt finde? Vor allen anderen bekannt und sich von allen anderen weit entfernt haltend, sammeln sie sich um mein kleines Bett. Ein Engel, der zu einer Gruppe von Hirten auf dem Felde spricht; ein paar Wanderer, die mit den Augen am Himmel einem Stern folgen; ein Kindlein in einer Krippe; ein Knabe in einem weiten Tempel, der mit ernsten Männern spricht; eine feierliche Gestalt mit einem milden und schönen Gesicht, die ein totes Mädchen an der Hand aufrichtet; wiederum die Gestalt, wie sie an einem Stadttor den Sohn einer Witwe auf seiner Bahre ins Leben zurückruft; eine Menschenmenge, die durch das geöffnete Dach in ein Zimmer blickt, wo er sitzt, und einen Kranken auf einem Bett an Seilen hinabläßt; wiederum er, wie er im Sturme auf dem Wasser nach einem Schiff hinwandelt; wiederum er, wie er am Meeresufer eine große Menge belehrt; wiederum er, mit einem Kinde auf dem Knie und anderen Kindern um ihn herum; wiederum er, wie er die Blinden sehen, die Stummen sprechen, die Tauben hören macht, wie er den Kranken Gesundheit, den Siechen Kraft, den Unwissenden Weisheit mitteilt; wiederum er, an einem Kreuze sterbend, von bewaffneten Soldaten bewacht, während tiefe Finsternis hereinbricht, die

Erde zu wanken beginnt und nur eine Stimme sich vernehmen läßt: »Vergib ihnen, denn sie wissen nicht, was sie tun.«

Die Zweige des Baumes werden niedriger und reifer, und wiederum drängen sich die Weihnachtserinnerungen in dichter Schar. Schulbücher schießen empor. Da hängen Ovid und Virgil, jetzt in stummer Ruhe; die Regeldetri, mit ihren kühlen, unverschämten Fragen, nun längst erledigt; Terenz und Plautus, jetzt nicht mehr in einem Theater von zusammengestellten mit Kerben und Tintenflecken bedeckten Pulten und Bänken gespielt. Höher oben sind Kricket-Schlaghölzer, Pfähle und Bälle sichtbar, um die noch der Duft des niedergetretenen Grases und der von der Abendluft gedämpfte Schall der Zurufe zu schweben scheint. Der Baum immer ist noch frisch und heiter. Wenn ich auch zur Weihnachtszeit nicht mehr nach Hause fahre, so wird es doch (dem Himmel sei Dank dafür!), solange die Welt besteht, Jungen und Mädels geben; und die fahren nach Hause! Dort tanzen und spielen sie auf den Zweigen meines Baumes – Gott segne sie in ihrer Fröhlichkeit –, und mein Herz tanzt und spielt ebenfalls.

Und doch komme auch ich am Weihnachtsfest nach Hause. Wir tun es alle, oder sollten es doch tun. Wir kommen alle nach Hause, oder sollten nach Hause kommen, um Ferien zu nehmen – je länger, je besser – von der großen Schule, in der wir ständig an unseren arithmetischen Tafeln arbeiten. Was Besuche angeht – wo ist der Ort, wo wir nicht nach Belieben hingehen können, wo der Ort, wo wir nicht schon waren, wenn wir unserer Phantasie von unserem Christbaum aus freien Lauf lassen!

Auf in die Winterlandschaft. Viele sind auf dem Baume sichtbar! Über niedrigen, nebelbedeckten Boden hin geht es durch Moor und Sumpf langgestreckte Hügel hinan, die sich wie finstere Höhlen zwischen dichten Pflanzungen dahinwinden. Kaum sind die funkelnden Sterne sichtbar, und wir fahren weiter, bis wir auf breite Bergkuppen hinauskommen und schließlich, mit plötzlichem Verstummen, an einer Allee haltmachen. Die Torglocke gibt einen tiefen, fast unheimlichen Ton in der frostigen Luft; das Tor dreht sich in seinen Angeln, und während wir auf ein großes Haus zufahren, werden die schimmernden Lichter in den Fenstern größer, und die doppelte Reihe der Bäume scheint zu beiden Seiten feierlich zurückzuweichen, um uns Platz zu machen. Den ganzen Tag über hat von Zeit zu Zeit ein aufgeschreckter Hase diesen schneebedeckten Rasen gekreuzt; oder das ferne Trampeln einer Rotwildherde auf dem hartgefrornen Boden hat für eine Minute das Schweigen gebrochen. Wenn wir die Tiere beobachten könnten, würden wir vielleicht ihre wachsamen Augen wie die eisigen Tautropfen auf den Blättern zwischen dem Farnkraut funkeln sehen; aber sie sind still, und alles ist still. Und so gelangen wir endlich an das Haus, während die Lichter ständig größer werden und die Bäume vor uns zurückweichen und sich hinter uns wieder zusammenschließen, als wollten sie uns den Rückweg abschneiden.

Wahrscheinlich herrscht ein Duft von gebratenen Kastanien und anderen guten Sachen die ganze Zeit über im Hause, denn wir erzählen uns Wintergeschichten – Geistergeschichten, wie sich das so gehört – rund um das Weihnachtsfeuer. Niemand von uns hat sich gerührt, ausgenommen um dem Feuer ein wenig näher zu rücken. Aber darauf kommt es nicht an. Wir traten ins Haus, und es ist ein altes Haus mit riesigen Kaminen, in denen das Holz auf altmodischen Feuerböcken auf dem Herde verbrannt wird. Von dem Eichengetäfel der Wände aber blikken grimmige Porträts (einige darunter auch mit grimmigen Inschriften) finster und mißtrauisch herab. Wir sind ein Edelmann in mittleren Jahren, und wir nehmen ein reichhaltiges Souper mit unserem Gastgeber und der Gastgeberin und den Eingeladenen ein – es ist Weihnachtszeit und das alte Haus voller Gäste – und gehen dann zu Bett.

Unser Zimmer ist ein sehr altes Zimmer und mit Wandteppichen behängt. Das Porträt eines Kavaliers in Grün über dem Kamin will uns gar nicht gefallen. Die Decke weist große schwarze Balken auf, und im Zimmer steht eine große schwarze Bettstelle, am Fußende von zwei großen schwarzen Figuren gestützt. Sie scheinen von zwei Gräbern in der alten freiherrlichen Kirche im Park gekommen zu sein, damit wir es besonders behaglich hätten. Aber wir sind kein abergläubischer Edelmann, und wir machen uns nichts daraus. Wir schicken also unseren Diener fort, verschließen die Tür und setzen uns im Schlafrock vor das Feuer, um über vielerlei nachzudenken. Schließlich gehen wir zu Bett. Aber mit dem Einschlafen will es nicht gehen. Wir werfen uns hin und her und können keinen Schlaf finden. Die ausgeglühten Scheite in dem Kamin flackern manchmal auf und lassen das Zimmer gespenstig erscheinen. Wider Willen blicken wir über die Bettdecke nach den beiden schwarzen Figuren und dem Kavalier in Grün hin – diesem verdächtig aussehenden Kavalier. In dem flackernden Licht scheinen sie näher zu kommen und wieder zurückzutreten, und obwohl wir durchaus kein abergläubischer Edelmann sind, so ist das doch nicht angenehm. Wir werden nervös – mehr und mehr nervös. Wir sagen zu uns selbst: »Das ist höchst albern; aber wir können das nicht aushalten. Wir wollen vorgeben, uns krank zu fühlen, und nach jemand läuten.« Wir wollen das gerade tun, als die verschlossene Tür aufgeht und ein junges Mädchen mit langem, blondem Haar und totenbleichem Gesicht hereintritt. Sie gleitet ans Feuer und setzt sich händeringend in den Sessel, den wir dort stehengelassen haben. Jetzt bemerken wir, daß ihre Kleider naß sind. Die Zunge klebt uns am Gaumen, und wir können nicht sprechen; jedoch beobachten wir das Mädchen genau. Ihre Kleider sind naß; an dem langen Haar klebt feuchte Erde; sie ist nach der Mode von vor zweihundert Jahren gekleidet, und an ihrem Gürtel hängt ein rostiger Schlüsselbund.

Nun, da sitzt sie also, und wir können nicht einmal ohnmächtig werden, so gespannt sind wir. Nach kurzer Zeit steht sie auf und probiert alle Schlösser im Zimmer mit den verrosteten Schlüsseln, die zu keinem passen wollen. Darauf richtet sie ihre Augen auf das Porträt des Kavaliers in Grün und sagt mit leiser, grauenerregender Stimme: »Die Hirsche wissen es!« Danach ringt sie wieder die Hände, geht am Bett vorüber und verläßt das Zimmer. Wir werfen uns hastig in unseren Schlafrock, ergreifen unsere Pistolen (wir reisen stets mit Pistolen) und wollen ihr folgen, als wir die Tür verschlossen finden. Wir drehen den Schlüssel um und blicken in die finstere Galerie hinaus, aber es ist niemand da. Wir machen uns auf und versuchen, unseren Diener zu finden. Das ist aber unmöglich. Wir gehen bis zum Tagesanbruch in der Galerie auf und ab. Dann kehren wir in unser verlassenes Zimmer zurück, schlafen ein und werden von unserem Diener (*dem* erscheint niemals etwas) und dem Sonnenschein geweckt.

Beim Frühstück haben wir nicht den geringsten Appetit, und die ganze Gesellschaft meint, wir sähen verdrießlich aus. Nach dem Frühstück gehen wir mit unserem Gastgeber durch das Haus. Darauf führen wir ihn vor das Porträt des Kavaliers in Grün, und da kommt alles heraus. Er hat eine junge Haushälterin betrogen, die einst in der Familie lebte und wegen ihrer Schönheit berühmt war. Sie ertränkte sich in einem Teich, und nach langer Zeit fand man ihren Leichnam, weil die Hirsche nicht von dem Wasser trinken wollten. Seitdem, flüstert man, geht sie um Mitternacht durch das Haus (besonders sucht sie das Zimmer auf, wo der Kavalier in Grün zu schlafen pflegte) und probiert die alten Schlösser mit den verrosteten Schlüsseln. Nun, wir erzählen unserem Gastgeber, was wir gesehen haben, und ein Schatten überfliegt seine Züge. Er bittet uns, Stillschweigen zu bewahren, und das tun wir auch. Jedoch ist die ganze Geschichte buchstäblich wahr, und wir haben das vor unserem Tode (denn wir sind jetzt längst gestorben) vielen wichtigen Persönlichkeiten gesagt.

Zahllos sind die alten Häuser mit widerhallenden Galerien, unheimlichen Prunkschlafräumen und seit vielen Jahren unbenutzten Spukzimmern des Seitenbaus, durch die wir mit einem angenehmen Gruseln wandern und jeder beliebigen Menge von Geistern begegnen können. Freilich – die Bemerkung mag vielleicht nicht überflüssig sein – lassen sich die Geister in einige wenige Typen und Klassen einteilen, denn sie besitzen wenig Originalität, und es sind ausgetretene Pfade, auf denen sie »umgehen«. So kommt es vor, daß ein bestimmtes Zimmer in einem bestimmten alten Herrenhaus, wo ein bestimmter böser Lord, Baronet, Ritter oder Gentleman sich einst eine Kugel durch den Kopf gejagt hat, bestimmte Dielen im Fußboden aufweist, aus denen die Blutflecke durch keine Mittel zu entfernen sind. Man kann reiben und reiben, wie es der jetzige Besitzer getan hat, oder hobeln und hobeln, wie es sein Vater getan hat, oder scheuern und scheuern, wie es sein Großvater getan hat, oder mit starken Säuren brennen und brennen, wie es sein Urgroßvater getan hat – das Blut bleibt stets da, nicht röter und nicht blässer, nicht mehr und nicht weniger, stets genau das gleiche. So gibt es in einem anderen derartigen Hause eine Spuktür, die niemals offen bleiben will; oder eine andere Tür, die niemals geschlossen bleibt; oder ein gespenstiges Geräusch von einem Spinnrad oder einem Hammerschlag, einen Schritt, einen Schrei, einen Seufzer, ein Pferdegetrappel, ein Kettengeklirr. Oder sonst gibt es eine Turmuhr, die zur Mitternachtsstunde dreizehn schlägt, wenn das Haupt der Familie sterben soll; oder einen unbeweglichen schwarzen Schattenwagen, der zu solchen Zeiten immer von jemand gesehen wird, wie er in der Nähe des großen Tores im Stallhof wartet.

Auch kam es vor, daß Lady Mary auf Besuch in ein großes wildes Haus im schottischen Hochland fuhr und, müde von der langen Reise, früh zu Bett ging. Am nächsten Morgen beim Frühstück aber meinte sie arglos:

»Wie seltsam, daß gestern abend spät noch eine Gesellschaft in

diesem abgelegenen Haus stattfand, ohne daß man mir vor
dem Zubettgehen etwas davon gesagt hat!«
Daraufhin fragte jeder Lady Mary, was sie meinte. Und Lady
Mary erwiderte:
»Nun, die ganze Nacht hindurch fuhren doch die Wagen um
die Terrasse unter meinem Fenster herum und herum!«
Daraufhin wurde der Hausherr blaß und seine Lady desglei-
chen, und Charles Macdoole of Macdoodle machte Lady Mary
ein Zeichen, nicht weiterzusprechen, und schwieg. Nach dem
Frühstück teilte Charles Macdoodle Lady Mary mit, es wäre
eine Überlieferung in der Familie, daß diese rollenden Wagen
auf der Terrasse einen Todesfall anzeigten. Und das bewahr-
heitete sich auch, denn zwei Monate später starb die Dame des
Hauses. Und Lady Mary, die am Hofe Ehrendame war, erzählte diese Geschichte oft der alten Königin Charlotte. Der
alte König pflegte dabei stets zu sagen:
»Wie, wie? Was, was? Geister, Geister? Nichts da, nichts da!«
Und das wiederholte er in einem fort, bis er zu Bett ging.
Oder: Ein Freund von jemand, den die meisten von uns kennen, hatte einen Schulkameraden, mit dem er ausmachte, wenn
die Seele nach ihrer Trennung vom Körper auf diese Erde zu-
rückkehren könnte, so sollte derjenige von ihnen beiden, der
zuerst sterben würde, dem anderen wiedererscheinen. Im Laufe
der Zeit entschwand diese Übereinkunft unserem Freund aus
dem Gedächtnis. Die beiden Kameraden waren im Leben vor-
angekommen, und ihre Pfade hatten sich weit voneinander getrennt. Aber viele Jahre später reiste unser Freund im Norden
Englands und war für die Nacht in einem Gasthaus auf den
Mooren von Yorkshire abgestiegen. Er hatte sich bereits zu
Bett begeben und warf einen zufälligen Blick in das Zimmer.
Da sah er im Mondlicht, auf ein Schreibpult am Fenster gelehnt
und ihn fest anblickend, seinen alten Schulkameraden stehen!
Als er die Erscheinung feierlich ansprach, erwiderte sie in einer
Art Flüstern, aber ganz deutlich vernehmbar:

»Nähere dich mir nicht. Ich bin gestorben. Ich bin hier, um mein Versprechen einzulösen. Ich komme aus einer anderen Welt, deren Geheimnisse ich nicht enthüllen darf!«

Darauf wurde die ganze Gestalt undeutlicher und löste sich gleichsam im Mondschein auf.

Oder: Da war die Tochter des ersten Besitzers des malerischen elisabethanischen Hauses, das in unsrer Nachbarschaft so berühmt war. Sie haben von ihr gehört? Nein? Nun, sie war ein schönes junges Mädchen, gerade siebzehn Jahre alt, und ging an einem Sommerabend im Zwielicht in den Garten, um Blumen zu pflücken. Nach wenigen Minuten kam sie, zu Tode erschrocken, in die Halle zu ihrem Vater gelaufen und sagte:

»Oh, lieber Vater, ich bin mir selbst begegnet!« Er nahm sie in seine Arme und sagte ihr, daß wäre bloße Einbildung, aber sie erwiderte:

»O nein! Ich begegnete mir selbst auf dem Mittelgang, und ich war blaß und pflückte verwelkte Blumen, und ich wandte den Kopf und hielt sie in die Höhe!«

Und in derselben Nacht starb sie. Ein Bild, das ihre Geschichte darstellt, wurde begonnen, aber niemals vollendet, und man sagt, es hängt bis auf den heutigen Tag, die Vorderseite der Wand zugekehrt, irgendwo im Hause.

Oder: Der Onkel von meines Bruders Frau ritt an einem lauen Abend gegen Sonnenuntergang nach Hause, als er auf einem engen Feldweg in der Nähe seines Hauses gerade in der Mitte des Pfades eine Gestalt vor sich stehen sah.

»Weshalb steht dieser Mann im Mantel dort?« dachte er. »Will er von mir überritten werden?«

Aber die Gestalt blieb regungslos. Ein sonderbares Gefühl beschlich ihn, als er sie so still dastehen sah, aber er ritt, wenn auch in langsamerem Schritt, weiter. Als er ihr so nahe war, daß er sie fast mit seinem Steigbügel berührte, scheute sein Pferd, und die Gestalt glitt in einer seltsamen, unirdischen Weise – rücklings und anscheinend ohne die Füße zu gebrauchen – die Böschung hinan und war verschwunden. Mit dem Ausruf: »Lieber Himmel! Das ist ja mein Vetter Harry aus Bombay!« gab der Onkel von meines Bruders Frau dem Pferd, das plötzlich über und über in Schweiß war, die Sporen und galoppierte, über das sonderbare Verhalten des Tieres verwundert, vor die Front des Hauses. Dort sah er dieselbe Gestalt, wie sie gerade zu dem langen Flügelfenster des zu ebener Erde gelegenen Salons hineinglitt. Er warf die Zügel einem Diener zu und eilte hinter der Gestalt in den Salon. Er traf seine Schwester allein darin an.

»Alice, wo ist mein Vetter Harry?«

»Dein Vetter Harry, John?«

»Ja. Aus Bombay. Ich begegnete ihm gerade auf dem Feldweg und sah ihn vor einem Augenblick hier hineingehen.«

Niemand hatte irgendein lebendiges Wesen gesehen, und wie sich später herausstellte, starb in dieser Stunde der Vetter in Indien.

Oder: Es gab eine gewisse gescheite alte Jungfer, die im Alter von neunundneunzig Jahren starb und bis zuletzt bei klarem Verstand war. Diese hatte tatsächlich den Waisenknaben gesehen. Die Geschichte ist oft unrichtig wiedergegeben worden, aber hier steht wirklich die reine Wahrheit, denn es ist eine Geschichte aus unserer Familienüberlieferung, und sie war eine Verwandte von uns. Der Mann, dem sie ihr Herz geschenkt hatte, war jung gestorben, und aus diesem Grunde hatte sie nie geheiratet, obwohl sich viele um sie beworben hatten. Im Alter von vierzig Jahren nun, als sie immer noch eine ungewöhnlich schöne Frau war, reiste sie nach einem Besitztum in Kent, das ihr Bruder, ein Indien-Kaufmann, vor kurzem erworben hatte. Es ging die Sage, daß dieses Gut einst von dem Vormund eines jungen Knaben verwaltet worden war, der, selbst der nächste Erbe, den Knaben durch harte und grausame Behandlung ums Leben gebracht hatte. Sie aber hatte nichts davon gehört. Man behauptet, daß ein Käfig in ihrem Schlafzimmer stand, in den der Vormund den Knaben einzusperren pflegte. Aber es gab nichts dergleichen; nur ein Schrank stand darin. Sie ging zu Bett, schlug in der Nacht durchaus keinen Lärm und sagte am Morgen gleichmütig zu ihrem Mädchen, als es ins Zimmer trat: »Wer ist das hübsche, verlassen aussehende Kind, das die ganze Nacht hindurch aus dem Schrank da herausgeblickt hat?«

Das Mädchen antwortete nur durch einen lauten Schrei und lief augenblicklich davon. Sie war überrascht; aber sie besaß ungewöhnlichen Mut. Sie kleidete sich an, ging nach unten und schloß sich mit ihrem Bruder ein.

»Walter«, sagte sie, »ich bin die ganze Nacht hindurch von einem hübschen, verlassen aussehenden Knaben gestört worden, der beständig aus dem Schrank in meinem Zimmer, den ich nicht aufkriege, hervorblickte. Das ist irgendein Blendwerk.«

»Ich fürche nein, Charlotte«, sagte er, »denn es ist die Sage des Hauses. Es ist der Waisenknabe. Was tat er?«

»Er öffnete sacht die Schranktür«, erwiderte sie, »und blickte hinaus. Bisweilen tat er einen Schritt oder zwei ins Zimmer. Bei dieser Gelegenheit rief ich ihm zu, um ihn zu ermutigen; aber er wich schaudernd zurück, kroch wieder hinein und schloß die Tür.«

»Der Schrank, Charlotte«, sagte ihr Bruder, »steht in keinerlei Verbindung mit irgendeinem anderen Teile des Hauses und ist vernagelt.«

Das war unbestreitbar richtig, und zwei Zimmerleute hatten einen ganzen Vormittag zu arbeiten, um ihn zu öffnen, damit man ihn untersuchen könnte. Da war sie denn überzeugt, daß sie den Waisenknaben gesehen hatte. Aber das Furchtbare an der Geschichte ist, daß er auch nacheinander dreien ihrer Neffen erschien, die alle jung starben. Jeder dieser drei Knaben kam zwölf Stunden, bevor die Krankheit bei ihm ausbrach, erhitzt nach Hause und sagte seiner Mama, er hätte unter einer bestimmten Eiche auf einer bestimmten Wiese mit einem fremden Jungen gespielt – einem hübschen, verlassen aussehenden Jungen, der sehr schüchtern war und ihm Zeichen machte. Die traurige Erfahrung, die sie machen mußten, belehrte dann die Eltern, daß dies der Waisenknabe war und daß das Leben des Kindes, das er sich zum Gespielen erkor, sicher zu Ende war. Zahllos sind die deutschen Schlösser, wo wir allein dasitzen und auf das Gespenst warten. Wir werden in ein Zimmer geleitet, das für unseren Empfang verhältnismäßig behaglich hergerichtet wurde und in dem wir uns nach den Schatten umblicken, die das knisternde Feuer auf die kahlen Wände wirft. Wir fühlen uns sehr einsam, als der Wirt des Dorfgasthauses und seine hübsche Tochter sich zurückgezogen haben, nachdem sie vorher einen frischen Stoß Holz auf den Kamin gelegt und auf den kleinen Tisch zum Abendbrot kalten gebratenen Kapaun, Brot, Trauben und eine Flasche alten Rheinwein gesetzt haben. Als sie sich zurückziehen, schlagen die Türen hinter ihnen eine nach der anderen mit einem Getöse wie dumpfes Donnerrollen zu, und allein geblieben, machen wir in tiefer Nacht verschiedene übernatürliche Erfahrungen. Zahllos sind die behexten deutschen Studenten, in deren Gesellschaft wir näher ans Feuer heranrücken, während der Schuljunge im Winkel seine Augen groß und rund aufreißt und von dem Schemel, den er sich zum Sitz erkoren, herunterfällt, wenn der Wind zufällig die Tür aufreißt.

Eine reiche Menge von solchen Früchten schimmert auf unserem Christbaum; noch fast an der Spitze fangen sie schon zu blühen an und reifen an allen Zweigen entlang abwärts.

Zwischen den Spielsachen und Phantasien, die auf den unteren Baumzweigen hängen – oft ebenso müßig und weniger rein –, mögen die Bilder für immer unverändert bleiben, die ich einst mit der süßen Weihnachtsmusik verknüpfte, die so sanft durch die Nacht tönte!

Von den freundlichen Gedanken der Weihnachtszeit umgeben, möge die gütige Gestalt meiner Kindheit für immer weilen!

In jeder Freude, die die Jahreszeit mit sich bringt, möge der helle Stern, der über dem armen Dach schimmerte, der Stern der ganzen Christenwelt sein! Verweile noch einen Augenblick, o dahinschwindender Baum, dessen tiefere Zweige für mich noch dunkel sind, und laß mich nochmals auf dich schauen!

Ich weiß, es gibt leere Stellen auf deinen Zweigen, wo Augen, die ich dereinst geliebt habe, geleuchtet und gelächelt haben; und die jetzt nicht mehr sind. Aber weit oben sehe ich den, der das tote Mädchen wieder zum Leben erweckte, und Gott ist gut!

Wenn in deinen noch nicht sichtbaren untersten Zweigen sich das Alter für mich verbirgt, o möge ich an grauen Haaren noch das Herz und das Vertrauen eines Kindes dieser Gestalt zuwenden!

Jetzt ist der Baum mit Gesang und Tanz und Fröhlichkeit geschmückt.

Und sie sind willkommen. Unschuldige Freude möge stets willkommen sein unter den Zweigen des Christbaumes, die keinen finsteren Schatten werfen! Aber während er in den Boden sinkt, höre ich ein Flüstern durch die Blätter gehen:

»Dies zum Gedenken an das Gesetz der Liebe und Freundlichkeit, der Barmherzigkeit und des Mitleids. Dies zum Gedenken an mich!«

HANS CHRISTIAN ANDERSEN

Die Schneekönigin

Die erste Geschichte, welche von dem Zauberspiegel und den Glassplittern handelt

Also jetzt fängt's an! Wenn wir am Ende der Geschichte sind, wissen wir mehr davon. Der Teufel war eines Tages besonders guter Laune, denn er hatte einen Spiegel gemacht, an dem er und seinesgleichen eine unbändige Freude hatten. Der Spiegel besaß nämlich die Eigenschaft, alles Gute und Schöne, welches sich darin spiegelte, zu verkleinern, das Böse und Häßliche dagegen zu vergrößern und noch schärfer hervortreten zu lassen. Die herrlichsten Landschaften sahen darin wie gekochter Spinat aus, und die besten Menschen wurden widerwärtig. Sie standen auf dem Kopf, ohne Rumpf, und die Gesichter waren so entstellt, daß man sie nicht erkennen konnte. Hatte jemand eine Sommersprosse, so bedeckte sie in dem Zauberspiegel Nase und Mund. Das fand der Satan höchst belustigend. Verklärte ein guter, edler Gedanke eines Menschen Antlitz, so wurde es in dem Spiegel zur Fratze. Ja, es war eine äußerst sinnreiche Erfindung. Alle Zöglinge seiner Schule – und er hielt Schule – erklärten den Spiegel für ein wahres Wunderwerk. Nun könnte man erst richtig sehen, wie die Welt und die Menschen in Wirklichkeit wären. Sie liefen mit dem Spiegel umher, und schließlich gab es keinen Ort und keinen Menschen mehr, der nicht darin entstellt worden wäre. Damit aber nicht genug, wollten sie auch noch zum Himmel selbst auffliegen, um sich über den lieben Gott und seine heiligen Engel lustig zu machen. Je höher sie mit dem Spiegel flogen, um so ausgelassener wurden sie. Da entglitt er plötzlich ihren Händen und stürzte auf die Erde, wo er in Millionen und Abermillionen Stücke zerschellte und großes Unglück über die Menschheit brachte. Manche Splitter waren kaum so groß wie ein Sandkorn. Die flogen nun in der Welt herum, und wer einen davon ins Auge bekam, der sah alles verkehrt oder hatte nur einen Blick für das Unschöne und Lächerliche, denn jeder kleinste Splitter hatte dieselben Kräfte behalten, welche der ganze Zauberspiegel besaß. Manchen Menschen drangen die Glassplitter sogar bis ins Herz, und das war schrecklich, denn das Herz wurde zum Eisklumpen. Einige Stücke waren so groß geblieben, daß sie zu Fensterscheiben verwandt wurden; aber es war nicht geraten, durch diese Scheiben seine Freunde anzusehen. Andere wurden in Brillen gesetzt, und wer durch solche Gläser sah, für den war es schwer, gerecht zu sein. Der Satan hielt sich den Bauch vor Lachen; die Wirkung der Glassplitter war recht nach seinem Sinne. Aber noch immer irrten einige in der Luft herum. Nun werden wir weiter hören!

Die zweite Geschichte, welche von einem Knaben und einem kleinen Mädchen erzählt

In der großen Stadt mit den dichtgedrängten Häusern und Menschen ist der Raum viel zu teuer, als daß jede Familie einen Garten haben könnte. Die meisten Leute begnügen sich daher mit ein paar Blumentöpfen vor dem Fenster. Aber die beiden Kinder, von denen die Geschichte erzählt, besaßen doch ein Gärtchen, das etwas größer war als ein Blumentopf. Sie waren nicht Bruder und Schwester, liebten sich aber wie Geschwister. Ihre Eltern wohnten in den Mansardenstübchen zweier Nachbarhäuser. Da, wo das Dach des einen an das des andern stieß und die Traufe am Saume entlanglief, hatte jede Mansarde ein Fenster. Man brauchte nur die Dachrinne zu überschreiten, so konnte man von einem Fenster zum andern gelangen. Nun hatten die Eltern der Kinder je in einem großen Holzkasten allerlei Küchenkräuter zum täglichen Gebrauch gepflanzt, und daneben zur Zierde auch ein Rosenstöckchen. In jedem Kasten, hüben und drüben, stand eins und gedieh prächtig. Eines Tages fiel es den Eltern ein, die Kästen quer über die Dachrinne zu stellen, so daß sie beinahe von einem Fenster zum andern reichten und wie zwei richtige Blumenbeete aussahen. Erbsenranken hingen über die Seitenwände, und die Rosenstöcke trieben lange Zweige, die an den Fenstern emporkletterten und wieder zueinander strebten, daß es wie eine Ehrenpforte aus Blättern und Blüten aussah. Die Kinder, denen es verboten war, auf die Kasten selbst zu klettern, weil sie sehr hoch waren, erhielten doch die Erlaubnis, sich mit ihren kleinen Schemeln vor das Fenster unter die Rosen zu setzen. Da, zwischen Himmel und Erde, haten die beiden ihren Lustgarten, und wie schön spielte sich's da.

Im Winter freilich war's aus mit der Freude. Da waren die Fenster oft ganz zugefroren; aber dann machten die Kinder Kupfermünzen am Kachelofen warm und preßten sie an die gefrorenen Scheiben. Dadurch entstand ein prächtiges Guckloch, und hinter jedem Guckloch blitzte ein liebes, freundliches Kinderauge von hüben nach drüben. Das waren die Nachbarskinder, die sich so grüßten, der Knabe hieß Kay und das Mädchen Gerda. Im Sommer konnten sie mit ein paar Schritten zueinander gelangen; aber im Winter mußten sie erst die vielen Treppen hinunter und wieder hinauf. Nun wirbelte draußen der Schnee. »Seht, das sind weiße Bienen, die heute schwärmen«, sagte die Großmutter.

»Haben die auch eine Königin?« fragte der Knabe; denn er wußte, daß die wirklichen Bienen eine Königin haben.

»Gewiß haben sie eine«, antwortete die Großmutter. »Sie fliegt immer da, wo der Schwarm am dichtesten ist, aber sie berührt nie die Erde, sondern fliegt immer wieder in den Eispalast zurück. Oft schwärmt sie nachts durch die Straßen und guckt in die Fenster; die frieren dann so wunderbar, als wären Blumen darauf gemalt.«

»Ja, das haben wir schon gesehen«, sagten beide Kinder wie aus einem Munde, und nun mußte es wahr sein.

»Kann die Schneekönigin hereinkommen?« fragte das kleine Mädchen.

»Laß sie nur kommen«, lachte der Knabe. »Ich setze sie auf den warmen Ofen, und da schmilzt sie.«

Aber die Großmutter strich ihm übers Haar und erzählte andere Märchen.

Als der kleine Kay am Abend zu Hause in seiner Dachkammer war und sich eben zu Bett legen wollte, kletterte er noch einmal auf den Stuhl am Fenster und sah durch das Guckloch hinaus. Einzelne Flocken tanzten noch in der Luft, und jetzt setzte sich die größte unter ihnen auf den Rand des einen Blumenkastens. Sie wuchs und wuchs und war schließlich eine wunderschöne Frau, deren schimmerndes Kleid aus Millionen Schneesternchen zusammengesetzt zu sein schien. Schön und fein war sie, aber von Eis, von blendendem, glitzerndem Eis! Dennoch lebte sie. Ihre Augen funkelten wie Sterne, aber ohne Rast und Ruhe. Sie nickte dem Knaben zu und winkte mit der Hand. Kay erschrak und sprang vom Stuhl. Da war es, als ob ein großer Vogel an dem Fenster vorbeiflöge.

Am folgenden Tag schneite es nicht mehr. Bald darauf trat Tauwetter ein, und endlich kam der Frühling. Die Sonne schien, die Fenster taten sich auf, überall grünte und blühte es, und die beiden Kinder saßen wieder in ihrem kleinen Lustgarten über der Dachrinne und den Wohnungen der Menschen. Wie herrlich die Rosen in diesem Sommer blühten! Das kleine Mädchen hatte einen Vers gelernt, der auch von Rosen handelte, und er fiel ihr unter dem blühenden Strauch wieder ein: Sie sang ihn dem Spielgefährten vor, und der stimmte mit ein:

Die Rosen duften im Sommerwind;
Die schönste Ros' ist das Jesuskind.

Die glücklichen Kinder saßen Hand in Hand im Sonnenschein, küßten die Rosen und dachten dabei in ihrer Unschuld an das

Jesuskind. Oh, das waren herrliche Sommertage unter dem freien Himmel, und die Rosen konnten sich nicht genug tun im Duften und Blühen.

Eines Tages saßen sie wieder so dicht nebeneinander und besahen sich ihr Bilderbuch, da sagte Kay plötzlich – die Uhr von dem nahen Kirchturm schlug gerade fünf –: »Au! Mir ist was ins Auge geflogen, und jetzt sticht's im Herzen!«

Das kleine Mädchen faßte ihn um den Hals und sah ihm in die Augen. Er blinzelte, aber es war nichts darin zu sehen.

»Es wird wohl schon wieder heraus sein«, sagte Kay; aber es war nicht heraus. Es war ein Glassplitter von dem Zauberspiegel, den wir aus der ersten Geschichte kennen, jenem garstigen Spiegel, der alles Gute und Große, welches sich darin spiegelt, klein und häßlich machte; das Böse und Verkehrte aber recht deutlich hervortreten ließ, so daß jeder kleinste Fahler an einer Person oder Sache ins Ungeheuerliche wuchs. Der arme Kay hatte auch solch einen Splitter ins Herz bekommen. Das würde nun zum Eisklumpen erstarren. Weh tat es jetzt nicht mehr, aber das Körnchen saß doch darin. Bald zeigten sich auch die Folgen.

»Warum weinst du denn?« fragte er Gerda, der vor Angst um sein Auge die Tränen herabrollten. »Mir fehlt ja nichts, und du siehst so häßlich aus, wenn du heulst.« – »Pfui!« rief er dann plötzlich, »die Rose hier ist ganz vom Wurm zerfressen! Und sieh, diese hier ist schief gewachsen. Nein, wie garstig! Freilich, der Kasten, in dem sie wachsen, ist auch nicht gerade schön.« Und er stieß verächtlich mit dem Fuß dagegen und riß die beiden geschmähten Rosen vom Strauch.

»Kay, was machst du denn?« rief das kleine Mädchen. Aber als er ihren Schrecken sah, riß er noch ein paar Rosen ab und sprang lachend durch sein Mansardenfenster fort von der lieblichen kleinen Gefährtin.

Als sie bald darauf mit ihrem Bilderbuche zu ihm kam, sagte er, das wäre etwas für Wickelkinder; und wenn Großmutter Märchen erzählte, kam er immer mit seinem »Aber« dazwischen. Nun fing er an, die gute alte Frau lächerlich zu machen. Er humpelte grad wie sie durch das Zimmer, setzte ihre Brille auf und ahmte ihre Sprache nach. Das traf er ganz genau, und wer es sah und hörte, mußte lachen. Bald konnte er die Sprache und den Gang eines jeden Menschen auf der Straße nachmachen. Alles Eigentümliche und Unschöne an anderen stellte er so lächerlich dar, daß die Leute sagten: der Junge hat Grütze im Kopf. Aber es war die Wirkung des Glassplitters, der ihm ins Auge und ins Herz gedrungen war. Daher kam es, daß er selbst die kleine Gerda, mit der er doch immer ein Herz und eine Seele gewesen war, reizte und neckte.

Seine Spiele wurden nun auch ganz anders als früher, nämlich sehr verständig. An einem Wintertage, als die Schneeflocken wirbelten, kam er mit einem großen Brennglas zu Gerda, hielt seinen blauen Rockzipfel zum Fenster hinaus und ließ ein paar Schneeflocken darauf fallen.

»Nun sieh mal durch das Glas, Gerda«, sagte er. Da wurde jede Schneeflocke zu einer prächtigen Blume oder einem zehnstrahligen Stern. Das sah wunderschön aus.

»Sieh nur, wie kunstreich!« sagte Kay. »Das ist viel interessanter als die wirklichen Blumen. Du findest keinen Fehler an ihnen. Sie sind ganz regelrecht; nur schade, daß sie schmelzen.«

Bald darauf war Kay mit großen Fausthandschuhen, seinen kleinen Schlitten auf dem Rücken, auf der Straße. Er schrie zu Gerda hinauf: »Ich gehe auf den Markt, wo die andern Jungen spielen.«

Es war ein lustiges Treiben auf dem Markt. Die kecksten Jungen banden ihre Schlitten an die Fuhrwerke der Landleute und ließen sich ein Stück Wegs mitschleifen. Als sie im besten Spiel waren, kam ein prächtiger Schlitten, ganz weiß lackiert, und jemand saß, in einen langhaarigen weißen Pelz gehüllt und eine weiße Pelzmütze auf dem Kopfe, darin. Der Schlitten fuhr zweimal langsam um den Marktplatz, und Kay knüpfte schnell sein kleines Rößchen hinten an und ließ sich schleifen. Nun ging es schnell weiter in die nächste Straße. Die in Pelz gehüllte Gestalt im Schlitten wandte sich um und winkte Kay freundlich zu. Das kam ihm so bekannt vor, als hätte er's schon einmal erlebt. Jedesmal, wenn Kay seinen Schlitten losbinden wollte, nickte sie wieder, und Kay ließ sich weiterziehen. Jetzt ging's zum Stadttor hinaus. Der Schnee fiel in so dichten Massen, daß Kay nicht die Hand vor Augen, geschweige denn den Weg, den sie fuhren, sehen konnte. Da riß er hastig den Knoten des Strickes auf, um von dem großen Schlitten loszukommen. Aber es half ihm nichts; er wurde weitergezogen, und zwar mit Windeseile. Nun rief er laut; aber niemand hörte ihn. Der Schnee wirbelte, und der Schlitten flog vorwärts. Manchmal gab es einen Stoß, als ginge es über Gräben und Hecken. Kay wurde angst und bange. Er wollte sein Vaterunser beten; aber er konnte sich nur auf das Einmaleins besinnen.

Immer größer und größer wurden die Schneeflocken; schließlich sahen sie wie große, weiße Hühner aus. Plötzlich flogen sie alle zur Seite, der Schlitten hielt, und die Gestalt, welche ihn fuhr, richtete sich auf und wandte sich dem Knaben zu. Es war eine hohe, schlanke Dame, blendend weiß und von großer Schönheit – die Schneekönigin.

»Das war eine tüchtige Reise«, sagte sie. »Aber wer wird denn so frieren? Komm, krieche in meinen Eisbärpelz.« Und sie hob Kay zu sich in den Schlitten und schlug ihren Pelz um ihn, das war, als versänke er im Schneetreiben.

»Friert dich noch?« fragte sie und küßte ihn auf die Stirne. Hu, das war kälter als Eis; das drang bis ins Herz hinunter, welches ja schon halb erstarrt war. Es war, als müßte er sterben – aber nur einen Augenblick, dann wurde ihm ganz wohl. Er spürte die Kälte ringsum nicht mehr.

»Mein Schlitten! Vergiß meinen Schlitten nicht!« Daran dachte er zuerst, als die Reise weiterging. Er wurde einem der weißen Hühnchen auf den Rücken gebunden, und das flog nun neben dem Schlitten der Schneekönigin her. Sie küßte Kay noch einmal; da hatte er die kleine Gerda, die Großmutter und alles, alles vergessen.

»Nun bekommst du keine Küsse mehr«, sagte sie, »sonst küßte ich dich tot!« Kay sah sie an. Oh, wie schön war sie! Ein klügeres, lieblicheres Gesicht konnte er sich nicht vorstellen. Nun deuchte es ihm nicht mehr, als wäre sie von Eis, wie damals, als sie ihm vor seinem Fenster zuerst winkte. In seinen Augen war sie vollkommen. Er fürchtete sich auch gar nicht, sondern erzählte ihr, daß er tüchtig Kopfrechnen könnte, sogar mit Brüchen, und er wüßte die Quadratmeilen und die Einwohnerzahl der Länder. Sie lächelte aber nur dazu. Da kam es ihm vor, als wäre es doch noch sehr wenig, was er wüßte. Er blickte hinauf in den großen, unermeßlichen Luftraum, den sie durcheilten bis sie in den Wolken anlangten. Der Wind sauste und brauste, es klang, als sänge er alte Lieder. Sie flogen über Wälder und Berge, über Länder und Meere. Unter ihnen heulten die Wölfe, um ihren Schlitten flogen schwarze, krächzende Krähen, aber über ihnen leuchtete der Mond kalt und klar. Und Kay wurde nicht müde, hinunterzuschauen, die langen, langen Winternächte hindurch, aber am Tage schlief er zu den Füßen der Schneekönigin.

Die dritte Geschichte, welche vom Blumengarten der Zauberin erzählt

Aber was fing nun die kleine Gerda an, als Kay nicht zurückkehrte? Wo war er geblieben? Keiner wußte es, keiner konnte ihr Kunde geben. Die Knaben, mit denen er auf dem Markt gespielt, erzählten nur, daß er seinen kleinen Schlitten an einen prächtigen, großen, der langsam um den Platz gefahren wäre, gebunden hätte und mit diesem zum Stadttor hinausgefahren wäre. Keiner wußte wohin. Viele Tränen flossen um ihn; am meisten und längsten weinte Gerda. Die Leute hielten ihn für tot, meinten, er wäre in dem Fluß, der nahe an der Stadt vorbeifloß, ertrunken. Oh, wie lang und traurig war der Winter für Gerda!

Endlich kam der Frühling mit warmem Sonnenschein.

»Kay ist tot und verschwunden«, klagte die kleine Gerda.

»Das glaube ich nicht«, sagte der Sonnenschein.

»Kay ist tot und verschwunden«, klagte sie den Schwalben.

»Das glauben wir nicht«, antworteten diese, und schließlich glaubte es Gerda selber nicht mehr.

»Ich will meine neuen, roten Schuhe anziehen«, sagte sie eines Morgens. – »Kay hat sie noch gar nicht gesehen – und zum Fluß gehen und ihn nach Kay fragen.«

Es war noch sehr früh; sie küßte die Großmutter, ohne sie aufzuwecken, zog ihre roten Schuhe an und ging mutterseelenallein zum Stadttor hinaus, hinunter nach dem Fluß.

»Ist es wahr, daß du mir meinen Spielgefährten genommen hast, und willst du ihn mir für meine schönen, roten Schuhe wiedergeben?«

Es war ihr, als nickten die Wellen dazu. Und sie zog ihre schönen, roten Schuhe, das Liebste und Kostbarste, was sie hatte, aus und warf sie in die Flut. Aber sie fielen nahe an den Strand, und die kleinen Wogen trugen sie ihr wieder ans Land. Der Fluß wollte ihr Liebstes nicht nehmen, weil er ihr doch den kleinen Kay nicht dafür zurückgeben konnte. Gerda aber dachte, sie hätte sie nur nicht weit genug ins Wasser geworfen. Sie kletterte deshalb in ein Boot, das im Schilf lag, lief bis in die äußerste Spitze desselben und warf die Schuhe über Bord. Aber das Boot war nicht festgebunden und glitt durch die Bewegung, die das Kind verursachte, vom Lande. Gerda bemerkte es und beeilte sich, herauszukommen; aber schon hatte die Strömung das leichte Fahrzeug erfaßt und trieb es hastig vorwärts.

Da erschrak die kleine Gerda sehr und fing an zu weinen; doch keiner hörte sie außer den Sperlingen, und die konnten sie doch nicht ans Land tragen. Aber sie flogen am Ufer entlang und zwitscherten ihr tröstlich zu: »Wir sind hier! Wir sind hier!« Das Boot glitt mit dem Strom schnell vorwärts, und die kleine Gerda kauerte in bloßen Strümpfen darin. Ihre roten Schuhe schwammen hinterher, aber sie konnten das Boot nicht erreichen, es hatte zu schnelle Fahrt.

Die Ufer zu beiden Seiten des Stromes waren sehr schön. Grüne Wälder wechselten mit blumigen Wiesen ab, und an den Hängen weideten Schafe und Kühe. Aber kein Mensch war zu erblicken.

»Vielleicht trägt mich der Strom zu Kay«, dachte Gerda und hörte auf zu weinen; sie stand aufrecht im Boot und betrachtete stundenlang die schönen, grünen Ufer. Endlich gelangte sie an einen großen Kirschgarten. Darin stand ein wunderliches Häuschen mit roten und blauen Fenstern, und zwei hölzerne Soldaten standen Posten davor und schulterten das Gewehr, als Gerda vorüberglitt. Sie rief sie an, denn sie glaubte, es wären lebendige Soldaten; aber sie antworteten nicht. Das Boot aber trieb dem Lande zu. Da rief Gerda noch lauter, und nun trat eine steinalte Frau aus dem Häuschen. Sie stützte sich auf einen Krückstock und hatte einen großen Sonnenhut auf dem Kopfe, der mit den schönsten Blumen geschmückt war.

»Du armes Kind«, sagte sie freundlich zu Gerda. »Wie bist du auf den großen, reißenden Strom gekommen, der dich in die weite Welt hinausträgt? Warte, ich helfe dir heraus.« Und sie ging bis dicht an das Wasser und zog mit ihrem Krückstock das Boot ans Land und hob das kleine Mädchen heraus.

Gerda war sehr froh, wieder festen Boden unter den Füßen zu haben, obgleich sie sich vor der fremden, alten Frau ein wenig fürchtete.

»Komm, Kindchen, und erzähle mir, wer du bist und wo du herkommst«, sagte die Alte.

Da erzählte ihr Gerda alles, und die alte Frau schüttelte nur mit dem Kopfe dazu und sagte hm, hm. Und als Gerda sie fragte, ob sie den kleinen Kay nicht gesehen hätte, sagte sie: »Nein, vorbeigekommen ist er noch nicht, aber er wird schon kommen. Sei nur nicht betrübt, sondern warte hier ruhig auf ihn. Koste einstweilen meine Kirschen und sieh dir meine schönen Blumen an. Das ist eine ganz besondere Art, denn jede von ihnen kann dir eine Geschichte erzählen, schöner als ein Bilderbuch.« Dabei nahm sie Gerda bei der Hand und führte sie in das Häuschen und schloß die Tür hinter ihr zu.

Durch die bunten Fenster fiel das Licht im wunderbaren Farbenspiel in das Zimmer, so daß Gerda ganz verwirrt war. Sie mußte von den köstlichen Kirschen, die auf dem Tische standen, essen, und während sie sich's schmecken ließ, kämmte ihr die alte Frau mit einem goldenen Kamme das Haar. Das ringelte sich und legte sich wie ein Heiligenschein um Gerdas freundliches Gesichtchen, das einem Rosenknöspchen glich.

»Solch süßes, kleines Mädchen habe ich mir lange gewünscht«, sagte die alte Frau. »Nun sollst du mal sehen, wie gut wir miteinander auskommen werden.« Und je länger sie der kleinen Gerda das Haar strählte, um so mehr vergaß diese ihren Spielgefährten Kay, denn die alte Frau konnte zaubern. Aber eine böse Zauberin war sie nicht, sie wollte nur Gerda gerne bei sich behalten. Deshalb ging sie nun hinaus in den Garten und berührte mit ihrem Krückstock jeden Rosenstrauch, der darin war. Und so schön sie auch blühten, sie versanken sofort in die schwarze Erde, und man wußte nicht, wo sie gestanden hatten. Die Alte fürchtete nämlich, daß Gerda beim Anblick der Rosen an ihre eigenen auf dem Dache daheim, unter denen sie so oft mit Kay gesessen, denken und davonlaufen würde, ihn zu suchen.

Nun erst führte sie Gerda hinaus in den Blumengarten. Ach, was war das für ein Blühen und Duften! Alle erdenklichen Blumen des Frühlings, Sommers und Herbstes standen hier gleichzeitig im prächtigsten Flor. Kein Bilderbuch konnte schöner und farbenreicher sein. Gerda hüpfte vor Freude und spielte, bis die Sonne hinter den Kirschbäumen unterging. Dann schlief sie in einem Bett mit rotseidenen Kissen, die waren mit blauen Veilchen gestopft, und träumte so süß wie nur eine Königin an ihrem Hochzeitstage.

Am anderen Morgen konnte sie wieder mit den schönen Blumen im warmen Sonnenschein spielen, und so vergingen viele Tage. Gerda kannte jede Blume, aber es war ihr immer, als fehlte eine, nur wußte sie nicht, welche. Da sah sie eines Tages auf dem großen Sonnenhut der alten Frau unter all den künstlichen Blumen eine Rose. Die Alte hatte vergessen, sie wegzunehmen, als sie die andern in die Erde zauberte. So geht's, wenn man die Gedanken nicht beisammen hat!

»Ei, gibt's denn hier keine Rosen?« rief Gerda und lief zwischen den Beeten auf und ab und suchte; aber sie fand keine. Da setzte sie sich hin und weinte, und ihre Tränen fielen grad auf eine Stelle, wo ein Rosenstrauch versunken war. Als aber die warmen Tropfen die Erde befruchteten, schoß er plötzlich hervor, so blühend und duftend, wie er versunken war, und Gerda umfing ihn, küßte seine Blumen und dachte an die schönen Rosen daheim und mit ihnen an den verlorenen Kay.

»Ach, wie konnte ich mich so lange aufhalten! Ich wollte ja Kay suchen«, sagte das kleine Mädchen. »Wißt ihr nicht, wo er ist?« fragte sie die Rosen. »Glaubt ihr, daß er tot und begraben ist?«

»Tot ist er nicht«, antworteten die Rosen. »Wir waren ja unten in der Erde, da sind alle Toten. Aber Kay war nicht da.«

»Schönen Dank«, sagte Gerda und ging zu den andern Blumen, sah tief in ihren Kelch und fragte: »Wißt ihr nicht, wo Kay ist?«

Aber jede Blume erzählte nur ihre eigene Geschichte oder ihren Traum. Von Kay wußte keine etwas.

Und was sagte denn die glutrote Feuerlilie?

»Hörst du die Trommel? Bum! Bum! Es sind immer nur zwei Töne: Bum, bum. Dazwischen der Klagegesang der Weiber und die Stimme des Priesters. – In ihrem langen, roten Mantel steht das Hinduweib auf dem Scheiterhaufen. Die Flammen umlodern sie und ihren toten Mann. Aber die Witwe denkt nicht an den Toten, sie denkt an den Lebenden dort im Kreise der Zuschauer, dessen Augen heißer brennen als die Flammen des Scheiterhaufens, der ihr das Herz entzündet hat mit verzehrendem Feuer. Erlischt des Herzens Glut in der Flamme des Scheiterhaufens?«

»Davon verstehe ich nichts«, sagte die kleine Gerda.

Was sagte das Schneeglöckchen?

»Zwischen den Bäumen hängt eine Schaukel an starken Seilen. Zwei kleine Mädchen in weißen Kleidern, mit flatternden grünen Bändern auf den Hüten, sitzen darin und schaukeln. Der ältere Bruder steht aufrecht in der Schaukel. Er hat den Arm um das Seil geschlungen, sich festzuhalten, denn in der einen Hand hält er eine Schale, in der andern eine Tonpfeife. Er bläst Seifenblasen. Die Schaukel schwingt auf und nieder, und die Seifenblasen schweben in schillernden Farben in der Luft. Die letzte hängt noch an dem Pfeifenstiel und wiegt sich im Winde. Ein kleiner, schwarzer Hund springt um die Schaukel, stellt sich bittend auf die Hinterfüße und möchte so gerne mit hinein. Aber sie schwingt auf und nieder; der Hund purzelt um, bellt, wird böse, die Kinder lachen, die Seifenblasen platzen – eine schwankende Schaukel, ein zerrinnendes Schaumbild; das ist mein Gesang!«

»Es mag wohl schön sein, was du erzählst«, sagte Gerda. »Aber es klingt so traurig, und du erwähnst den kleinen Kay gar nicht.«

Was wußten die Hyazinthen?

»Es waren einmal drei schöne Schwestern, so zierlich und fein wie Elfen. Die eine trug ein rotes, die zweite ein blaues, die dritte ein schneeweißes Kleid. Hand in Hand tanzten sie um den stillen See im klaren Mondschein. Es duftete sinnberauschend, und die Mädchen verschwanden im Walde. Der Duft wurde immer stärker. Drei Särge, in denen die Mädchen lagen,

glitten aus dem Waldesdickicht über den stillen See. Leucht-
würmchen umschwirrten sie wie kleine Fackelträger. Schliefen
die Jungfrauen, oder waren sie tot? Der Blumenduft sagt, sie
erwachen nicht wieder. Die Abendglocken läuten ihnen das
Schlummerlied zur langen Ruhe.«

»Du machst mich ganz traurig«, sagte die kleine Gerda. »Wie
stark du duftest! Ich muß immer an die toten Jungfrauen denken. Ach, ist denn der kleine Kay wirklich tot? Die Rosen waren in der Erde und sagten, nein, da wäre er nicht.«

»Kling, kling«, läuteten die Hyazinthenglocken. »Wir läuten
nicht um Kay, den kennen wir nicht. Wir singen nur unser
Lied, das einzige, das wir kennen.«

Da ging Gerda zur Butterblume, die aus den glänzenden grünen Blättern hervorlugte.

»Du bist wie eine kleine, klare Sonne«, sagte Gerda. »Weißt du
nicht, wo ich meinen Spielkameraden finden kann?« Die Butterblume sah Gerda strahlend an und begann ihre Geschichte.
Aber ach! sie handelte auch nicht von Kay.

»Die liebe Gottessonne schien am ersten Frühlingstage so warm
in einen kleinen Hof. Ihre Strahlen glitten an den weißen Wänden des Nachbarhauses herab und lockten die ersten goldglän-
zenden Blumen zwischen den Steinen hervor. Die alte Großmutter saß in dem warmen Sonnenschein in ihrem Stuhl. Ihre
Enkelin, ein armes, fleißiges Dienstmädchen, beugte sich über
sie und küßte sie. In dem warmen Kuß ihres Mundes war
Gold, echtes Herzensgold. Gold im Munde, Gold im Grunde,
Gold in der Morgenstunde. Sieh, das ist meine kleine Geschichte«, sagte die Butterblume.

»Meine arme alte Großmutter!« seufzte Gerda. »Ach, sie sehnt
sich gewiß nach mir und grämt sich um mich wie um den kleinen Kay. Aber ich komme bald heim und bringe Kay mit. – Es
hilft mir nichts, die Blumen zu fragen. Sie geben mir keinen Bescheid, denn sie kennen nur ihr eigenes Lied.«

Nun schürzte sie ihr Kleidchen, um schneller laufen zu können.

Aber bei der Narzisse hielt sie noch einmal an und fragte: »Weißt du vielleicht etwas?« Und sie beugte sich zu ihr herab. Was aber erzählte die Narzisse?

»Ich sehe mich selbst!« sagte sie. »Oh, oh, wie köstlich ich dufte! – Droben in der engen Dachkammer steht, halb ange- kleidet, eine kleine Tänzerin. Bald steht sie auf einem, bald auf zwei Beinen. Sie tritt die ganze Welt unter ihre kleinen Füße. Es ist alles Blendwerk! Aus dem Teetopf gießt sie Wasser auf ein Kleidungsstück. Es ist ihr Schnürleib. – Reinlichkeit ist eine schöne Sache. Dort am Spiegel hängt ihr weißes Kleid. Auch dies ist im Teetopf gewaschen und auf dem Dache getrocknet. Sie zieht es an und schlingt das safrangelbe Tuch um den Hals; da sieht das Kleid noch weißer aus. Nun macht sie ihre graziö- sen Schritte. Sieh, wie sie sich brüstet!«

»Das ist mir einerlei«, sagte Gerda. »Das brauchst du mir gar nicht zu erzählen.« Und sie lief bis zum Ausgang des Gartens. Die Pforte war geschlossen; aber als Gerda auf die rostige Klinke drückte, sprang sie auf, und das kleine Mädchen lief mit bloßen Füßen in die weite Welt hinaus. Sie sah sich dreimal um, ob sie verfolgt würde; aber es kam niemand. Da setzte sie sich endlich erschöpft auf einen großen Stein. Und als sie um sich blickte, gewahrte sie, daß der Sommer vorbei war. Es war Spät- herbst. Das konnte man in dem schönen Garten der Zauberin, wo steter Sonnenschein lachte und die Blumen aller Jahreszei- ten blühten, nicht merken.

»Ach! wie habe ich mich verspätet!« seufzte die kleine Gerda. »Es ist ja Herbst geworden. Nun muß ich eilen!« Und sie schritt weiter. Bald waren ihre kleinen nackten Füße wund und müde, und ringsum war's rauh und kalt. Von den Weidenbäu- men rann der Nebel in Tropfen an den gelben Blättern herun- ter. Falbes Laub bedeckte den Erdboden. Nur der Schlehdorn trug noch Früchte, aber die waren so herb, daß sie einem den Mund zusammenzogen. Ach, wie grau und unbarmherzig war es in der weiten Welt!

Die vierte Geschichte, welche vom Prinzen und der Prinzessin erzählt

Gerda mußte schon wieder ausruhen, da sah sie auf einem kahlen Aste eine große schwarze Krähe, die sie immer anstarrte und mit dem Kopfe nickte. Endlich schrie sie: »Krah, krah! Guten Tag, guten Tag!« Besser konnte sie es nicht sagen, aber sie meinte es gut mit dem kleinen Mädchen und fragte, wo sie denn so mutterseelenallein in die weite Welt hineinliefe. Gerda fiel das Wort »mutterseelenallein« so schwer aufs Herz; sie wußte nun, was darin lag. Und sie erzählte der Krähe ihre ganze Lebensgeschichte und fragte am Ende, ob sie Kay nicht gesehen hätte.

»Das könnte schon sein; das könnte schon sein!« nickte die Krähe bedächtig.

»Wo denn? Wie denn?« rief die Kleine und hätte die Krähe fast totgedrückt, so herzte und küßte sie sie.

»Nur ruhig, ruhig«, beschwichtigte die Krähe. »Es kann wohl sein, daß es Kay gewesen ist, den ich meine. Aber nun wird er dich gewiß über der Prinzessin vergessen haben.«

»Ist er denn bei einer Prinzessin?« fragte Gerda.

»Ja, höre nur zu. Aber es wird mir schwer, deine Sprache zu sprechen. Wenn du die Krähensprache verstündest, könnte ich besser erzählen.«

»Ach, leider nicht«, sagte Gerda. »Aber Großmutter konnte sie, und auch die P-Sprache. Wenn ich sie doch gelernt hätte!«

»Es macht ja nichts«, beruhigte sie die Krähe. »Ich erzähle, so gut es geht. Aber schwach wird's wohl werden«, und nun erzählte sie folgendermaßen:

»In dem Königreiche, wo wir uns befinden, wohnt eine Prinzessin, die ist ungeheuer klug. Aber sie hat auch alle Zeitungen, die es auf der Welt gibt, gelesen und wieder vergessen, so klug ist sie. Einen Tag wie alle Tage saß sie auf ihrem Throne, und das ist gar nicht so amüsant, wie man glaubt. Da kam ihr ein-

115

mal der Gedanke: Warum heirate ich eigentlich nicht? Und als
sie sich's recht überlegte, bekam sie Lust, einen Mann zu nehmen. Aber es sollte einer sein, der antworten konnte, wenn man
sich mit ihm unterhielt; nicht so einer, der nur vornehm aussähe
und dumm und stumm dastünde. Nun ließ sie alle Hofdamen
zusammenrufen, und als diese hörten, um was es sich handelte,
wurden sie sehr vergnügt. ›Das ist eine gute Idee‹, sagten sie.
›Daran haben wir auch schon gedacht!‹ – Du kannst dich darauf verlassen, daß jedes Wort, was ich dir sage, wahr ist«, fügte
die Krähe hinzu. »Ich habe eine zahme Braut, die frei im
Schlosse herumspaziert, und die hat mir alles erzählt.«
Die Braut war natürlich auch eine Krähe, denn gleich und
gleich gesellt sich gern.
»Nun kamen die Zeitungen mit einem Rande von Herzen und
dem Namenszug der Prinzessin heraus. Darin konnte man lesen, daß es jedem jungen Manne von angenehmem Äußeren
freistünde, sich der Prinzessin vorzustellen, und denjenigen
wollte sie zum Gemahl erhöhen, welcher sich so benähme, als
wäre er im Schlosse zu Hause, und der am besten reden
könnte.« – »Ja, ja«, unterbrach die Krähe ihre Erzählung. »Du
kannst mir's glauben. Es ist so gewiß wahr, wie ich hier sitze. –
Die jungen Leute strömten von nah und fern herbei. Es war ein
Drängen und Laufen, aber keinem glückte es, weder am ersten
noch am zweiten Tage. Draußen vor dem Schloßtore konnten
sie alle gut reden; aber wenn sie durch die Pforte eintraten und
die Gardisten in ihren glänzenden Uniformen erblickten und
goldstrotzende Lakaien sie die Treppe hinaufgeleiteten in die
großen, schimmernden Säle, dann wurden sie verwirrt. Und
standen sie vor dem Throne der Prinzessin, so konnten sie
nichts weiter hervorbringen als das letzte Wort, welches sie aus
ihrem Munde gehört hatten, und das machte dieser natürlich
keinen Spaß. Die jungen Männer waren wie betäubt, solange
sie im Schlosse waren; draußen auf der Straße konnten sie wieder reden. Die Reihe der Bewerber reichte vom Stadttor bis

zum Schlosse. Ich habe es mit eigenen Augen gesehen«, sagte die Krähe. »Hungrig und durstig wurden sie, aber vom Schlosse bekamen sie nicht einen Trunk Wasser. Einige Vorsichtige hatten allerdings Butterbrote mitgenommen; sie aber gaben ihrem Nachbar nichts davon, denn sie sagten sich: Laß ihn nur hungrig aussehen, dann nimmt ihn die Prinzessin nicht.«

»Aber wann kommt Kay, der kleine Kay?« unterbrach sie Gerda.

»Geduld, nur Geduld! Jetzt sind wir soweit. Es war am dritten Tage, da kam ein kleiner Mann ohne Pferd und Wagen frisch und froh auf das Schloß zumarschiert. Er war nur ärmlich gekleidet; aber er hatte schönes, langes Haar, und seine Augen leuchteten wie die deinen.«

»Das war Kay«, jubelte Gerda. »Ach, so habe ich ihn doch endlich gefunden!« Und sie klatschte vor Freude in die Hände.

»Er hatte einen kleinen Ranzen auf dem Rücken«, fuhr die Krähe fort.

»Ach, das war gewiß sein Schlitten«, sagte Gerda, »denn mit dem Schlitten ging er fort.«

»Schon möglich«, meinte die Krähe. »Ich sah nicht so genau hin. Aber das weiß ich von meiner zahmen Braut, als er durch das Schloßtor eintrat und die Leibgardisten in Silber und die Lakaien auf der Treppe in Gold erblickte, wurde er nicht ein bißchen verlegen. Er nickte ihnen fröhlich zu und sagte: ›Es muß hier draußen mit der Zeit langweilig werden. Ich gehe lieber gleich hinein.‹ – Die Säle glänzten von Gold und Kristall. Geheimräte und Exzellenzen bewegten sich unhörbar; aber die Stiefel des neuen Ankömmlings knarrten ganz laut. Doch kümmerte ihn das wenig.«

»Das sieht Kay ganz ähnlich«, warf Gerda ein. »Und er hatte auch neue Stiefel. Ich habe sie in Großmutters Kammer knarren hören.«

»Na, ob sie knarrten!« lachte die Krähe. »Aber er ging frisch gerade auf die Prinzessin zu, welche auf ihrem goldenen, mit Perlen besetzten Throne saß. Und ringsum standen alle Hofdamen mit ihren Jungfern und den Mägden der Jungfern und alle Kavaliere mit ihren Dienern und den Burschen der Diener. Je näher sie aber der Türe standen, um so stolzer sahen sie aus. Den letzten Stalljungen, der sonst nur immer Pantoffeln trug, konnte man kaum ansehen, so aufgeblasen stand er vor der Tür.«

»Das muß schrecklich gewesen sein«, seufzte Gerda. »Und Kay hat dennoch die Prinzessin gekriegt?«

»Ja, siehst du, er soll so gut geredet haben wie zum Beispiel ich in der Krähensprache, sagt meine zahme Braut. Sehr offen und gewinnend wäre er gewesen. Es wäre ihm nicht ums Heiraten zu tun; nur die Klugheit der Prinzessin wollte er gern kennenlernen, sagte er. Das machte Eindruck auf diese, und sie nahm ihn.«

»Ja, ja; es muß Kay gewesen sein«, sagte Gerda. »Er ist ja so klug. Er kann Kopfrechnen mit Brüchen. – Ach, liebe Krähe, willst du mich nicht auf das Schloß führen?«

»Ja, das ist leicht gesagt«, murmelte die Krähe. »Aber wie setzen wir's ins Werk? Ich muß es mit meiner Braut überlegen; die wird Rat schaffen, hoffe ich, denn das muß ich dir sagen, auf dem richtigen Wege würdest du nie Einlaß finden.«

»Oh, wenn Kay es nur wüßte, daß ich hier bin. Er käme gleich heraus und holte mich«, sagte Gerda.

»Erwarte mich dort am Wege«, sagte die Krähe, nickte mit dem Kopfe und flog davon.

Erst spät am Abend kehrte die Krähe wieder zurück. »Krah, krah!« sagte sie. »Viele Grüße von meiner lieben Braut, und hier ist ein Brötchen für dich. In der Schloßküche gibt's deren genug, und du bist gewiß hungrig. – Armes Kind, du kannst nicht an den Leibgardisten und Lakaien vorbei, denn du bist ja barfuß. Aber weine nur nicht; du sollst dennoch ins Schloß kommen. Meine Braut weiß ein kleine Hintertreppe, die in die

Schlafkammer führt, und sie will auch den Schlüssel herbei-
schaffen.«

Sie gingen nun in den Schloßgarten, die großen Alleen entlang,
wo die Blätter von den Bäumen fielen. Und als im Schlosse ein
Licht nach dem andern ausgelöscht wurde, führte die Krähe
Gerda nach einer kleinen Hintertür, die nur angelehnt war.

O wie klopfte dem Kinde das Herz vor Angst und Sehnsucht.
Es war ihr zumute, als wollte sie ein großes Unrecht begehen,
und doch wollte sie nur Gewißheit haben, ob Kay im Schlosse
wäre. Ach, er mußte es sein! Sie sah seine klugen Augen und
sein langes Haar vor sich, und wie er gelächelt hatte, damals,
unter den Rosen. Gewiß würde er sich freuen, wenn er sie sähe
und sich erzählen ließe, welchen weiten Weg sie seinetwegen
gemacht und wie betrübt sie zu Hause alle über sein Ausbleiben
wären. Furcht und Freude bewegten ihr kleines Herz.

Nun waren sie auf der schmalen Hintertreppe. Ein Lämpchen
verbreitete spärliches Licht. Die zahme Krähe stand auf dem
Fußboden, betrachtete Gerda, die sich tief verneigte, von allen
Seiten und sagte freundlich: »Mein Bräutigam hat mir viel Liebes von Ihnen erzählt, mein kleines Fräulein. Ihr Lebenslauf ist
ja sehr rührend. – Bitte, nehmen sie die Lampe. Ich werde vor-
angehen. Immer geradeaus. Wir treffen hier keine Seele.«

»Mir ist, als käme etwas hinter uns«, sagte Gerda ängstlich, und
da sauste es auch schon an ihr vorbei. Es waren aber nur Schatten an der Wand: Pferde mit feinen Gliedern und flatternder
Mähne, Jägersburschen, Herren und Damen zu Pferde.

»Das sind nur Träume«, sagte die zahme Krähe. »Die holen die
Gedanken der hohen Herrschaften zur Jagd ab. Um so besser,
dann können Sie sie ungestört im Schlafe betrachten. Aber
wenn der Prinz Sie anerkennt, werden Sie uns ein dankbares
Erinnern bewahren, hoffe ich.«

»Das versteht sich doch von selbst«, sagte ihr Bräutigam.

Nun betraten sie den ersten Saal. Der war mit rosenrotem Atlas
und kunstvollen Blumen ausgeschlagen. Der zweite war noch

prächtiger. Ja, man konnte ganz geblendet werden von all der Herrlichkeit. Endlich waren sie im Schlafgemach. Die Decke darin glich einer Palme mit gläsernen Blättern, und zwei Betten in Form von Lilien hingen an dicken Goldstengeln dicht über dem Fußboden. Das eine war schneeweiß, und darin lag die Prinzessin; das andere war rot, und in diesem suchte Gerda ihren lieben kleinen Kay. Sie bog eins der roten Blätter sachte zur Seite, und da sah sie einen braunen Nacken. – Ach, das war Kay! – Sie rief ihn laut bei seinem Namen und hielt ihm die Lampe vors Gesicht – und da erwachte er, wandte sich um und – ach! Er war es nicht! Der Prinz glich ihm nur von hinten; aber jung und hübsch war er auch. Nun hob auch die Prinzessin ihr Köpfchen aus dem weißen Lilienbett und fragte, was es gäbe. Da weinte Gerda und erzählte ihre ganze Geschichte und alles, was die guten Krähen für sie getan hatten.

»Du arme Kleine«, sagten der Prinz und die Prinzessin, und sie lobten die Krähen, die in großer Furcht vor Strafe dastanden. Nein, für diesen besonderen Fall sollten sie sogar eine Belohnung haben, aber sie sollten es doch nie wieder tun.

»Wollt ihr eure Freiheit?« fragte die Prinzessin, oder wollt ihr eine Anstellung als Hofkrähen mit der Berechtigung auf alle Küchenabfälle?«

Da verneigten sich beide Krähen vor der gütigen Prinzessin und baten um feste Anstellung, denn sie gedachten ihres Alters und meinten, es wäre gut, etwas für seine alten Tage zu haben. Der Prinz aber stand aus seinem Bette auf und ließ Gerda darin schlafen. Mehr konnte er doch nicht tun. Sie faltete ihre kleinen Hände und dachte: »Wie gut sind doch Menschen und Tiere zu mir!« Dann schloß sie die Augen und schlief sanft ein. Da kamen die Träume wieder angeflogen, und sie sahen aus wie die Engel Gottes. Sie trugen einen kleinen Schlitten, auf dem saß Kay und nickte ihr zu. Aber als sie erwachte, war alles verschwunden.

Am folgenden Tage wurde sie von Kopf bis Fuß in Samt und

Seide gekleidet. Die Prinzessin bat sie, bei ihr im Schlosse zu bleiben. Sie sollte gute Tage haben; aber sie bat nur um einen kleinen Wagen mit einem Pferdchen und um ein Paar Schuhe, damit sie wieder in die weite Welt hinaus könnte, ihren Kay zu suchen.

Alles, was sie sich wünschte, wurde ihr gewährt. Als sie fort wollte, hielt vor der Tür ein ganz neuer Wagen aus purem Golde. Die Wappen des Prinzen und der Prinzessin glänzten daran, und Kutscher, Bediente und Vorreiter – sogar diese fehlten nicht – trugen sie an ihren Livreen. Der Prinz und die Prinzessin halfen ihr selbst in den Wagen und wünschten ihr glückliche Reise. Die Waldkrähe, weche nun verheiratet war, begleitete sie drei Meilen weit. Sie saß Gerda zur Seite, denn sie konnte das Rückwärtsfahren nicht vertragen.

Ihre Gemahlin stand unter dem Portale und schlug mit den Flügeln. Sie konnte nicht mit, denn sie hatte Kopfschmerzen. Die feste Anstellung und das viele gute Essen bekamen ihr nicht gut.

Die Kutsche war inwendig mit Zuckerbrezeln gefüttert, und im Sitzkasten lagen Vorräte von Früchten und Pfefferkuchen.

»Lebewohl, Lebewohl«, riefen der Prinz und die Prinzessin, und die kleine Gerda weinte, und die Krähe weinte auch. So ging es die ersten drei Meilen. Dann nahm auch die Krähe Abschied, und das war das schwerste. Sie flog auf einen Baum am Wege und schlug mit ihren schwarzen Flügeln, solange noch eine Spur von dem Wagen, der im Sonnenschein glänzte, zu sehen war.

Die fünfte Geschichte, welche vom kleinen Räubermädchen erzählt

Sie fuhren nun durch den dunklen Wald, aber die Karosse leuchtete wie eine Fackel. Das stach den Räubern, die im Walde hausten, in die Augen. Sie überfielen den Wagen, rissen die Vorreiter von ihren Pferden und hoben Gerda aus den Polstern.

»Hei, wie rund und süß die Kleine ist! Die ist mit Nußkern gemästet«, krächzte das alte Räuberweib, das einen richtigen Bart und lange, struppige Augenbrauen hatte. »Sie ist mir so lieb wie ein fettes Lämmchen. Die soll mal schmecken!« Dabei zog sie ihr langes Messer aus dem Gürtel und wollte Gerda schlachten.

»Au«, schrie sie da plötzlich und ließ das Messer fallen, denn ihre eigene Tochter, die ihr auf dem Rücken hing, hatte sie ins Ohr gebissen. »Du garstige Raupe!«

»Sie soll mit mir spielen«, rief das kleine Räubermädchen. »Ich will ihre schönen Kleider und Stiefel haben, und sie soll mit in meinem Bette schlafen.« Und wieder biß sie die Alte, daß diese in die Höhe fuhr und wie besessen herumraste. Alle Räuber lachten und sagten: »Ei, wie schön sie mit ihrem Wechselbalg tanzt!«

»Ich will in den Wagen«, schrie das kleine Räubermädchen, und sie bekam ihren Willen, denn sie war unbändig verzogen und eigensinnig. Sie und Gerda fuhren nun über Stock und Stein immer tiefer in den Wald hinein. Das Räuberkind war so groß wie Gerda, aber stärker, breitschultriger und von dunkler Hautfarbe. Ihre Augen waren ganz schwarz und sahen beinahe traurig aus. Sie faßte die kleine Gerda um die Taille und sagte: »Sie dürfen dich nicht schlachten, solange ich dir gut bin. Du bist wohl eine Prinzessin?«

»Nein«, sagte Gerda und erzählte ihr alles, was sie erlebt hatte, und wie sehr sie sich nach Kay sehnte.

Das Räubermädchen hörte aufmerksam zu, nickte ein wenig mit dem Kopfe und sagte: »Sie dürfen dich nicht schlachten; nicht einmal, wenn ich dir nicht mehr gut bin. Dann werde ich es schon selber tun.« Und sie trocknete der kleinen Gerda die Augen und nahm ihr die Perlenkette ab, die sie um den Hals trug. Nun hielt der Wagen. Sie befanden sich im Hofe eines alten Räuberschlosses. Die Mauern waren geborsten, Raben und

Krähen flogen durch die Öffnungen aus und ein, und riesige Hunde, von denen mancher aussah, als könne er einen Menschen mit Haut und Haaren verschlingen, sprangen an den heimkehrenden Räubern in die Höhe; aber ohne zu bellen. Das war ihnen verboten.

In dem großen, alten, rußigen Saal brannte mitten auf dem Fußboden ein helles Feuer. Der Rauch zog unter der Decke hin und mußte sich selbst einen Ausweg suchen. In einem großen Kessel wurde Suppe gekocht, Hasen und Kaninchen wurden am Spieß gebraten.

»Du schläfst mit mir bei all meinen Tieren«, sagte das Räubermädchen zu Gerda. Die Kinder bekamen zu essen, und dann gingen sie in eine Ecke, wo Stroh und Decken ausgebreitet waren. Darüber saßen auf Latten und Stangen viele, viele Tauben, die alle zu schlafen schienen, sich aber doch ein wenig wendeten, als die kleinen Mädchen sich näherten.

»Das sind alles meine!« sagte das Räuberkind und hatte mit schnellem Griff eine von der Stange geholt. Sie hielt die Taube an den Füßen und schüttelte sie wild, daß sie mit den Flügeln schlug. »Küsse sie«, befahl sie Gerda und schlug ihr das verängstigte Tier ins Gesicht. »Guck, da sitzen die Waldflüchter«, fuhr sie fort und zeigte auf ein Gitter aus Holzstäben, das vor einem Loche oben in der Mauer befestigt war. »Die Kanaillen fliegen gleich fort, wenn man sie nicht richtig einsperrt. Aber hier steht mein alter Schatz!« Dabei zog sie ein Rentier am Geweih aus der Ecke, das einen blanken Kupferring am Halse trug und angebunden war. »Das ginge auch auf und davon, wenn wir's nicht gefangenhielten. Ich kitzle es jeden Abend mit einem scharfen Messer am Halse. Davor fürchtet sich's.« Und das kleine Mädchen zog ein langes Messer aus einer Mauerritze und ließ es an der Kehle des Rentiers auf- und niedergleiten. Das arme Geschöpf schlug mit den Beinen aus; aber das Räuberkind lachte, und endlich legte sie sich dicht neben Gerda zu Bett.

»Willst du denn das blanke Messer in der Hand behalten, wenn
du schläfst?« fragte Gerda und sah ängstlich darauf.
»Freilich, ich schlafe immer damit«, antwortete das Räubermädchen. »Man weiß nicht, was passieren kann. Aber nun erzähle mir noch einmal alles vom kleinen Kay, und warum du in
die weite Welt gegangen bist!« Da fing Gerda wieder von vorn
an zu erzählen, und die Waldtauben im Käfig zu Häupten der
Kinder gurrten; aber die zahmen auf der Stange schliefen. Das
kleine Räubermädchen legte ihren Arm um Gerdas Hals, behielt das Messer fest in der Hand und schlief bald, daß man's
hören konnte. Aber Gerda konnte kein Auge zutun. Sie wußte
nicht, ob sie leben oder sterben sollte. Um das Feuer saßen die
Räuber, singend und trinkend, und das Räuberweib machte ihnen Späße vor. Es war ein gräßlicher Anblick für Gerda.
Da sagten die Waldtauben auf eimal: »Gurr, gurr, wir haben
den kleinen Kay gesehen. Ein weißes Huhn trug seinen Schlitten. Er saß neben der Schneekönigin und fuhr mit ihr über den
Wald, wo unser Nest war. Sie blies uns junge Täublein an, und
alle starben außer uns beiden. Gurr, gurr!«
»Was sagt ihr da oben?« rief Gerda atemlos. »Ach, wohin fuhr
die Schneekönigin? Wißt ihr es vielleicht?«
»Wahrscheinlich nach Lappland; da gibt's immer Eis und
Schnee. Frage nur das Rentier, welches dort angebunden
steht.«
»Ja, Eis und Schnee die Fülle«, sagte das Rentier. »Dort ist's
gut sein. Da jagt man frei herum in den weiten, blinkenden Tä-
lern. Die Schneekönigin hat ihre Sommerwohnung dort; aber
ihr festes Schloß ist nahe dem Nordpol auf der Insel Spitzber-
gen.«
»O Kay, lieber kleiner Kay!« seufzte Gerda.
»Du mußt still liegen, sonst stoß ich dir das Messer in den
Leib«, sagte das Räuberkind.
Am anderen Morgen erzählte Gerda ihrer Gefährtin alles, was
sie von den Waldtauben gehört hatte. Das Räubermädchen sah

ernsthaft aus, nickte ein paar Mal mit dem Kopfe und fragte dann das Rentier: »Weißt du, wo Lappland liegt?« – »Wer könnte das besser wissen als ich?« antwortete dieses. »Ich bin ja dort geboren und erzogen. Den Weg finde ich im Finstern!« und dabei funkelten seine Augen.

»Höre«, sprach das Räubermädchen zu Gerda: »Du siehst, unsere Männer sind schon alle auf Raub aus, aber Mutter ist hier, und die paßt auf uns auf. Wenn sie nun gegen Mittag aus der großen Flasche dort trinkt und danach einschläft, werde ich etwas für dich tun.«

Hierauf sprang sie aus dem Bette, fiel der Mutter um den Hals, zupfte sie am Barte und sagte: »Schön' guten Morgen, mein alter lieber Ziegenbock.« Und die Mutter gab ihr Nasenstüber, daß sie rote und blaue Flecken hatte. Das war aber lauter Zärtlichkeit.

Als die Mutter dann später aus der Flasche getrunken hatte und ein Nickerchen machte, ging das Räubermädchen zum Rentier hin und sagte: »Es würde mir ja großen Spaß machen, dich noch oft mit dem scharfen Messer zu kitzeln, denn dann bist du zu drollig. Aber gleichviel, ich will deinen Strick lösen und dir die Freiheit schenken, damit du nach Lappland heimkehren kannst. Aber du mußt die Beine in die Hand nehmen und dieses kleine Mädchen zum Schlosse der Schneekönigin bringen, wo ihr Spielgefährte weilt. Du hast doch gehört, was sie mir von ihm erzählte, denn sie sprach laut genug, und du horchtest.«

Das Rentier sprang vor Freuden in die Höhe. Nun setzte das Räuberkind die kleine Gerda auf seinen Rücken, band sie zur Vorsicht fest und gab ihr auch noch ein kleines Kissen zum Draufsitzen.

»Da hast du auch deine Pelzstiefel wieder, denn es wird kalt werden«, sagte sie. »Aber deinen Muff behalte ich, der ist zu reizend. Damit du jedoch nicht frierst, nimm hier die großen Pelzhandschuhe meiner Mutter. Die reichen dir bis zu den Ellbogen. Gleich zieh sie an! Ha, ha, nun siehst du an den Händen wie meine häßliche Mutter aus.«

Gerda weinte vor Freude.

»Ich kann die Grimassen nicht leiden«, schalt das Räuberkind.

»Ich dächte, du hättest allen Grund, vergnügt auszusehen. Hier sind zwei Brote und ein Schinken, daß du keinen Hunger leidest.« Beides wurde dem Rentier auf den Rücken gebunden. Das kleine Räubermädchen öffnete die Tür, lockte die großen Hunde herein, durchschnitt mit ihrem scharfen Messer den Strick des Rentiers und sagte: »Nun glückliche Reise, und gib mir hübsch auf das kleine Mädchen acht.«

Und Gerda streckte ihre Händchen mit den großen Fausthandschuhen der Räubermutter gegen ihre Befreierin aus und rief: »Lebewohl!« Dann jagte das Rentier über Stock und Stein davon, durch den großen Wald, über Sümpfe und Steppen, so schnell es seine Beine tragen wollten. Die Wölfe heulten, und die Raben schrien. Am Himmel stiegen Feuergarben auf.

»Das sind meine lieben Nordlichter!« jubelte das Rentier. »Schau, wie sie leuchten!« Und nun lief es noch schneller vorwärts, Tag und Nacht. Als die Brote und der Schinken verzehrt waren, hatten sie Lappland erreicht.

Die sechste Geschichte, welche von der Lappin und der Finnin erzählt

Vor einem kleinen Häuschen machten sie endlich halt. Es sah sehr armselig aus. Das Dach ging fast bis zur Erde herab, und die Tür war so niedrig, daß die Leute auf dem Bauche kriechen mußten, wenn sie hinein oder heraus wollten. In dem Hüttchen befand sich nur eine alte Lappin, die über einer Tranlampe Fische räucherte. Das Rentier erzählte ihr Gerdas Geschichte, aber erst nachdem es seine eigene ausführlich berichtet hatte, denn die dünkte ihm viel wichtiger als Gerdas. Das Kind aber war so von der Kälte mitgenommen, daß es nicht reden konnte.

»Ach, ihr armen Würmer«, sagte die Lappin, »da habt ihr noch einen weiten Weg vor euch. Viele hundert Meilen nordwärts in Finnland ist die Sommerresidenz der Schneekönigin. Da brennt sie allabendlich bengalisches Feuer ab. Ich werde ein paar Worte auf einen getrockneten Stockfisch schreiben, denn Papier habe ich nicht. Den sollt ihr der Finnin überbringen. Die kann euch besseren Bescheid geben als ich.«

Nachdem sich Gerda erwärmt hatte und durch Speise und Trank gestärkt war, schrieb die Lappin ein paar Worte auf einen getrockneten Stockfisch, empfahl Gerda, wohl darauf zu achten, band sie wieder fest auf das Rentier, und die Reise ging weiter. Pfutt, Pfutt! ging es über ihnen in der Luft, und die ganze Nacht brannten die schönsten farbigen Nordlichter. Endlich waren sie in Finnland und klopften an den Schornstein der Finnin, denn sie hatte nicht einmal eine Tür an ihrer Hütte. Drinnen war es so heiß, daß die Finnin beinah unbekleidet war. Sie sah graugelb aus und war klein von Gestalt. Sogleich zog sie Gerda die Pelzstiefel und Handschuhe aus und löste ihr die Kleider, denn sonst wäre es ihr zu heiß geworden, und dann legte sie dem Rentier ein Stück Eis auf den Kopf. Dann erst las sie, was die Lappin auf den Stockfisch geschrieben hatte. Sie las es dreimal, dann wußte sie's auswendig und steckte den Fisch in den Kochtopf. Den konnte man ja noch essen – nur nichts umkommen lassen.

Hierauf erzählte das Rentier erst seine eigene und dann Gerdas Geschichte, und die Finnin blinzelte mit ihren klugen Augen, sagte aber nichts. »Du bist so klug«, sagte das Rentier. »Ich weiß, daß du alle Winde der Welt in Fesseln legen kannst. Lösest du einen Knoten, so bekommt der Schiffer guten Wind. Lösest du den zweiten, so weht es stark, und beim dritten und vierten wütet ein Orkan, der die Bäume entwurzelt. Gib doch dem kleinen Mädchen hier einen Zaubertrunk, daß sie ›Zwölfmännerstärke‹ erhält und die Schneekönigin überwinden kann.«

»Zwölfmännerstärke?« lachte die Finnin. »Das würde ihr grad was nützen.« Sie ging zu einem Wandbrett, nahm eine zusammengerollte Tierhaut herunter und breitete sie auf dem Boden aus. Wunderliche Buchstaben standen darauf geschrieben, und die Finnin las und las, mit einem Eifer, daß ihr der Schweiß von der Stirn rann.

Da fing das Rentier von neuem an, für Gerda zu bitten, und diese selbst sah die Finnin mit ihren tränenvollen Augen so flehend an, daß es die Alte überwältigte. Sie blinzelte wieder, zog das Rentier in eine Ecke und flüsterte ihm zu:

»Der kleine Kay ist allerdings bei der Schneekönigin, und er findet dort alles nach seinem Geschmack und meint, daß ihm das beste Teil auf der Welt zugefallen ist. Aber das kommt daher, weil er einen bösen Glassplitter in das Herz und ein Glaskörnchen in das Auge bekommen hat. Die müssen erst heraus, sonst wird er nie wieder wie ein richtiger Mensch fühlen, und die Schneekönigin behält ihn in ihrer Gewalt.«

»Aber kannst du der kleinen Gerda nicht etwas geben, daß sie Macht über all den Zauber bekommt?«

»Ich kann ihr keine größere Macht geben, als sie schon besitzt. Siehst du denn nicht, wie gewaltig die ist? Mutterseelenallein schreitet sie durch die weite Welt; Menschen und Tiere müssen ihr dienen. Ihre Macht stammt nicht von unten her, sie liegt in ihrem reinen, unschuldigen Herzen. Wenn sie nicht selbst zu der Schneekönigin vordringt und Kay von den Glassplittern befreit – wir können nichts dabei tun. Zwei Meilen von hier beginnt der Garten der Schneekönigin. Trage das kleine Mädchen dahin und setze es bei dem Busche ab, der voller roter Beeren im Schnee steht. Halt dich aber nicht mit langem Geschwätz auf, sondern komm schnell zurück.«

Bei diesen Worten setzte die Finnin Gerda auf den Rücken des Rentieres, und dieses sprang davon, so schnell es nur konnte.

»Oh, ich habe meine Stiefel und meine Pelzhandschuhe vergessen«, klagte Gerda; aber das Rentier hielt nicht an. Es lief bis zum Busche mit den roten Beeren. Da setzte es Gerda ab, küßte das kleine Mädchen auf den Mund, während ihm große Tränen über die Wangen liefen, und lief den Weg zurück. Nun stand Gerda ganz allein, ohne Schuhe und Handschuhe mitten in dem schrecklichen, eisigen Finnland. Sie lief, so schnell sie konnte, vorwärts. Da kam ihr eine ganze Kolonne Schneeflocken entgegen. Aber sie fielen nicht vom Himmel herab. Der war ganz klar und leuchtete von Nordlichtern. Vielmehr liefen sie am Boden hin, und je näher sie kamen, um so größer wurden sie. Gerda mußte daran denken, wie ihr Kay einmal die Schneeflocken unter dem Vergrößerungsglase gezeigt hatte. Aber diese hier hatten noch verwunderlichere Gestalten, waren lebendig und suchten sie zu ängstigen und zu erschrecken, denn es waren die Vorposten der Schneekönigin. Etliche sahen aus wie große, häßliche Stachelschweine, andere wie zusammengeballte Schlangen mit vorgestreckten Köpfen, noch andere wie kleine, dicke Bären mit gesträubten Haaren – und alle drangen sie auf Gerda ein.

Da betete die Kleine ihr Vaterunser. Die Kälte war so groß, daß sie ihren eigenen Atem sehen konnte, er ging ihr wie Rauch aus dem Munde. Dichter und dichter umwallte er sie und gestaltete sich zu kleinen lichten Engeln. Alle hatten sie Helme auf dem Haupte und Schild und Speer in den Händen. Ihre Anzahl wuchs, und als Gerda ihr Vaterunser beendet hatte, war sie von einer ganzen Legion umringt. Diese drangen mit ihren Speeren auf die gräulichen Schneeflocken ein, so daß sie in tausend Stücke zersplitterten und die kleine Gerda ungefährdet vorwärts gehen konnte. Die Engel streichelten ihre Hände und Füße, da spürte sie nichts mehr von der Kälte und lief, so schnell sie konnte, nach dem Schlosse der Schneekönigin.

Aber nun müssen wir uns erst einmal nach Kay umsehen. Der dachte freilich nicht an die kleine Gerda, am allerwenigsten, daß sie draußen vor dem Schlosse stehe.

Die siebente Geschichte, welche vom Schlosse der
Schneekönigin erzählt, und was sich später zutrug

Die Wände des Schlosses waren von glitzerndem Schnee, und durch die Fenster und Türen strichen die eisigen Winde. Es waren über hundert Säle darin, und der größte erstreckte sich mehrere Meilen lang. Der Nordlichtschein beleuchtete die glänzenden Hallen, aber öde und leer und eisig kalt lagen sie da. Nie fanden hier Lustbarkeiten statt, nicht einmal ein kleiner Bärenball, wozu der Sturm hätte aufspielen können, wenn die Eisbären auf den Hinterfüßen tanzten und sich Komplimente machten. Nie wurden heitere Gesellschaftsspiele mit allerlei Schabernack ausgeführt; nicht einmal ein kleiner Kaffeeklatsch der weißen Fuchsdamen kam zustande. Still, leer und kalt war es in den großen Sälen der Schneekönigin. Mitten in dem größten befand sich ein zugefrorener See, dessen blankes Eis in tausend Stücke geborsten war, aber jedes Stück glich dem andern so genau, daß es ein vollendetes Kunstwerk war. Auf diesem Eisparkett saß die Schneekönigin, wenn sie zu Hause war. Der kleine Kay war blau vor Kälte, aber er merkte es nicht, denn die Schneekönigin hatte ihm den Frostschauer weggeküßt, und sein Herz glich einem Eisklumpen. Er hantierte mit scharfkantigen, flachen Eisstücken, die er auf alle mögliche Weise aneinander legte, um eine bestimmte Form herauszubekommen. Es war, wie wenn wir bei dem sogenannten chinesischen Spiel Figuren mit Holzklötzchen legen. Kay legte auch Figuren, sehr künstliche; es war das Eisspiel des Verstandes. In seinen Augen war diese Beschäftigung von der größten Wichtigkeit, das machte das Glaskörnchen, welches ihm darin saß. Die Figuren sollten ein Wort bilden, aber er konnte es nicht dahin bringen, dasselbe auszulegen. Das Wort hieß: »Ewigkeit!« Die Schneekönigin hatte gesagt: »Wenn du die Figur richtig zustande bringst, sollst du dein eigener Herr sein, und die ganze Welt gehört dir.« Aber er konnte es nicht.

»Nun eile ich hinunter nach den warmen Ländern«, sagte die Schneekönigin. »Ich will dort einmal in die schwarzen Kochtöpfe gucken.« Sie meinte die feuerspeienden Berge Vesuv und Ätna. »Sie sollen einen weißen Deckel bekommen. Das gehört dazu und tut den Zitronen und Weintrauben gut.« Und die Schneekönigin flog davon. Da saß nun Kay ganz allein in dem viele Meilen großen, leeren Saal, betrachtete die Eisstücke und grübelte und grübelte. So still und steif saß er, daß man hätte glauben können, er wäre erfroren.

Zu derselben Zeit wollte die kleine Gerda durch das große Portal in das Schloß treten, aber die Winde verlegten ihr den Weg. Da betete sie ein Abendlied, und die Winde legten sich, als ob sie schlafen wollten. Nun eilte Gerda durch die großen, leeren, kalten Säle und – da erblickte sie Kay. Sie erkannte ihn, flog ihm um den Hals und rief: »Kay, herzlieber Kay, hab' ich dich endlich gefunden?«

Aber er saß unbeweglich, steif und still. Da weinte die kleine Gerda heiße Tränen, die fielen ihm auf die Brust; sie drangen in sein Herz, tauten den Eisklumpen auf und verzehrten das kleine Stück des Zauberspiegels. Das Bewußtsein dämmerte in ihm, und er betrachtete die kleine Gerda aufmerksam. Nun sang sie das Kinderlied, das sie einst auf dem Dache in ihrer Rosenlaube gesungen hatte:

»Die Rosen duften im Sommerwind,
Die schönste Ros' ist das Jesuskind.«

Da brach Kay in Tränen aus. Er weinte so heftig, daß der Glassplitter aus seinem Auge geschwemmt wurde. Alsbald erkannte er seine Gespielin und rief: »Gerda, einzig liebe Gerda! Wo bist du so lange gewesen, und wo war ich denn?« Er blickte erstaunt um sich. »Wie kalt es hier ist, wie öde und schaurig.« Und er umfaßte Gerda, die vor Freude weinte und lachte. Da kam auch Leben in die Eisstücke, mit denen er vorher hantiert hatte. Sie rückten zusammen und legten sich in Form von Buchstaben.

Unversehens entstand das Wort, von dem die Schneekönigin gesagt hatte, wenn er es zusammenbrächte, solle er sein eigener Herr sein und die ganze Welt ihm gehören.

Als ihm Gerda die bleichen Wangen küßte, wurden sie wieder blühend. Sie küßte ihn auf die Augen, und da leuchteten sie gleich den ihrigen. Sie küßte ihm Hände und Füße, und er wurde frisch und gesund. Nun mochte die Schneekönigin nach Hause kommen. Sein Freibrief stand da mit glänzenden Eisbuchstaben geschrieben.

Und nun wanderten sie Hand in Hand zum Schlosse hinaus und erzählten sich von der Großmutter und von ihren Rosen oben auf dem Dache. Wo sie gingen, ruhten die Winde, und die Sonne brach hervor, und als sie den Busch mit den roten Beeren erreichten, stand das Rentier dabei und wartete. Es hatte auch noch ein anderes junges Rentier mitgebracht, das gab den Kindern seine warme Milch und tat sehr zutraulich. Nun trugen sie Kay und Gerda zuerst zu der Finnin zurück, bei der sie sich gründlich wärmten und Anweisung für die Heimreise erhielten. Dann ging's zur Lappin, die ihnen neue Kleider genäht und ihren Schlitten instand gesetzt hatte.

Bis zur Landesgrenze fuhr diese die Kinder, und dort mußten sie Abschied von den Rentieren und von der Lappin nehmen. »Lebt wohl«, sagten sie alle zusammen. Am Waldsaume sproß das erste Grün, die ersten kleinen Vögel begannen zu zwitschern, und die Bäume fingen an, sich zu belauben. Und sieh, durch den Wald sprengte auf einem kräftigen Pferde, das Gerda sofort erkannte – es hatte damals ihre goldene Kutsche gezogen –, ein junges Mädchen mit feuerrotem Barett auf dem Kopfe und Pistolen im Halfter. Es war das kleine Räubermädchen, welches die Ihrigen verlassen hatte und sich auf eigene Faust die Welt besehen wollte.

Sie erkannten sich sogleich wieder. Das war eine Freude: »Du bist ein netter Vagabund«, sagte sie zu Kay. »Ich möchte wohl wissen, ob du es verdienst, daß man dir bis an das Ende der

Welt nachläuft.« Aber Gerda streichelte ihr die Wangen und fragte nach dem Prinzen und der Prinzessin.

»Die sind ins Ausland gereist«, sagte das Räubermädchen.

»Aber die Krähe?« fragte Gerda.

»Ach, die ist tot«, erwiderte sie. »Die zahme Braut ist Witwe geworden und trauert mit einem Endchen schwarzen Wollfaden am Bein. Aber das ist alles dummes Zeug. Erzähle mir lieber, wie es dir ergangen ist und wie du Kay endlich aufgefunden hast.« Und Gerda und Kay erzählten ihr alles.

Das Räubermädchen gab beiden Kindern die Hand und versprach, sie einmal zu besuchen, wenn sie in ihre Stadt käme. Damit ritt sie in die weite Welt. Aber Gerda und Kay gingen Hand in Hand vorwärts, und um sie her grünte und blühte der Frühling. Plötzlich läuteten die Kirchenglocken, und sie erkannten die hohen Türme ihrer Heimatstadt. Voller Freude suchten sie das Haus, wo die Großmutter wohnte, stiegen die Treppe hinan und betraten die Stube, wo alles auf derselben Stelle stand wie früher. Die Uhr machte tick, tack, und die Zeiger drehten sich. Aber als sie die Schwelle überschritten, merkten sie, daß sie erwachsene Menschen geworden waren. Die Rosen aus der Dachrinne blühten zum offenen Fenster herein, und da standen noch die Kinderschemel, auf denen sie sonst gesessen hatten. Sie setzten sich wieder darauf, wie zu Anfang unserer Geschichte, und hielten sich bei den Händen. Alles, was dazwischen lag, die öde Herrlichkeit bei der Schneekönigin und Gerdas Reiseabenteuer, war vergessen, wie ein langer Traum.

Die Großmutter saß in Gottes hellem Sonnenschein und las laut aus der Bibel: »Wenn ihr nicht werdet wie die Kinder, so werdet ihr nicht in das Reich Gottes kommen.«

Kay und Gerda sahen sich in die Augen und stimmten das alte Lied an:

»Die Rosen duften im Sommerwind,

Die schönste Ros' ist das Jesuskind.«

Da saßen sie beide, erwachsen und doch wie Kinder, Kinder im Herzen, und ringsum war Sommer, schöner, warmer blühender Sommer.

GRETEL SELIG

Der Weihnachtskasper

Vor vielen Jahren, als in Berlin noch der Pferdeomnibus verkehrte, schneite es einmal um die Weihnachtszeit so tüchtig, wie
man es lange nicht mehr gewohnt war. Auch am Morgen des
24. Dezember fielen die Flocken unaufhörlich aus dem dunklen
Himmel. Im Scheine der Kandelaber, die von den Häusern ihr
Licht auf die Straße warfen, tanzten sie besonders vergnügt
herum, dort schien es ihnen ausnehmend gut zu gefallen. Sie
setzten sich dick und plustrig auf das Verdeck des Planwagens,
der, vom Spittelmarkt über die Gertraudenbrücke kommend, in
die Breite Straße einbog, der braunen Liese aber zwischen die
Ohren und auf das Geschirr, wo sie sich ausnahmen wie Pu-
derzucker auf einem Schokoladenkuchen. Der Schnee lag auf
den Mauervorsprüngen des Marstalles, dessen Front sich, ein
schwarzer Umriß, aus dem grauen Wintermorgen hob.
Dort hielt der Wagen. Eine Magd, dick eingemummt in ein
schwarz-grün kariertes Umschlagtuch, schlang die Zügel des
Braunen ein paarmal eng um eine Eisenstange am Kutschersitz
und sprang ab. Dann hob sie ein kleines Mädchen vom Sitz.
»Nun lauf ein bißchen auf und ab, daß du warme Füße bekommst, so mußt du es machen«, und dabei trappste sie ein
paarmal gehörig auf, daß es richtig schallte. Das Mädchen hieß
Kathrinchen. Seine Mutter hatte es mit der Magd schon vor-
ausgeschickt, damit diese die Bude mit dem Spielzeug herrichten und alles für den Verkauf auf dem Weihnachtsmarkt vor-
bereiten sollte.
Der Weihnachtsmarkt! Das war immer eine herrliche Zeit,
wenn Kathrinchen mit in die Breite Straße durfte, der Weihnachtstag war aber der schönste von allen, da durfte sie sich
von den Spielsachen, die ihre Mutter verkaufte, etwas wün-

schen. War es am Abend nicht verkauft, so bekam sie es. Im vorigen Jahr hatte sie sich eine Puppe ausgebeten. Einen Porzellankopf hatte sie gehabt, und ihre Arme und Beine waren aus Leder. Einen roten Mantel mit einem passenden Hütchen trug sie, und ihre langen Zöpfe waren aus echtem Haar, und man konnte sie kämmen und flechten. Es war eine Puppe, wie Kathrinchen noch keine gesehen hatte. Am Abend war die Puppe auch richtig noch dagewesen, und Kathrinchen war glücklich und spielte während der ganzen Feiertage nur mit ihr, kämmte und zog sie an, doch am dritten Tag fiel sie auf den Boden, und der Porzellankopf ging in Scherben. Diesmal soll es etwas sein, was nicht so schnell entzweigeht, sagte Kathrinchen zu sich selbst und sah zu, wie aus einem Sack rote Bälle auf den Tisch geschüttet wurden. Ob ich davon einen nehme, er wird fein springen, und hinfallen schadet ihm nicht, oder lieber einen von den Hampelmännern, die eben von der Magd an der einen Standecke aufgehängt wurden? Sie zappeln immer so vergnügt, wenn man an ihrer Schnur zieht! Da war ein Schutzmann dabei, der hatte einen Säbel in der einen und einen großen Schlüsselbund in der anderen Hand. Auch Wagen und Pferde waren noch da, Knarren und ein Hühnerhof. Kathrinchen seufzte ein bißchen. Die Wahl war schwer, doch jetzt, was kam da zum Vorschein? Ihr Herz machte einen Sprung. Aus dem dicken Sack kugelte und hüpfte ein Kasper nach dem anderen auf den Verkaufstisch. Sie lachten blank heraus und knufften sich gegenseitig, um nur ja den besten Platz zu bekommen. Jeder wollte vorn sitzen, um auch etwas vom Weihnachtsmarkt und der Breiten Straße zu sehen, auf der es jetzt langsam lebendig wurde. Einer ganz besonders, mit einer blauen Jacke, roter Hose und roter Mütze, guckte immer zu Kathrinchen herüber, als wollte er sagen: »Du, willst du mich nicht mitnehmen? Was glaubst du, was ich alles für Schnurren und Späße zu erzählen weiß. Da habe ich erst neulich den Teufel mitsamt seiner Großmutter davongejagt. Das war eine Hatz!« Ja, nickte sie, du

sollst mein Weihnachtskasper sein, und dann werde ich mir
noch eine Knarre wünschen, damit wir dem Teufel einen tüchtigen Schrecken einjagen können. Sie nickte ihm noch einmal
strahlend zu und rannte der Mutter entgegen, die jetzt, bevor
die ersten Käufer sich zum Weihnachtsmarkt aufmachten, kam,
um die Bude zu eröffnen. Inzwischen war es ganz hell geworden, doch das hatte Kathrinchen über den Kasper gar nicht bemerkt. »Was wünschst du dir heute, Kathrinchen, hast du
schon etwas gefunden?« fragte die Mutter. »Den roten Kasper
und eine Knarre dazu, Mutterchen, ja?« – »Gut«, sagte sie,
»wenn sie heute abend nicht verkauft sind.« Denn die Mutter
mußte die wenigen Pfennige, die ihr der Erlös des Weihnachts-
marktes brachte, sehr zusammenhalten, um mit ihrem kleinen
Mädchen durchzukommen.

Bald drängten sich die Käufer um den Stand, und es wurden
immer weniger Knarren, und auch die Gemeinschaft der Kasper wurde zusehends kleiner. »Ich will ja gerne zu dir kommen«, lachte der Kasper zu Kathrinchen hinunter, die vor
Kälte und Aufregung von einem Bein auf das andere trat, »aber
wenn mich einer kauft, muß ich mitgehen.« Jedesmal, wenn ein
Käufer an den Stand trat, fühlte sie einen Stich im Herzen, und
wurde ihr Kasper gar von jemandem in die Hand genommen,
wurde der Stich noch tiefer. »Halt, halt«, wollte sie am liebsten
rufen, »nicht, das ist mein Kasper!« Aber das durfte sie nicht,
da hätte die Mutter böse gescholten, und am Ende hätte es
nichts gegeben. Wie glücklich war aber Kathrinchen, wenn die
Käufer den Stand wieder verließen, ohne, wie sie meinte, ihren
Kasper bemerkt zu haben. Doch dies Glück währte immer nur
wenige Minuten, dann begann die Qual von neuem, wenn sich
wieder Käufer dem Stand näherten. Die Mutter tat noch einen
ganzen Berg von Klappern auf den Verkaufstisch, und Kathrinchen konnte einmal für ein paar Minuten wegsehen und
feststellen, was inzwischen auf der Breiten Straße vorging. Vor
dem Ermelerhaus stand ein Händler mit einem Bauchladen, der

rief immer: »Een Dreia die Knarre und een Sechsa der Hampelmann. Immer heran, meine Herrschaften, alles dreht sich, alles bewegt sich, een Dreia die Knarre und een Sechsa der Hampelmann!« Er war dicht von Menschen umstanden, die eine Knarre oder einen Hampelmann kauften und dann zu einem Mann mit einem roten Fez auf dem Kopfe weiterzogen, der türkischen Honig und Naute verkaufte. Knarrengeräusch und das Ausrufen der Händler füllte die ganze Straße. Der Eckensteher Nante kam in einem Schwarm blaugefrorener Jungen daher, die ihm eine Nase drehten und hinter ihm her einen Spottvers riefen: »Eckensteher Nante, der fiel in die Panke!« Sie johlten und schrien es hinter ihm her. Doch drehte er sich um und faßte seinen Krückstock fester, rannten sie schnell weg und zogen spöttisch den Gummizucker lang, an dem sie lutschten. Nante konnte aber jetzt ruhig seines Weges gehen, ein Drehorgelmann kam, der den ganzen Schwarm mit sich zog. Ein Affe hockte auf dem Leierkasten und drehte sich, wenn der Mann die Kurbel drehte. Er hatte rote Hosen an und eine runde Mütze auf dem Kopf. Unter dem Arm trug er ein Tamburin mit Schellen. Damit vollführte er eine lärmende Begleitung zu den Weihnachtsliedern. Kathrinchen sah den Orgelmann kommen und freute sich. Den Mann und den Affen kannte sie schon von den vergangenen Jahren, sie waren auch immer auf dem Weihnachtsmarkt. Gerade in ihrer Nähe hielt er an und begann zu spielen. Die Jungen blieben stehen, hauchten kräftig in die Hände und pfiffen die Melodie mit. Kathrinchen nickte zum Kasper hinüber: »Was, das ist fein?« Sie suchte in ihrer Tasche nach einem Stückchen Zucker und hielt es dem Affen hin: »Hier, Beppo, und dann mußt du auch tanzen!« Der blinzelte erst faul in die Gegend, als wollte er sich das noch überlegen, doch dann machte er einen Satz, daß die dünne Kette, die ihn halten sollte, entzweisprang, setzte mit einem Sprung auf den Verkaufstisch und ergriff Kathrinchens Weihnachtskasper.

Beppo sauste mit dem Kasper über die Dächer der Verkaufsbuden, schwang sich auf einen Baum und blieb dort zunächst einmal sitzen. »Haltet ihn!« rief der Leierkastenmann. »Haltet ihn!« rief auch Kathrinchen.

Alle Jungen setzten hinter ihm her. Das war einmal so etwas für sie.

Keinem aber gelang es, den Affen und den Kasper einzuholen, sie hatten inzwischen ein sicheres Versteck aufgesucht, und alles war vergeblich. Die Jungen mußten die Jagd aufgeben, denn es war spät geworden, und sie mußten wieder nach Hause. In der Breiten Straße brannten schon wieder die ersten Laternen, und im Schloß wurden hinter einigen Fenstern die Weihnachtsbäume angezündet. Kathrinchen saß erstarrt auf einer Kiste neben der Spielzeugbude, die fast leer war. Eine Knarre lag einsam auf dem leeren Verkaufstisch, doch was sollte Kathrinchen jetzt damit, wo doch ihr Kasper, der sie hatte drehen sollen, nicht mehr da war. Wer weiß, wo er sich jetzt befand. Um Kathrinchens Weihnachtsfreude war es geschehen, und ihre Tränen liefen auf ihren Pelzkragen, wo sie zusammen mit den nassen Schneeflocken liegenblieben. »Na«, sagte die Mutter, »da brauchst du doch nicht zu weinen, hier ist ja noch die Knarre für dich«, und drückte sie Kathrinchen in die Hand. Doch die schüttelte traurig den Kopf. So etwas konnte man nicht erklären, was sollte sie da sagen, das verstanden Große ja doch nicht.

Liese wurde wieder angespannt, die wenigen Dinge, die mitzunehmen waren, eingepackt und Kathrinchen zwischen die Mutter und die Magd auf den Bock gesetzt. Der Wagen rollte wieder dem Spittelmarkt zu. »Hallo, hallo«, rief da jemand hinter ihnen, »haltet an!«

Es war der Orgelmann, der hinter ihnen herlief. »Hier bringe ich einen Ausreißer«, rief er laut und legte Kathrinchen den Kasper in den Arm. Der blinzelte sie zuerst etwas an, als er Kathrinchens Erstaunen sah. Dann aber schien er zu sagen:

»Haben wir das nicht schlau angestellt? Wenn ich dir nicht ausgerückt wäre, hätte mich jemand weggekauft, und du hättest mich sicher nicht bekommen!«

PAULA DEHMEL

Wie der alte Christian Weihnachten feierte

»Kind«, sagte am Vortage des Weihnachtsfestes meine gute
Mutter zu mir, Kind, geh, bring dem alten Christian seine Ku-
chenstolle und dies Paket. Sag, ich ließ ihn schön grüßen, und
er möchte das Fest und das neue Jahr gesund und ruhig verle-
ben. Diesmal wär' zuviel Arbeit, ich könnt' nicht selber abkom-
men.«
Ich blickte etwas erstaunt und beunruhigt von meinem Buche
auf. Ich kannte den mürrischen alten Waldhüter recht gut. Wie
oft hatte ich mich als kleines Mädchen vor seinem großen, ro-
stigen Schnurrbart gefürchtet, wenn er uns beim Beerensuchen
auf verbotenen Plätzen überraschte und uns mit seinem
Brummbaß aufschreckte und davonjagte.
Jetzt freilich hatten wir ihn nicht mehr zu fürchten; denn er
war schon seit etwa zwei Jahren nicht mehr im Dienst. Das
Reißen in den Füßen sei zu arg, meinte er, deshalb könnte er
nicht mehr stundenlang im Walde umherlaufen. Der alte Christian Merkenthin war zur Witwe Klemm draußen in die Vorstadt gezogen. Zu ihm sollte ich nun gehen.
Ich nahm Hut und Mantel vom Riegel und machte mich geh-
bereit. »Wenn du dem Christian ein wenig Gesellschaft leisten
willst, kannst du das gern tun«, sagte meine Mutter noch, indem sie mir sorglich die Pakete in den Arm legte, »um sechs-
einhalb Uhr wird beschert, da mußt du wieder hier sein.« Ich
nickte still und sagte ihr Lebewohl.
An den beiden verschneiten Kornmühlen vorbei, die leise im
Winde knarrten, kam ich mit rotgefrorener Nase und steifen
Fingern endlich bei dem Häuschen der Witwe Klemm an, wo
mich ein kleiner, schwarzer Spitz mit wütendem Gebell an-
sprang. Die Frau des Hauses, die auf sein Kläffen herauskam,

rief ihn zurück. Auf meine Bitte führte sie mich die steile Holztreppe hinan auf den kleinen, mit frischem Sand bestreuten Flur, wo sie an eine Tür klopfte. Ohne lange das »Herein« abzuwarten, öffnete sie.

Dichter Tabakqualm umfing mich, als ich zögernd näher trat und die Tür hinter mir zuzog. Zuerst sah ich weiter nichts als die mir wohlbekannte aufrechte Gestalt mit der Jagdjoppe und den hohen Wasserstiefeln, die er, wie ich sah, auch im Hause trug.

Auf sein knurriges, doch nicht gerade unfreundliches: »Na, was bringst denn du?« kam ich mutig näher und legte meine Pakete auf den Tisch.

»Das schickt Euch Mutter, Herr Merkenthin, und Ihr möchtet es nicht übelnehmen, wenn sie diesmal nicht selber käme, es wäre zuviel im Hause zu tun.«

Der Alte hatte unterdessen die Stolle ausgewickelt und die Strickjacke und die Strümpfe mit kritischen Blicken gemustert. Er legte alles wie zärtlich unter den kleinen Tannenbaum, der auf einem weißen Tuche auf der Kommode stand.

Meine Augen hatten sich indessen an den Rauch gewöhnt, und ich ließ sie nun in dem kleinen Zimmer umherwandern. Neben mir lag eine große, graue Katze zusammengerollt und schlief. Ich streichelte ihr dickes Fell. Da erhob sie sich langsam, machte einen Buckel und gab mir deutlich zu verstehen, daß sie noch mehr gestreichelt sein wollte. In demselben Augenblick flatterte etwas über mir, und als ich hochsah, kam ein größerer Vogel und setzte sich auf meine Schulter.

Der alte Christian drehte sich um und brummte: »Magst du Tiere leiden?« Ich nickte eifrig und stand ganz still, um den kleinen Gast auf der Schulter nicht zu verscheuchen. Des Alten Stimme wurde etwas sanfter: »Ich mag eigentlich keine Vögel im Zimmer; was in den Wald gehört, soll im Walde bleiben, aber der Bengel will nicht wieder fort, obwohl der gebrochene Flügel lange auskuriert ist. Es ist ein Star und ein kluger Vogel«, fügte er hinzu, und ich sah, wie seine Augen liebevoll nach dem Tierchen hinblickten.

»Verträgt er sich denn mit der Katze?« fragte ich.

»Oh, mein Peter weiß schon, wie weit er gehen darf«, knurrte der Alte, »und allein laß ich die beiden nicht, einer von ihnen spaziert in die Küche, wenn ich fortgehe; aber nun setz dich doch auf das Sofa, du hast einen weiten Weg gehabt in der Kälte, ich will dir was Warmes zu trinken holen.«

Er verschwand durch die Tür, und ich streichelte abwechselnd den Vogel, der ruhig auf meiner Schulter blieb, und die Katze, die sich wohlig an meinem Ärmel rieb. Christian kam mit einem Glas Milch aus der Küche, legte einen Pfefferkuchen auf ein vergoldetes Tellerchen, das er aus der obersten Kommodenschublade nahm, und reichte mir beides.

Der alte Christian sah befriedigt zu, wie ich schluckweise trank und meinen Pfefferkuchen mit der Katze und dem Star teilte. Plötzlich sagte er: »Hast du Zeit, eine Stunde mit mir in den Wald zu gehen? Du kannst mir tragen helfen.« Ich nickte und sah ihn erwartungsvoll an. »Nun ja«, fuhr er fort, als er meine fragenden Augen sah, »nun ja, die Tiere sollen doch auch wissen, daß Weihnachten ist.« Damit nahm er den Starmatz von meiner Schulter, ging in die Küche, und ich hörte an seinem Zureden, daß er den Vogel in sein Bauer sperrte.

Mir brannten die Backen vor Freude; ich ahnte wohl, was der alte Waldhüter, der sein halbes Leben in der Gemeinschaft mit Tieren des Waldes zugebracht hatte, tun wollte, und ich war glücklich, dieser seltsamen Bescherung beiwohnen zu dürfen.

Als der alte Christian gleich darauf mit seiner Pelzmütze, den Wasserstiefeln und einem Sack über der Schulter wieder in die Wohnstube trat, glich er ganz und gar einem Weihnachtsmann, und ich ließ mir wie im Traum den vollbepackten Henkelkorb über den Arm hängen. Er nahm noch einen Spaten und mehrere Tannenzweige mit und schritt mir voran und die Treppe hinab. »Adjes, Frau Klemm«, rief er durch die halboffene Küchentür seiner Wirtin zu, »in ein bis zwei Stunden bin ich wieder da.« – »Gut, Herr Merkenthin«, klang es zurück, und ich ging und öffnete die Haustür. Der Spitz ließ uns mit leisem Knurren hinaus.

Die Sonne neigte sich schon tief nach Westen und stand wie eine dunkelrote Scheibe am Himmel. Ein kühler Wind strich über die Felder. Wir mußten am Ortskirchhof vorbei, und mein Blick streifte die in tiefen Schnee gebetteten Gräber. Der alte Christian war stehengeblieben. »Warte ein paar Minuten«, sagte er, »ich bin gleich wieder hier.« Damit stellte er den Sack neben mich, nahm den Spaten und die grünen Zweige und verschwand hinter der eisernen Pforte. Ich sah ihm nach. Ein Schwarm Krähen flog bei seinem Eintritt in die Höhe, und ich verfolgte mit meinen Blicken die Vögel, wie sie krächzend dem Walde zuflogen.

Aus dem Hause des Totengräbers, der ein Stück weiter die Straße hinauf wohnte, klang plötzlich zweistimmig: »O du fröhliche, o du selige, gnadenbringende Weihnachtszeit«, und mein bewegliches Kinderherz wurde hell und weihnachtsfröhlich, als gäbe es keine Kirchhöfe und keine hungrigen Krähen auf der Welt.

Jetzt kam auch der alte Christian zurück, aber ohne die grünen Zweige. »Hab' meiner guten Frau und der kleinen Käte da drin bloß sagen wollen, daß ich am Weihnachtsabend an sie denke«, brummte er, nahm, ohne mich weiter anzusehen, seinen Sack auf und ging etwas schneller als vorher dem Walde zu.

Ich ließ ihn vorausgehen und horchte auf den Klang des Weihnachtsliedes, der noch eine ganze Weile mit uns ging. Mir war, als wäre ich in der Kirche. Ich hätte dem alten Manne, der seine liebsten Menschen hatte begraben müssen und nun allein unter dem Weihnachtsbaum stehen würde, so herzlich gern etwas Liebes gesagt; aber ich wußte nicht, wie ich das beginnen sollte, und so ging ich schweigend hinter ihm her.

Der Wald, der sich jetzt vor uns ausbreitete, kam mir in seiner weißen Einsamkeit fast schöner vor als im Sommer. Der Wind hatte sich gelegt, wir hörten nur den weichen Ton unserer Schritte und dann und wann ein leises Knacken im Holze, das von dürren Ästen herrührte, denen die Schneelast zu schwer geworden war.

Christian blieb stehen. »Nun wollen wir unsere Weihnachtstische herrichten«, sagte er, nahm seinen großen Sack von der Schulter und band ihn auf. Was da nicht alles zum Vorschein kam! Hammer und Zange, Bindfaden und Nägel, Messer und Schere! Wozu er wohl alle die Strohmatten und zugespitzten Stäbe brauchen würde, die er aus den Tiefen des Sackes hervorholte? Meine Neugierde sollte bald gestillt werden, denn ich mußte meinen Korb hinsetzen und ihm bei seiner wunderlichen Arbeit behilflich sein.

Da, wo dichtes Astwerk den Schnee abgefangen hatte, so daß der Boden nur wenig damit bedeckt war, bauten wir unsere Speisekammer. Zwei Ecken einer Matte banden wir etwa meterhoch an einem Baumstamm fest, während die beiden anderen Ecken auf zwei in der Nähe eingebohrten Pfählen befestigt wurden.

So entstand ein gedeckter, kleiner Raum, der den hungrigen Tieren gut zugänglich war. Wir säuberten ihn vollends vom Schnee, und nun kam auch mein Korb und sein Inhalt an die Reihe. »Hier am Waldrand hält sich Meister Lampe gern auf«, sagte der alte Christian. Dabei langte er Kohlblätter und Rüben aus dem Korbe, um sie dem Häschen aufzubauen und in etwa seinen Winterhunger zu stillen.

Alle fünfhundert Schritt etwa schufen wir ein neues Tischleindeckdich. Aber nicht bloß für die Hasen, auch für die Vögel wurde liebevoll gesorgt. Futterkästchen mit allerlei Samen, Sonnenblumen- und Kürbiskernen wurden in Ast und Strauch untergebracht. Talgklöße und Speckschwarten, ja ein paar Gänsegerippe und Bratenkeulen mußten sich die Bäume aufbinden lassen. »Die sind für die Meisen und Spechte, auch für

die Rotkehlchen und das andere kleine Viehzeug, denen der
Flug übers Meer zu weit ist«, meinte der Christian; »hoffentlich
naschen ihnen die Krähen und Dohlen nicht das Beste weg.«
So stapften wir weiter durch den dichten Schnee. Während unser
Gepäck immer leichter wurde, wurden unsere Herzen immer
heller und weihnachtsfreudiger, und ich weiß nicht, wie es
kam, plötzlich war mir das schöne Lied auf den Lippen, und ich
sang es leise vor mich hin: »Es ist ein Reis entsprungen, aus
einer Wurzel zart . . .«
Das Schönste vom Tage sollten wir aber noch erleben. In einer
Lichtung stand plötzlich ein großer Hirsch vor uns, und mehrere
junge Hirsche und Hirschkühe kamen hinter ihm her. Er
hob den Kopf mit dem schönen Geweih und sah uns klug und
furchtlos an. Auf das leise Pfeifen des Alten kam er zutraulich
näher und das ganze Rudel mit ihm. Wir warfen ihnen Brot
und Kartoffeln zu, die sie sogleich verzehrten. Ja, der große
Hirsch wurde so dreist, daß er aus meiner ausgestreckten Hand
ein Stück Brot nahm, und ihr könnt euch gewiß denken, wie
sehr ich mich darüber freute.
Das schrille Geläute eines Schlittens, der auf der nahen Landstraße
daherkam, ließ unsere lieben Gäste jäh auffahren und
die Flucht ergreifen. Ich sah ihnen bedauernd nach. »Sie finden
schon her«, sagte Christian, »Hier ist seit vielen Jahren ihr Futterplatz.«
Nun sah ich erst, daß etwa hundert Schritt von uns ein kleines
festes Strohdach auf Pfählen aufgerichtet war und daß noch
geringe Futterreste verstreut umherlagen. Mein Begleiter nahm
aus dem Korbe reichlich Roßkastanien, Eicheln, getrocknete
Lupinen und das noch übrige Brot und baute es dem Wilde als
Weihnachtsgabe auf.
Es war auch mittlerweile Zeit geworden, an den Heimweg zu
denken.
Die Sonne war lange untergegangen, und nur der Schnee
leuchtete uns aus dem Dickicht hinaus. Es war empfindlich kalt

geworden, ich schlug den Mantelkragen hoch und steckte die fast erstarrten Hände in die Ärmel.

»Komm nur, Kleine«, tröstete mich mein Begleiter. »Der Schneiderwirt wohnt nicht weit von hier, der hat einen feinen Schlitten, und hastenichtgesehn sind wir zu Hause. Das wäre doch noch ein Extraweihnachtsspaß, wie?« Und damit zog er mich frierendes Menschlein durch das Gewirr der Stämme auf nur ihm bekannten Pfaden vorwärts, und bald waren wir auf der Landstraße. Hier grüßte uns schon von weitem das grüne Licht einer Laterne, die zum Wirtshaus zum Bären gehörte. Peter Holtzen, ein früherer Schneider, hauste darin, und man nannte ihn in der ganzen Gegend den Schneiderwirt. Wir traten mit Behagen in die warme Wirtsstube, und die gute Mutter Holtzen zog mir gleich die nassen Schuhe und Strümpfe aus und hing sie über die Messinghaken, die in den riesigen grünen Kachelofen eingeschraubt waren. Meine Füße steckte sie in warme Pantoffeln, brachte mir eine Tasse heiße Milch, und nach ein paar Minuten wußte ich nichts mehr von Frost und Kälte.

Der alte Christian trank ein Glas Warmbier, rauchte dazu sein Pfeifchen und plauderte mit Peter, dem Schneiderwirt.

»Bis 'ne wackre Dirn«, sagte der alte Christian zu mir, als wir eine halbe Stunde später in dem hübschen Wirtsschlitten unter lustigem Geläute nach Hause fuhren, »bis 'ne wackre Dirn. Du kannst das Vater und Mutter extra bestellen und schönen Dank dazu.« Damit sprang er vor seiner Tür aus dem Schlitten, winkte noch mal mit der Pfeife, und der Kutscher fuhr weiter meinem elterlichen Hause zu.

Ich lief die Treppe hinauf und fiel meiner Mutter um den Hals. Mein Herz war zu voll: erst nach und nach konnte ich von allem erzählen. Aber nie zuvor hatten mir die Lichter am Tannenbaum so hell gestrahlt, und nie zuvor hatte ich Eltern und Geschwister so liebgehabt wie an diesem Weihnachtsabend!

Zwischen dem alten Christian und mir entspann sich seit jenem

Tage eine wirkliche Freundschaft, die bis zum Tode des alten Mannes dauerte. Oft saß ich an freien Nachmittagen in seinem Stübchen. Ich las ihm die Zeitung vor oder beschäftigte mich mit seinen Haustieren, für die ich meist diesen oder jenen Lekkerbissen bereithielt.

Manch echtes und kluges Wort ist damals aus dem Munde des alten Christian in meine Seele geglitten und hat dort eigene Weihnachtskerzen angezündet, die hell und lieblich auf meinem Lebensweg leuchteten.

Frieda Jung

Die Weihnachtswünsche

Wenn die Adventszeit mit ihren unergründlichen Geheimnisaugen durch unser Dorf ging, gab es für uns Kinder einen wundervollen Tag in der Schule. Gleich morgens in der Religionsstunde fühlten wir, daß uns irgend etwas Besonderes, Schönes bevorstand – Vater sah uns so eigentümlich an. Sollten vielleicht ...?

»Der wievielte ist heute?« fragten wir uns flüsternd.

»Der zweite Dezember!«

»Im vorigen Jahr kamen sie erst am vierten. Wir wollen uns schon nicht zu früh freuen!«

»Nein!«

Und in demselben Augenblick, da wir uns äußerlich ein möglichst gleichgültiges Aussehen zu geben bemühten, machte unser Herz einen Sprung –: und wir standen mitten in lauter, lauter Weihnachtsfreude.

In zwei Sekunden hatte es sich der ganzen Klasse mitgeteilt, es saß niemand mehr so recht fest auf seinem Platz – es war etwas Unerklärbares da, das hob – hob – hob.

Wenn die Stunde zu Ende war, fragten einige dreißig Augenpaare mit Inbrunst: »Herr Lehrer – sind sie da?«

Und Vaters Augen strahlten, und er sagte: »Heut hab' ich für euch eine Überraschung. Die Weihnachtswünsche sind angekommen!«

Und nun hielt uns keine Macht mehr in der Schulbank.

Vater hatte an seinem Pult Platz genommen. »Die Kleinen nach vorne«, befahl er im Weihnachtston. O – sie standen ja schon alle da! Dichtgedrängt. Wir »Großen« hinter ihnen.

»Herr Lehrer, ich hab' aber kein Geld mit!« – »Ich auch nicht!« – »Ich auch nicht!« kam es aus allen Ecken.

»Schadet nichts, das bringt ihr morgen oder übermorgen! Wer denkt jetzt an Geld!«

Ich entsinne mich, daß Vater dann im entscheidenden Augenblick niemals ein Messer bei sich hatte. »Jungens, könnt ihr mir vielleicht . . .?«

Ja, sie konnten. Die Hornschaligen und Bleischaligen flogen nur so aus ihren Taschen.

»Wer war im vorigen Jahr dran?«

»Rienzens Karl«, rufen achtzehn Stimmen auf einmal!

»Na, Ottchen, denn komm du mal her und schneid den Bindfaden auf. Daß sie einem den immer so verknoten . . .!«

Und Ottchen, der so verwachsen war, daß sein großer Kopf mit den klugen Augen wie aus einem Berg heraussteckte, schnitt mit zitternder Hand und einem Gesicht wie die Sonne den Bindfaden auf.

Das Auspacken aus dem großen, gelben Strohpapier verstanden dann wieder die Mädchen am besten. Es gehörten dazu immer zwei, so daß im Laufe seiner Schulzeit wohl jedes einmal an die Reihe kam.

Ich bin im Jahre 1873 mit Martens Lieschen zusammen »dran« gewesen.

Und nun lagen sie da, die gelben, roten, blauen, grünen Blätter! »Hallllt! Erst mal besehen!« Vater hatte bereits Quednaus Gottliebchen und Bergs Malchen, die das Wunder zum erstenmal erlebten, auf seinen Knien, andere von den Kleinen standen in seiltänzerischer Stellung neben ihm auf dem Fuß des Pultes, zwei waren auf seinen Stuhl geklettert und guckten ihm über die Schulter. Wir Großen auf den Fußspitzen mit gereckten Hälsen rings um das Pult.

Und wer nun gute Augen hatte, konnte es sehen! Und wer schlechte hatte, sah es auch, denn er wußte ja, was da stand. Ein Blinder hätte es wahrgenommen: Ganz oben auf der ersten Seite – der Stall von Bethlehem!

Ein Jauchzen springt von einem Kind zum andern. Vater

summt leise ein paar Töne vor sich hin. Und im nächsten Augenblick ein Jubelchor, der in den Himmel schallt:

>>Ihr Kindelein, kommet, o kommet doch all!
Zur Krippe her kommet in Bethlehems Stall
Und seht, was in dieser hochheiligen Nacht
Der Vater im Himmel für Freude uns macht.
– – – – – – – –
So nimm uns're Herzen zum Opfer denn hin!
Wir geben sie gerne mit fröhlichem Sinn.
Und mache sie heilig und selig wie dein's,
Und mach sie auf ewig mit deinem nur eins!<<

Gottlieb ist plötzlich von Vaters Knie gesprungen und ihm auf den Fuß zu stehn gekommen. »Ein Weihnachtsbaum, Herr Lehrer, ein Weihnachtsbaum! Moale kick moal, da steiht e Wihnachtsbohm!«

Ja, Vater hat die Hand, die er während des Singens über das Blättchen gedeckt, heruntergenommen – und da steht wahrhaftig unter dem Titel: »Christliche Wünsche zum frohen Weihnachts- und Neujahrsfest, den lieben Eltern dargebracht von ihrem gehorsamen Kinde!«

Ein zweifingerbreitgroßer Christbaum. Nein, nein, ein himmelhoher Christbaum! Man muß den Kopf weit zurückbiegen, wenn man in seinen Gipfel schauen will; er reicht bis in die Sterne. Tausend Kerzen flammen auf seinen Zweigen, eine bunte Herrlichkeit neigt sich zu uns herab – in zweiundzwanzig Tagen wird sie uns in den Schoß fallen.

Und nun liest uns Vater den »Weihnachtswunsch für jüngere Kinder« vor. Ein holdes, süßes Gesicht mit großaufgeschlagenen frommen Kinderaugen betet aus dem grünen Blättchen heraus um Christkindleins Segen – ein reines Herz!

»Herr Lehrer, das lern' ich mir bis morgen«, ruft eins von den Kleinen mit vor Jubel überkippendem Stimmchen.

Lernen? Ich habe die Vorstellung: nur tief atmen, ganz tief atmen, dann fliegt's einem von selbst in die Seele hinein!

Vater schickt einen raschen Blick über unsere Schar. »Friedel! hol mal für Ottchen einen Stuhl aus der Putzstube!« Ottchen ist müde geworden, und er soll nicht von ferne aus der Bank zusehen müssen.

Und nun kommen endlich wir Großen an die Reihe. Unter Glockengeläut und Flügelbrausen beginnt »Der Weihnachtswunsch für ältere Kinder«. Die Wände unserer Schulstube weichen zurück –: durch eine stille, sternenklare Nacht schreitet vor uns ein Kind mit heiligen Augen; dem müssen wir folgen – weiter – immer weiter –, bis wir in das Land kommen, in dem alle Tage Sonntag ist.

Und wieder hab' ich die Vorstellung: nur tief atmen – ganz tief atmen! – – –

Jetzt richtet Vater sich auf. »Na, Kinder, wer von euch möchte sich nun einen solchen Weihnachtswunsch kaufen?«

»Ich!« – »Ich!« – »Ich!« – »Ich!« – »Ich!« Das »Ich« hat schon bei dem Wort »Wer« eingesetzt und hüpft, trippelt, tanzt und stampft noch eine halbe Minute durch die Stube. –

Ich weiß noch heute nicht, ließ Vater uns zu unserem oder seinem Vergnügen so lange bekräftigen, daß wir wirklich und wahrhaftig Weihnachtswünsche haben wollten! –

Als dieses keinen Zweifel mehr aufkommen läßt, naht der atemlose Moment des Aussuchens. Man hat es sich ja wohl vorher schon zurechtgelegt – aber im Augenblick . . .

»Na, Ottchen, welchen willst du?«

»Einen gelben, Herr Lehrer, nein blauen – nein roten!« Und Vater nimmt einen gelben, nein blauen, nein roten Bogen zur Hand und reicht ihn strahlend dem strahlenden Ottchen.

»Herr Lehrer, ich hab' mich vorher vermißt«, sagt Hermanns Wise. »Darf ich noch mal umtauschen?«

»Natürlich! Wenn du dich ›vermißt‹ hast!« Und Vater gibt ihr den, den sie nun mit klarer Besinnung aussucht.

Bergs Male – auch Malak genannt – kann und kann nicht mit sich ins reine kommen. Ihr Schürzchen ist schon wie ein Strick zusammengedreht. »Ich weiß nich – ich weiß nich, Herr Lehrer!«

»Müssen wir eben losen«, sagt Vater ernsthaft, nimmt zwei der Bogen und hält sie auf den Rücken. Malak muß die Augen zumachen. »Rechts oder links?«

»Rechts!«

»Na, Mädel, du hast aber Glück gehabt! Nu kriegst du grad den feinen blauen . . .!«

Wir andern lächeln verständnisvoll und drücken still unsern Schatz ans Herz.

»O du fröhliche, o du selige, gnadenbringende Weihnachtszeit!«

– – – – – – –

Ich sitze in der Dämmerstunde in meinem Stübchen, den Kopf in die Hand gestützt. Das Bild da vor meiner Seele – ist's Vergangenheit, ist's Zukunft? Selige Erwartung im Herzen, steh ich in einer großen, unabsehbaren Schar, und eine unendlich gütige Stimme ruft: »Die Kleinen nach vorne . . .!«

Lieber Gott, ich bin schon da, ich bin schon da!

HANS FALLADA

Lüttenweihnachten

»Tüchtig neblig heute«, sagte am 20. Dezember der Bauer
Gierke ziellos über den Frühstückstisch hin. Es war eigentlich
eine ziemlich sinnlose Bemerkung, jeder wußte auch so, daß
Nebel war, denn der Leuchtturm von Arkona heulte schon die
ganze Nacht mit seinem Nebelhorn wie ein Gespenst, das das
Ängsten kriegt.

Wenn der Vater die Bemerkung trotzdem machte, so konnte
sie nur eines bedeuten. »Neblig –?« fragte gedehnt sein drei-
zehnjähriger Sohn Friedrich.

»Verlauf dich bloß nicht auf deinem Schulwege«, sagte Gierke
und lachte.

Und nun wußte Friedrich genug, und auf seinem Zimmer
steckte er schnell die Schulbücher aus dem Ranzen in die Kommode, lief in den Stellmacherschuppen und »borgte« sich eine
kleine Axt und eine Handsäge. Dabei überlegte er: Den Franz
von Gäbels nehm' ich nicht mit, der kriegt Angst vor dem Rotvoß. Aber Schöns Alwert und die Frieda Benthin. Also los!

Wenn es für die Menschen Weihnachten gibt, so muß es das
Fest auch für die Tiere geben. Wenn für uns ein Baum brennt,
warum nicht für Pferde und Kühe, die doch das ganze Jahr unsere Gefährten sind? In Baumgarten jedenfalls feiern die Kinder vor dem Weihnachtsfest Lüttenweihnachten für die Tiere,
und daß es ein verbotenes Fest ist, von dem der Lehrer Beckmann nichts wissen darf, erhöht seinen Reiz. Nun hat der Lehrer Beckmann nicht nur körperlich einen Buckel, sondern er
kann auch sehr bösartig werden, wenn seine Schüler etwas tun,
was sie nicht sollen. Darum ist Vaters Wink mit dem nebligen
Tag eine Sicherheit, daß das Schuleschwänzen heute jedenfalls
von ihm nicht allzu tragisch genommen wird.

Schule aber muß geschwänzt werden, denn wo bekommt man einen Weihnachtsbaum her? Den muß man aus dem Staatsforst an der See oben stehlen, das gehört zu Lüttenweihnachten. Und weil man beim Stehlen erwischt werden kann und weil der Förster Rotvoß ein schlimmer Mann ist, darum muß der Tag neblig sein, sonst ist es zu gefährlich. Wie Rotvoß wirklich heißt, das wissen die Kinder nicht, aber er ist der Förster und hat einen fuchsroten Vollbart, darum heißt er Rotvoß.

Von ihm reden sie, als alle drei etwas aufgeregt über die Feldraine der See entgegenlaufen. Schöns Alwert weiß von einem Knecht, den hat Rotvoß an einen Baum gebunden und so lange mit der gestohlenen Fichte geschlagen, bis keine Nadeln mehr daran saßen. Und Frieda weiß bestimmt, daß er zwei Mädchen einen ganzen Tag lang im Holzschauer eingesperrt hat, erst als Heiligenabend vorbei war, ließ er sie wieder laufen. Sicher ist, sie gehen zu einem großen Abenteuer, und daß der Nebel so dick ist, daß man keine drei Meter weit sehen kann, macht alles noch viel geheimnisvoller. Zuerst ist es ja sehr einfach: die Raine auf der Baumgartener Feldmark kennen sie: das ist Rothpracks Winterweizen, und dies ist die Lehmkuhle, aus der Müller Timm sein Vieh sommers tränkt.

Aber sie laufen weiter, immer weiter, sieben Kilometer sind es gut bis an die See, und nun fragt es sich, ob sie sich auch nicht verlaufen im Nebel. Da ist nun dieser Leuchtturm von Arkona, er heult mit seiner Sirene, daß es ein Grausen ist, aber es ist so seltsam, genau kriegt man nicht weg, von wo er heult. Manchmal bleiben sie stehen und lauschen. Sie beraten lange, und wie sie weitergehen, fassen sie sich an den Händen, die Frieda in der Mitte. Das Land ist so seltsam still, wenn sie dicht an einer Weide vorbeikommen, verliert sie sich nach oben ganz in Rauch. Es tropft sachte von ihren Ästen, tausend Tropfen sitzen überall, nein, die See kann man noch nicht hören. Vielleicht ist sie ganz glatt, man weiß es nicht, heute ist Windstille. Plötzlich bellt ein Hund in der Nähe, sie stehen still, und als sie

dann zehn Schritte weitergehen, stoßen sie an eine Scheunen-
wand. Wo sie hingeraten sind, machen sie aus, als sie um eine
Ecke spähen. Das ist Nagels Hof, sie erkennen ihn an den bunten Glaskugeln im Garten.

Sie sind zu weit rechts, sie laufen direkt auf den Leuchtturm zu,
und dahin dürfen sie nicht, da ist kein Wald, da ist nur die
steile, kahle Kreideküste. Sie stehen noch eine Weile vor dem
Haus, auf dem Hof klappert einer mit Eimern, und ein Knecht
pfeift im Stall: es ist so heimlich! Kein Mensch kann sie sehen,
das große Haus vor ihnen ist ja nur wie ein Schattenriß.

Sie laufen weiter, immer nach links, denn nun müssen sie auch
vermeiden, zum alten Schulhaus zu kommen – das wäre so
schlimm! Das alte Schulhaus ist gar kein Schulhaus mehr, was
soll hier in der Gegend ein Schulhaus, wo keine Menschen leben – nur die paar weit verstreuten Höfe . . . Das Schulhaus besteht nur aus 'runtergebrannten Grundmauern, längst verwachsen, verfallen, aber im Sommer blüht hier herrlicher Flieder.
Nur, daß ihn keiner pflückt. Denn dies ist ein böser Platz, der
letzte Schullehrer hat das Haus abgebrannt und sich aufgehängt. Friedrich Gierke will es nicht wahrhaben, sein Vater hat
gesagt, das ist Quatsch, ein Altenteilhaus ist es mal gewesen.
Und es ist gar nicht abgebrannt, sondern es hat leergestanden,
bis es verfiel. Darüber geraten die Kinder in großen Streit.

Ja, und das nächste, dem sie begegnen, ist gerade dies alte
Haus. Mitten in ihrer Streiterei laufen sie gerade darauf zu! Ein
Wunder ist es in diesem Nebel. Die Jungens können's nicht lassen, drinnen ein bißchen zu stöbern, sie suchen etwas Ver-
branntes. Frieda steht abseits auf dem Feldrain und lockt mit
ihrer hellen Stimme. Ganz nah, wie schräg über ihnen, heult
der Turm, es ist schlimm anzuhören. Es setzt so langsam ein
und schwillt und schwillt, und man denkt, der Ton kann gar
nicht mehr voller werden, aber er nimmt immer mehr zu, bis
das Herz sich ängstigt und der Atem nicht mehr will –: »Man
darf nicht so hinhören . . .«

Jetzt sind es höchstens noch zwanzig Minuten bis zum Wald. Alwert weiß sogar, was sie hier finden: erst einen Streifen hoher Kiefern, dann Fichten, große und kleine, eine ganze Wildnis, gerade was sie brauchen, und dann kommen die Dünen, und dann die See.

Ja, nun beraten sie, während sie über einen Sturzacker wandern: erst der Baum oder erst die See? Klüger ist es, erst an die See, denn wenn sie mit dem Baum länger umherlaufen, kann sie Rotvoß doch erwischen, trotz des Nebels. Sind sie ohne Baum, kann er ihnen nichts sagen, obwohl er zu fragen fertigbringt, was Friedrich in seinem Ranzen hat. Also erst See, dann Baum.

Plötzlich sind sie im Wald. Erst dachten sie, es sei nur ein Grasstreifen hinter dem Sturzacker, und dann waren sie schon zwischen den Bäumen, und die standen enger und enger. Richtung? Ja, nun hört man *doch* das Meer, es donnert nicht gerade, aber gestern ist Wind gewesen, es wird eine starke Dünung sein, auf die sie zulaufen.

Und nun seht, das ist nun doch der richtige Baum, den sie brauchen, eine Fichte, eben gewachsen, unten breit, ein Ast wie der andere, jedes Ende gesund – und oben so schlank, eine Spitze so hell, in diesem Jahre getrieben. Kein Gedanke, diesen Baum stehenzulassen, so einen finden sie nie wieder. Ach, sie sägen ihn ruchlos ab, sie bekommen ein schönes Lüttenweihnachten, das herrlichste im Dorf, und Posten stellen sie auch nicht aus. Warum soll Rotvoß grade hierherkommen? Der Waldstreifen ist über zwanzig Kilometer lang. Sie binden die Äste schön an den Stamm, und dann essen sie ihr Brot, und dann laden sie den Baum auf, und dann laufen sie weiter zum Meer.

Zum Meer muß man doch, wenn man ein Küstenmensch ist, selbst mit solchem Baum. Anderes Meer haben sie näher am Hof, aber das sind nur Bodden und Wieks. Dies hier ist richtiges Außenmeer, hier kommen die Wellen von weit, weit her, von Finnland oder von Schweden oder auch von Dänemark. Richtige Wellen...

Also sie laufen aus dem Wald über die Dünen.

Und nun stehen sie still.

Nein, das ist nicht mehr die Brandung allein, das ist ein seltsamer Laut, ein wehklagendes Schreien, ein endloses Flehen, tausendstimmig. Was ist es? Sie stehen und lauschen.

»Jung, Manning, das sind Gespenster!«

»Das sind die Ertrunkenen, die man nicht begraben hat.«

»Kommt, schnell nach Haus!«

Und darüber heult die Nebelsirene.

Seht, es sind kleine Menschentiere, Bauernkinder, voll von Spuk und Aberglauben, zu Hause wird noch besprochen, da wird gehext und blau gefärbt. Aber sie sind kleine Menschen, sie laden ihren Baum wieder auf und waten durch den Dünensand dem klagenden Geschrei entgegen, bis sie auf der letzten Höhe stehen, und –

Und was sie sehen, ist ein Stück Strand, ein Stück Meer. Hier über dem Wasser weht es ein wenig, der Nebel zieht in Fetzen, schließt sich, öffnet den Ausblick. Und sie sehen die Wellen, grüngrau, wie sie umstürzen, weiß schäumend draußen auf der äußersten Sandbank, näher tobend, brausend. Und sie sehen den Strand, mit Blöcken besät, und dazwischen lebt es, dazwischen schreit es, dazwischen watschelt es in Scharen...

»Die Wildgänse!« sagen die Kinder. »Die Wildgänse –!«

Sie haben nur davon gehört, sie haben es noch nie gesehen, aber nun sehen sie es. Das sind die Gänsescharen, die zum offenen Wasser ziehen, die hier an der Küste Station machen, eine Nacht oder drei, um dann weiterzuziehen, nach Polen oder wer weiß wohin, Vater weiß es auch nicht. Da sind sie, die großen, wilden Vögel, und sie schreien, und das Meer ist da und der Wind und der Nebel, und der Leuchtturm von Arkona heult, und die Kinder stehen da mit ihrem gemausten Tannenbaum und starren und lauschen und trinken es in sich ein –

Und plötzlich sehen sie noch etwas, und magisch verführt, gehen sie dem Wunder näher. Abseits, zwischen den hohen Steinblöcken, da steht ein Baum, eine Fichte wie die ihre, nur viel, viel höher, und sie ist besteckt mit Lichtern, und die Lichter flackern im leichten Windzug...

»Lüttenweihnacht«, flüstern die Kinder. »Lüttenweihnachten für die Wildgänse...«

Immer näher kommen sie, leise gehen sie, auf den Zehen – oh, dieses Wunder! –, und um den Felsblock biegen sie. Da ist der Baum vor ihnen in all seiner Pracht, und neben ihm steht ein Mann, die Büchse über der Schulter, ein roter Vollbart...

»Ihr Schweinekerls!« sagt der Förster, als er die drei mit der Fichte sieht.

Und dann schweigt er. Und auch die Kinder sagen nichts. Sie stehen und starren. Es sind kleine Bauerngesichter, sommersprossig, selbst jetzt im Winter, mit derben Nasen und einem festen Kinn, es sind Augen, die was in sich 'reinsehen. Immerhin, denkt der Förster, haben sie mich auch erwischt beim Lüttenweihnachten. Und der Pastor sagt, es sind Heidentücken. Aber was soll man denn machen, wenn die Gänse so schreien und der Nebel so dick ist und die Welt so eng und so weit, Weihnachten vor der Tür... Was soll man da machen...?

Man soll einen Vetrag machen auf ewiges Stillschweigen, und die Kinder wissen ja nun, daß der gefürchtete Rotvoß nicht so schlimm ist, wie sich die Leute erzählen...

Ja, da stehen sie nun: ein Mann, zwei Jungen, ein Mädel. Die Kerzen flackern am Baum, und ab und zu geht auch eine aus. Die Gänse schreien, und das Meer braust und rauscht. Die Sirene heult. Da stehen sie, es ist eine Art Versöhnungsfest, sogar auf die Tiere erstreckt, es ist Lüttenweihnachten. Man kann es feiern, wo man will, am Strande auch, und die Kinder werden es nachher in ihres Vaters Stall noch einmal feiern.

Und schließlich kann man hingehen und danach handeln. Die Kinder sind imstande und bringen es fertig, die Tiere nicht un-

159

nötig zu quälen und ein bißchen nett zu ihnen zu sein. Zuzutrauen ist ihnen das.

Das Ganze aber heißt Lüttenweihnachten und ist ein verbotenes Fest, der Lehrer Beckmann wird es ihnen morgen schon zeigen!

KARL HEINRICH WAGGERL

Das Weihnachtsbrot

In unserer Verwandschaft war es Brauch, daß man sich zu
Weihnacht nicht mit Geschenken hin und her belästigte. Nur
einer unserer Vettern galt als Ausnahme, weil er als Junggeselle
irgendwo in der Einschicht hauste und dort nach dem Hören-
sagen unabschätzbare Reichtümer hütete. Er war Wegmacher
gewesen und hatte jahrelang in der Stille einen ergiebigen Han-
del nebenher betrieben, mit Schirmen und Brillen und Hand-
schuhen, oder was sonst sorglose Kurgäste auf den Bänken liegen ließen. Einmal fand er sogar einen seidenen Beutel im Keh-
richt mit etlichen fremdländischen Goldstücken darin. Als ein
rechtschaffener und vorsichtiger Mensch lieferte er diesen
Schatz im Fundamt ab, und nach drei bangen Jahren konnte er
ihn tatsächlich als sein Eigentum zurückverlangen. Daraus zog
ich damals die Lehre, daß mitunter sogar die Ehrlichkeit
Früchte tragen kann, zur rechten Zeit natürlich und bei rechter
Gelegenheit. Insgeheim zählte sich unsere ganze Sippschaft zu
den Erben des Vetters, und als zum Advent wieder einmal das
Gerücht umging, er werde bald das Zeitliche hinter sich lassen,
da konnte sogar meine Mutter ein verschämtes Gelüst nicht
ganz unterdrücken. Sie schickte mich zu ihm in der Hoffnung,
daß meine Jammergestalt zusammen mit einem Weihnachtsbrot vielleicht das verhärtete Herz des Vetters rühren würde.
So begab ich mich also mit diesem köstlichen Wecken unterm
Arm auf einen langen Weg der Versuchung; denn der Teufel
der Gefräßigkeit lief mit mir und flüsterte mir Anfechtungen ins
Ohr. Konnte der zahnlose Vetter die Mandeln und Pistazien
oder gar die Feigen und Zwetschgen überhaupt bewältigen? Sicher nicht. Ich bohrte also den Wecken vorsichtig an, zuerst am
einen und dann am anderen Ende, und schlang alles hinunter,

was einem Todkranken hätte schaden können. Erst vor der Haustür sah ich mit Schrecken, daß ich eigentlich nur noch einen flachen, kümmerlichen Krapfen in Händen hatte.

Zu meinem Glück lag der Vetter in der hinteren Kammer. In der vorderen fand ich nur glosendes Herdfeuer und auf dem Tisch einen Stapel von Weihnachtsbroten, denn die übrige Verwandtschaft war zwar gleich schlau, aber ein wenig flinker gewesen als die Mutter. Heute noch rechne ich es mir als ein Wunder an Geistesgegenwart an, daß ich meinen zerkrümelten Wecken zu den übrigen legte und mit einem noch heilen unterm Arm in die Schlafstube trat. Der Vetter betrachtete mein Christgeschenk und befahl mir, angewidert, es draußen in der Küche irgendwo auf den Haufen zu legen. Daraufhin entspann sich ein Disput zwischen uns. Ich sagte meinem Vetter, der Wecken sei ein köstlicher Wecken, und in der Küche fräßen ihn doch nur die Mäuse. Als er zornig behauptete, es gäbe überhaupt keine Mäuse in seinem Hause, da brachte ich ihm kaltblütig meinen ausgeweideten Wecken ans Bett. Der Vetter legte mir gerührt die Hand auf meinen Strohkopf. Ich sei ein braves Kind, sagte er, und dann schenkte er mir noch den guten Wecken samt dem geschändeten, so daß ich auf dem Heimweg auch die letzten Spuren meiner Schandtat vertilgen konnte. Zur Ehre meiner Familie muß ich noch erwähnen, daß wir später nichts von dem Vetter geerbt haben, weil er nämlich gar nichts zu vererben hatte.

BRIGITTE MOOG

Das erste Geschenk

Er hatte fast eine ganze Stunde lang am Fensterbrett gelümmelt
und darauf gewartet, daß Annette den Hof überqueren möge.
Im Zimmer gab der Ofen nur wenig Wärme, und Michaels
Hände wurden deshalb langsam kalt, weil er immer noch das
kleine Päckchen umklammert hielt – das Päckchen, in dem sich
Michaels Weihnachtsgeschenk für Annette befand. Es war kein
kostbares Geschenk. Michael hätte niemals das Geld dafür gehabt. Es war aber dafür ein Geschenk, das Annette ganz alleine
haben würde, weil es in keinem Laden zu kaufen war: In ein
Skizzenbuch hinein hatte Michael all jene kleinen Erlebnisse
gemalt, die ihn mit Annette verbanden: beim fröhlichen Spiel
auf der Sommerwiese, Hand in Hand beim Schlittschuhlaufen
am Teich, gemeinsam den Wald durchstreifend und auf den
Gesang der Vögel lauschend, Seite an Seite beim Besuch einer
alten Schloßruine . . .
In diesem Augenblick sah er sie.
Annette trug ihren neuen himmelblauen Wintermantel, eine
kecke Pelzmütze saß auf ihrem blonden Haar, und sie schritt
betont langsam über den Hof, so daß Michael Zeit fand, das
Fenster aufzureißen und hinunterzurufen:
»Annette! Warte auf mich! Ich komme!«
Er vergaß, den Mantel anzuziehen, so besessen war er von dem
Wunsch, Annette sein allererstes Weihnachtsgeschenk zu über-
reichen.
»Hier«, sagte er atemlos, als er vor ihr stand. »Hier! Das ist für
dich!«
»Für mich?« fragte das Mädchen und lächelte, »für mich ganz
allein?«
»Ja«, nickte Michael, »es ist ein Weihnachtsgeschenk!«

»Oh«, seufzte Annette beglückt auf, »wie lieb von dir!«

Sie drehte das Päckchen eine Weile in den Händen. »Was ist es?« fragte sie schließlich neugierig. Sie sah Michael bittend an: »Darf ich es jetzt schon aufmachen – vor dir?«

Er zuckte die Achseln. »Eigentlich«, so sagte er langsam, »eigentlich sollte man die Weihnachtsgeschenke doch erst am Abend auspacken, unter dem Tannenbaum, wie? Aber wenn du glaubst ... mach's auf!«

Er sah ihr herzklopfend zu, wie sie langsam das goldene Band öffnete, das Papier mit den Tannenzweigen zurückschlug und dann fast verständnislos darin zu blättern begann ...

»Es gefällt dir nicht?« fragte Michael bestürzt und sah auf die Zeichnungen nieder, in die er all seine Liebe für das blonde Mädchen gelegt hatte. »Es gefällt dir nicht?«

»Doch, doch, es ist hübsch!« nickte Annette, »aber ... sieh doch, was ich von Peter bekommen habe!« Sie zog aus ihrem Täschchen eine sehr kleine Schachtel. Darin lag ein Ring. Ein sehr billiger Ring. Aber er trug einen blauen, glänzenden Stein, und Annette sah voll Entzücken darauf.

Michael sagte nichts mehr. Wortlos wandte er sich um und ging in die Wohnung zurück. Dort setzte er sich wieder ans Fensterbrett und starrte in den Hof. Er weinte ...

Denn schließlich war er erst neun Jahre alt.

BERNHARD SPEH

Die Nacht, in der das Christkind starb

Vorläufig hatte der Krieg die kleine Stadt vergessen, der Wind, der Schnee, die Kälte nicht. In zehn Tagen würde Weihnachten sein, wie jedes Jahr. Das Kind stand am Fenster. Seine Gedanken verloren sich zwischen Schneeflocken: Weihnachten würde sein und der Silvesterspaziergang zu Onkel Bernhard und danach sein Geburtstag – weiter dachte das Kind: So lebe ich von Fest zu Fest – dazwischen ist das Dunkel, die Langeweile, die Angst ...

Es hätte sich eigentlich wohlfühlen können, wären da nicht diese kratzenden Unterhosen gewesen mit den langen Beinteilen. Die Unterhosen, sie gaben einem das Gefühl, in einem Ameisenhaufen zu stecken. Holzsplitter schauten wie kleine Nadeln aus dem Stoff. Und jeden Morgen beim Anziehen die öden Gespräche mit Mutter. Mit barscher Stimme bestand sie auf den Hosen. Das Gerede von Blasenentzündungen und Nierenschrumpfung, hinter denen es die Ermahnungen Dr. Gralkas, des Kinderarztes, hörte. Immer endete es damit, daß das Kind unterlag und die Hosen trotz am Abend geröteter Haut anziehen mußte.

Die Hosen hatten irgendwie mit dem Krieg zu tun, und die Kälte im Zimmer, das des Nachts ungeheizt war, auch. »Vor dem Kriege«, sagte der Vater, »vor dem Kriege war Deutschland ein reiches Land, und alle kleinen Jungen trugen weiche Hosen, und die Stuben wurden auch nachts geheizt, weil es genügend Kohlen gab.« Aber, obwohl der Krieg ein Unglück war und nach den Worten des Vaters Deutschlands Untergang, dienten die Kälte und die hölzernen Hosen doch einem guten Zweck.

Das wurde deutlich, wenn der Vater sagte: »Mein Sohn, das

härtet dich ab«, und die Mutter echote: »Abhärtung hat noch niemandem geschadet.«

Das Kind hatte nur eine unscharfe Vorstellung davon, was Abhärtung war, sie hatte etwas mit Krieg zu tun, der jetzt war und in dem ihr deutsches Volk – wie der Lehrer in der Schule sagte – immer siegte, und die Siege wiederum, die Siege – das lehrte man das Kind ebenfalls in der Schule – hatten irgendwie mit dieser Abhärtung zu tun.

Das Kind schloß die Augen und sah Soldaten, viele, deutsche Soldaten, die alle die gleichen, stechenden Unterhosen trugen und völlig frisch durch die bittere Kälte Rußlands zogen und nachts auf dem harten, gefrorenen Boden schliefen. Fröstelnd dachte es: vielleicht töten sie die Feinde nur, um ihnen, den Feinden, die – wie jedermann wußte – verweichlicht waren, die Unterhosen aus weichem Stoff abzunehmen und sich darin wohlzufühlen?

Aber in den Krieg ging man, um zu sterben, was halfen da eroberte Unterhosen, was alle Qualen der Abhärtung, wenn man am Ende tot war? –

Was der Tod war, wußte das Kind. Man hatte es eines Nachts ans Bett der Großmutter geführt. Die lag da, kalt, steif und stumm, und der Vater hatte gesagt: »Das ist der Tod – sie ist jetzt tot. Das mußt du wissen, denn wir leben im Krieg, und da kann jeder sterben.«

Das ist meine Großmutter nicht mehr, hatte es sagen wollen, aber geschwiegen und – wie gut, daß die Großmutter nicht auf der kalten, harten Erde hatte sterben müssen von Feinden getötet, sondern im warmen Zimmer.

Das Kind trat ganz nah' ans Fenster. Trotz der Dunkelheit lag die enge Straße im warmen Licht. Das machte die Gaslaterne, die dicht unter dem Fenster brummend arbeitete. Im Stehen, wenn man sich nicht bewegte, waren die Hosen ganz erträglich.

Dem Fenster gegenüber, hochaufragend, die Schule, die sie das

Gymnasium nannten. Sie war das höchste Bauwerk, welches das Kind kannte, außer den Kirchen.

Am Tage konnte man von drüben die Stimmen der Lehrer hören, wie sie die Schüler beschimpften. Ebenso hörte man die ängstlichen Antworten der Schüler. So eng war die Straße. Das Kind öffnete, eigentlich war ihm das verboten, das Fenster und atmete mit bebender Freude die Nacht, die Kälte und den Schnee. Die Schule im frischen Kalk schimmerte zu ihm herüber, wie eine frohe und bange Verheißung.

»Bald«, hatte der Vater gesagt, »bald, wenn du weiterhin fleißig und strebsam bist, wirst du auch dorthin gehen, dann darfst du studieren und hast es mal besser als ich.« Das Kind wollte es nicht besser haben als der Vater, den es als den Herrn über die stampfenden Maschinen der Werkstätte unter der Wohnung bewunderte.

Aber, sagte es zu sich, vielleicht ist die Schule das Tor, durch das ich aus der engen Stadt in die weite Welt entkommen kann. Zum Beispiel nach Amerika. In einem Buch des Vaters hatte das Kind gesehen, daß es dort weit höhere Häuser gab und auch solche, die den Himmel berührten, welhalb die Leute in Amerika sie Wolkenkratzer nannten.

Doch jetzt war Krieg, da durfte man nicht aus der Stadt. »Hier sind wir sicher«, hatte der Vater gesagt, »und draußen fallen Bomben und müssen Menschen in Kellern sterben.«

Von Kellermenschen und Bomben in den großen Städten erzählte der Lehrer nichts, viel aber von den Siegen der deutschen Soldaten. Des Nachts bisweilen und in letzter Zeit immer häufiger heulten die Sirenen der kleinen Stadt. In der Luft lag dann ein Donner fast wie die Stimme der alten Gaslaterne, nur viel, viel lauter und drohender. Wenn die Sirenen heulten, war Fliegeralarm. Alle gingen dann in den Keller, und nach einiger Zeit durfte man wieder heraus, das war die Entwarnung. »Das ist nur eine Übung«, pflegte der Vater dann zu sagen, »uns meinen die nicht, die fliegen zu den großen Städten.«

Heute war es still, nur Frost und Schnee knisterten heimlich. Die Standuhr auf dem Flur schlug, zehnmal. Eigentlich, dachte das Kind, sollte ich jetzt in mein Federbett gekuschelt schlafen und nicht in diesen Unterhosen am offenen Fenster frieren. Weihnachten ist in zehn Tagen! In ihm stritten Erwartung und Angst. Das Christkind würde es auch dieses Mal nicht vergessen. Obwohl, ganz sicher war man nie. Dennoch – das Zeugnis war gut gewesen, fast jede Woche hatte es ein Fleißkärtchen für Hausaufgaben, Aufmerksamkeit, sogar fürs Schnellrechnen mit nach Hause gebracht. Keine Klagen des Lehrers, der jeden Tag auf dem Nachhausewege dem Vater in der Werkstätte Auskunft gab, über sein Betragen zum Beispiel. Nein, dieses Jahr konnte es Weihnachten ohne Angst erwarten.

Wenn nur diese Kriegsspiele in den Pausen nicht gewesen wären! Ob das Christkind das auch wußte? Immer gehörte das Kind zur Partei, die besiegt wurde, und obendrein nahm der große Uhlich ihm noch das Pausenbrot ab. Warum schob man es immer zur Partei von Lambert? Warum?

Und diese Tritte in den Unterleib, wenn es sich gefangen gab. »Väh Viktis« (was soviel hieß, wie: Tod den Besiegten) hörte es den starken Uhlich brüllen, der war nämlich mal auf dem Gymnasium gewesen, er hatte das und anderes dort gelernt. Wenn das Kind doch den Mut gehabt hätte, einmal dreinzuschlagen. So einfach Augen zu und drauf, daß kein Gras mehr wuchs, wo man hinschlug, wie Vater manchmal sagte. Aber da war auch das Gebot des Vaters, sich nicht zu prügeln »wie das Pack auf der Straße«. Schwierig – denn ohne Prügeln kam man nicht zur Partei der Sieger. Dabei waren die Anführer der »feindlichen« Heerhaufen, Uhlich und Lampert, heimlich – normal Freunde. Es hatte sie einmal auf dem Klo überrascht, wie sie sich die eingesammelten Pausenbrote teilten. Ob das auch bei den Führern im Kriege so war? Morgen, wenn der Schnee weiter so dicht fiel, morgen würde es eine Schneeballschlacht geben, da konnte es mithalten.

Wahrscheinlich würden die Kämpfer Uhlichs aber wieder Steine und Holzstücke in die Schneebälle stecken, davor hatte es Angst. Wenn es nur den Mut fände, nicht mitzumachen. Einfach neutral zu bleiben, wenn auch in Feigheit und Schande, wie Uhlich dazu sagte.

Doch das war nur möglich, wenn man über die weiße Linie im Schulhof ging und sich auf der Mädchenseite aufhielt. Würde es unter den Mädchen entdeckt werden, bedeutete das allerdings Nachsitzen und den Spott der Kameraden obendrein.

Dennoch, so entschied das Kind, alles war besser als eine blutende Beule aus Uhlichs Geschossen.

Und in zehn Tagen war Weihnachten, da würde das Christkind die elektrische Eisenbahn aufstellen. Vater hatte augenzwinkernd und geheimnisvoll von einem zweiten Bahngleis gesprochen, mit eigenem Transformator, bestimmt mit einem eigenen Transformator! Auch die Stadt zwischen den Bahngleisen sollte wachsen. Es fehlten ein Postamt und ein Wirtshaus. Und – ein zweiter Bahnhof, ein zweiter Bahnhof gehörte wohl auch zum zweiten Gleis.

Wie das Christkind das alles schaffte? Und die anderen Kinder? Es gab doch viele, viele andere Kinder in der Stadt, und alle hatten Wünsche, und alle bekamen Geschenke.

Klar, dachte das Kind, das Christkind war ja Gott selbst oder doch zumindest sein Sohn und war allmächtig. Aber dennoch, wie konnte es in allen Häusern zugleich sein? Im Beichtunterricht hatte der Pastor erzählt: Gott könne überall und zu jeder Zeit zugleich sein. Allgegenwart nannte er das mit tiefgründigem Räuspern. Allmacht, Allgegenwart – im Kopf des Kindes paßte das nicht zusammen. Ach, es paßte so vieles nicht zusammen in diesen Tagen. Nicht nur, daß Uhlich und Lampert, die ihre Heerhaufen gegeneinander führten, heimlich Freunde waren; nicht nur, daß die Mutter häufig weinte, wenn der Vater die Siege der Deutschen mit den Worten abtat: ». . . die werden den Krieg niemals gewinnen, die können ihn gar nicht gewinnen« – und das immer häufiger und immer offener sagte, je mehr sich die Siege häuften. Nicht nur, daß die Mutter zum Vater sagte: »Heinz, die holen dich ab, wenn du so weiter redest«, und Vater ihr entgegnete: »Das wagen die nicht, nicht bei mir!« Nicht nur, daß das Kind in zehn Tagen in der Christmette singen würde – UND FRIEDE AUF ERDEN DEN MENSCHEN, DIE GUTEN WILLENS SIND – und trotzdem Krieg war, und die Deutschen voll guten Willens siegten und töteten. Abgehärtet und unempfindlich gegen Hunger und Kälte mußten sie trotzdem sterben wie die besiegten Feinde.

Die Sehnsucht, das Christkind zu sehen, vielleicht mit ihm reden über die Dinge, die im Kopf des Kindes nicht zusammenpaßten, wurde übermächtig. Gewiß, der Vater hatte das mit einem strengen Verbot belegt. Manch einer, hatte er zum Kind gesagt, der das versucht habe, sei allein durch den strahlenden Anblick des Christkinds blind geworden. Und das schlimmste: In dem Falle nehme es alle Geschenke wieder mit. Und am Heiligen Abend stehe man leer und armselig da, dem Spott aller preisgegeben, die dann wüßten, man sei einer, der das Christkind zu sehen versucht habe. Das Kind erinnerte sich: In der Bibel gab es so eine Geschichte von einer Frau, die hatte versucht, Gott zu sehen. Zu einem Salzklumpen soll sie erstarrt sein, wie das heilige Buch zu berichten wußte. Dinge tat Gott manchmal! Aber trotzdem, es mußte das Christkind sehen, das war entschieden. Leise zog das Kind den Trainingsanzug an, dann die wollenen Überschuhe mit den Schleichsohlen. Mutter hatte sie selbst genäht. Das Abenteuer begann. Schon stand das Kind im Flur. Wenn der Flur nur nicht so geknarrt hätte. Aber, so sagte sich das Kind, wer denkt schon, daß ich nachts durchs Haus schleiche. Es können ebenso die alten Balken sein, denn schließlich sollte das Haus fünfhundert Jahre alt sein. Vor der Wohnzimmertür angekommen, schaute das Kind durchs Schlüsselloch. Beim Schein der Lampe, die wie die Kuppel einer Moschee und aus Kupfer gemacht war, saßen die Eltern.

Die Mutter mit Strickzeug. Irgend etwas Graubraunes wuchs da aus den tickenden Nadeln und hing lang herunter. »Meinst du, das wird bis Weihnachten fertig?« sagte der Vater, von einem Buch aufstehend, »wenn nicht, bekommt er es zum Geburtstag.« – Das Kind drückte sich näher ans Schlüsselloch: »Wenn du noch etwas arbeiten willst, Heinrich, solltest du das bald tun, du weißt, der Schleicher kontrolliert neuerdings auch, wie lange in deiner Werkstätte Licht brennt.« – »Ich muß noch den Sender hören«, sagte der Vater ruhig, »die Sondermeldungen heute, ich glaube, die Nazis wollen eine Niederlage vertuschen.« – Darauf Mutter ängstlich-beschwörend: »Heinz, wenn das jemand hört, daß du . . . Heinz, ich sehe dich schon im Konzentrationslager.« – »Willst du wohl etwas leiser sein, auch wenn du vor Beschissenheit gackern möchtest, Gretel, der Junge schläft nebenan, soll er das alles mithören? Er ist doch ein Kind.«

»Ach ja«, wiederholte Mutter versonnen, »er ist noch ein Kind und soll es auch lange bleiben in diesen Zeiten. Denk dir, Heinz, er glaubt noch ans Christkind. Heute nachmittag beim Plätzchenbacken hat er mich lange danach gefragt.« – »Du hast ihm doch hoffentlich nichts verraten, Gretel – bei dir weiß man ja nie . . .«

Das Kind merkte nicht, daß es weinte, irgend etwas löste sich in ihm und fiel zu Boden. Es wollte zurück ins Zimmer unter die Bettdecke und sofort ganz tief einschlafen. – Da verließ der Vater das Wohnzimmer, das Kind konnte gerade noch in den Schatten des Hausflurs treten.

Die Dunkelheit des Flurs lag über ihm wie eine Tarnkappe. »Sieh, ich bin wie Siegfried«, dachte das Kind. Da ging Vater die knarrende Stiege zur Werkstätte hinunter. Geduckt an die Wand gepreßt, folgte das Kind, getrieben von einem Geheimnis, das schon keines mehr war. Der Vater überquerte den Hof. Im Nebenhaus lag das Atelier, so nannte der Vater seine private Werkstätte. Dahin ging er nun. Das Kind war nie dort gewesen. »Dort«, sagte der Vater, »sind gefährliche Dinge, die können dich krank machen, wenn du sie anfaßt.« Im Atelier angelangt, schloß der Vater rasch die Tür hinter sich zu. Feucht war es im Flur, und ein Modergeruch drang aus dem nahen Kohlenkeller. Dunkelheit, dichte Dunkelheit umgab das Kind. Aber sie war nicht vollkommen. Ein Spalt in der Tür gab Einblick. Im Inneren sah das Kind, und sollte es doch nicht sehen und sah es doch, den Vater, der allein war, kein Christkind um ihn, über ihm. Nur Holzteile umgaben ihn und Eisenbahnschienen, die er auf das Eisenbahnbrett montierte. Die Helle, die ihn umgab, kam nicht aus himmlischen Höhen, die Helle kam von einer Karbidlampe, die brummend über dem Kopf des Vaters hing. – So ist das also, dachte das Kind, das also ist das ganze Geheimnis! Warum aber die Lüge? Die Geheimnistuerei der Eltern? Warum diese strenge Mühe, das Geheimnis zu bewahren? Und wieder hatte das Kind dieses Gefühl, daß etwas in seinem Kopf nicht zusammenpaßte. Warum, so dachte das Kind, als es schon halb schlafend in seinem Federbett lag und sein neues Geheimnis betrachtete, warum verstecken die Eltern ihre Mühe und Liebe und Arbeit hinter einem Christkind, das es vielleicht gar nicht gab und das man sich auch nur schwer vorstellen konnte?

Ein neues Gefühl trat allmählich an die Stelle der Sehnsucht nach dem Christkind: Liebe und Dankbarkeit gegen die Menschen, die seine Eltern waren und die sich in der Nacht mühten – mühten inmitten von Krieg, Tod und Bomben –, ihm eine Überraschung zu bereiten. Schade eigentlich, daß man das mit dem Brüderchen nicht besprechen konnte. Aber das war eben noch nicht so erwachsen mit seinen vier Jahren. Und als dann am Heiligabend nach den Weihnachtsliedern, der Weihnachtsgeschichte und den Gedichten endlich – endlich der Blick auf das erlaubt war, was das »Christkind« gebracht hatte und auch der Pulli von Mutter unter dem Baum lag, als das zweite Bahngleis rauschend von einer Elektrolok, einem echten Triebwa-

172

gen, befahren wurde, als dazu noch ein Kasperletheater da stand mit vom Vater geschnitzten Köpfen – das war ja wohl so –, da dachte das Kind, daß es so gut sei und fand es auch ganz richtig, dem Brüderchen unter den feuchten Augen der Mutter zu erzählen, es habe das Christkind gesehen, wie es in einem goldenen Schlitten über die Dächer der Stadt geflogen sei.

Fast fühlte sich das Kind da wie der Vater, mit dem es, ohne daß dieser es ahnte, ein gemeinsames Geheimnis hatte. Das Wissen auch, daß das, was Menschen für einander tun, allein ihre Liebe zueinander zeigt.

Schnellzugweihnacht

Das müssen Sie erlebt haben, sagt der Mann, das müssen Sie mitgemacht haben, denn vorstellen kann man sich das nicht, da vor dir das Grab, die Grube, der kleine Sarg drunten, und heroben, am Rand, der Heimleiter mit dem Buben, *der nur sehen soll, was er angerichtet hat,* Reporter photographieren, und die Leute stoßen einander an und zeigen hin, daß der dort der Mörder, nun, nicht gerade Mörder, meint einer, aber ein Verbrecher bestimmt, denn das Moped hat er ja gestohlen, und der Kooperator teilt den Lehm aus mit der Schaufel, Lehmbrocken auf den Holzsarg, und ich schau auf den Buben neben dem Heimleiter, der Bub ist aus Glas, denke ich, weißes Glas ist der Bub, und da wird mir meine Frau schwer, ich brauch schnell den zweiten Arm, so schwer wird sie mir, und das ist nicht wahr, sagt sie, das ist nicht wahr, und sagt noch, mein Kind und daß das nicht wahr ist, und ich kann sie gerade noch überm Boden halten, der Kooperator ist fertig mit dem Lehmausteilen, und da werden die Leute dichter und zu einer Masse – was soll ich ihnen noch sagen, sagte der Mann, drei Tage später sind wir wieder so herumgestanden, hat der Kooperator wieder den Lehm ausgeteilt und einen christlichen Trost zuvor . . .

Der Schaffner schob die Tür auf, die Herren mögen entschuldigen, sagte er, die Beleuchtung sei im ganzen Waggon ausgefallen, man werde sich bemühen . . .

Macht nichts, sagte der Mann mir gegenüber, macht nichts, sagte ich, und der Schaffner sagte noch einmal, daß er sich bemühen werde, und schob die Tür zu.

Die Nacht fährt mit, eine Neumondnacht, vom Fenster zusammengehalten, und immer wieder einmal hebt sie einen beleuch-

teten Baum an der Strecke auf und herein ins Abteildunkel, vor
Wärterhäusern stehen sie oft, auch an fast allen Haltestellen
landüber, kleine Fichten, große Fichten, von Zweig zu Zweig
sind elektrische Glühbirnen angeklemmt...
Ich kann es ja verstehen, sagte der Mann, ich kann es ja verstehen. Mit sieben hat der Bub, er selber war in der Schule, die Eltern verloren bei einem Autounfall, von Verwandten nicht die
Spur rundum, also Fürsorge, Heim, und was das heißt, man
möge ihm aufhören damit, sagte der Mann, so ein Heim habe
ja nur lauter Fenster dorthin, wo alles verboten sei, nämlich für
die drin, und wer wird denn da schon Heimleiter, wie?, ob ich
ihm das sagen könne, fragte der Mann. Nein, sagte ich, aber elternlose Kinder – Eben, sagte der Mann, mich hart unterbre-
chend, elternlose Kinder, und dann so ein Bürokrat gegen alle
Verlassenheit...
Ja, er könne es schon verstehen, durchs Fenster lauter Verbotenes, gut, schön, und dann steht einmal so ein Moped vorm Eingang, der Motor läuft, bloß aufsitzen, denkt der Bub, und Gas
geben, den Griff drehen, wie er es immer sieht vom Fenster aus,
und dann spielt er doch mit der Kupplung...
Der Meinige ist gerade über den Weg dem Ball nach, und was
ich ihm immer eingeschärft habe, erst schauen, links, rechts
schauen...
Er hat nicht geschaut, und der andere hat nicht mehr halten
können, ich sage Ihnen, sagte der Mann, als sie meine Frau geholt haben und als meine Frau mich geholt hat, vom Früh-
schoppen weg, wir waren ja im Osterurlaub...
Der Heimleiter hat ihn geschlagen, geschlagen, sag ich Ihnen,
sagte der Mann, ich hab es erst Wochen später erfahren, weil
ihn einer angezeigt hat, und dann hat der Bub zum Begräbnis
fahren müssen und an der Grube stehen und hinunterschauen
und *Mörder* hören und *Verbrecher* und daß er das Moped gestohlen habe... Und da, sagte der Mann, da bin ich, mit dem
im Ohr bin ich so nach und nach wieder heraufgekommen aus

all dem Friedhof und Beerdigen, ich war jetzt ein einzelner Mensch, nicht mehr jung, die Jahre und was so ein Leben an den Jahren hat, was war in einem Atem fast begraben, buchstäblich im Grab, und mit dem Ganzen bin ich dann weggefahren, fahren Sie weg, hatte der Chef gesagt, weit weg, in ein anderes Land, das ist so ein billiges Rezept, habe ich gedacht, weg, davonfahren, ja wem denn und wohin denn, es ist ja alles in dir, du mußt es doch mitschleppen ...

Und so bin ich nach Kreta gekommen. Mir war es ja gleich, was es war, es hätte auch etwas anderes sein können, aber es war eben Kreta. Die Leute, die mit mir waren, sind herumgegangen, wie solche Leute herumgehen und liegen und im Wasser sind, es ist immer und überall so, wo es warm ist ...

Und da war denn ungefähr gegen Ende der zweiten Woche dieser Abend. Die Gesellschaft am Nebentisch, man sitzt etwas beengt in dem Hotel, hat sich offenbar schon länger unterhalten – ich bin spät zum Essen gekommen –, über Blutrache und wie da wohl kein Ende sei, solange es Kinder gebe und Kindeskinder, nein, gänzlich ohne Ausweg sei das nicht, sagte der Grieche, der in der Unterhaltung das Wort hatte, dem Blut-für-Blut sei schon ein Ende zu setzen, nämlich dadurch, daß die Mutter des ermordeten Sohnes den Mörder an Kindes statt annehme ... Den nächsten Tag habe ich gepackt, und daheim bin ich *von Amt zu Amt,* ein Witwer, der einen Buben adoptieren will, der seinen eigenen ins Grab gebracht hat, sagen sie an jedem Schreibtisch, und ich sage, was ich mir zurechtgelegt habe, es muß doch ein Ende sein, sage ich dem Beamten, oder ich sage, Christus hat doch, und mit dem, was ich sage, und noch mehr mit dem, was ich nicht gesagt habe, komme ich in die Zeitung, kommen wir in die Zeitung, und die Bilder sind dabei, die sie damals gemacht hatten, und darunter steht *Vater des Opfers* und *jugendlicher Mörder* und daß da nunmehr Familie gespielt werden soll und *Leserzuschriften* sind nachher, *Lesermeinungen,* die Heimerziehung müsse reformiert werden und ob die Familienzulage in so einem Fall und ob für den jugendlichen Mörder wohl noch Kinderzulage und was dieser merkwürdige Adoptivvater für ein Mensch sei ...

Und da fahren Sie also jetzt zu diesem Kind?

Ja, sagt der Mann.

Sie hätten doch sicher schon gestern abend fahren können, sage ich, dann wären sie am Heiligen Abend bei ihm gewesen ...

Sehen Sie, sagt der Mann, das hätte ich nicht über mich gebracht, da hat es auslassen bei mir, da hat alle Vernunft nichts geholfen, die ersten Weihnachten nämlich ...

Es war, als trocknete dem Mann das Reden ein.

In dem Augenblick ging das Licht wieder, die Neonhelligkeit drängte die Nacht aus dem Fenster weg.

Der Mann sah auf die Uhr. In vier Stunden, sagte er.

SELMA LAGERLÖF

Die heilige Nacht

Als ich fünf Jahre alt war, hatte ich einen großen Kummer. Ich
weiß kaum, ob ich seitdem einen größeren gehabt habe.

Das war, als meine Großmutter starb. Bis dahin hatte sie jeden
Tag auf dem Ecksofa in ihrer Stube gesessen und Märchen erzählt.

Ich weiß es nicht anders, als daß Großmutter dasaß und erzählte, vom Morgen bis zum Abend, und wir Kinder saßen still
neben ihr und hörten zu. Das war ein herrliches Leben. Es gab
keine Kinder, denen es so gut ging wie uns.

Ich erinnere mich nicht an sehr viel von meiner Großmutter.
Ich erinnere mich, daß sie schönes kreideweißes Haar hatte
und daß sie sehr gebückt ging, und daß sie immer dasaß und an
einem Strumpf strickte.

Dann erinnere ich mich auch, daß sie, wenn sie ein Märchen
erzählte, ihre Hand auf meinen Kopf zu legen pflegte, und
dann sagte sie: »Und das alles ist so wahr, wie daß ich dich
sehe und du mich siehst.«

Ich entsinne mich auch, daß sie schöne Lieder singen konnte,
aber das tat sie nicht alle Tage. Eines dieser Lieder handelte
von einem Ritter und einer Meerjungfrau, und es hatte den
Kehrreim: »Es weht so kalt, es weht so kalt, wohl über die
weite See.«

Dann entsinne ich mich eines kleinen Gebetes, das sie mich
lehrte, und eines Psalmverses.

Von allen den Geschichten, die sie mir erzählte, habe ich nur
eine schwache, unklare Erinnerung. Nur an eine einzige von
ihnen erinnere ich mich so gut, daß ich sie erzählen könnte. Es
ist eine kleine Geschichte von Jesu Geburt.

Seht, das ist beinahe alles, was ich noch von meiner Großmutter weiß, außer dem, woran ich mich am besten erinnere, nämlich dem großen Schmerz, als sie dahinging.

Ich erinnere mich an den Morgen, an dem das Ecksofa leerstand und es unmöglich war, zu begreifen, wie die Stunden des Tages zu Ende gehen sollten. Daran erinnere ich mich. Das vergesse ich nie.

Und ich erinnere mich, daß wir Kinder hingeführt wurden, um die Hand der Toten zu küssen. Und wir hatten Angst, es zu tun, aber da sagte uns jemand, daß wir nun zum letztenmal Großmutter für all die Freude danken könnten, die sie uns gebracht hatte. Und ich erinnere mich, wie Märchen und Lieder vom Hause wegfuhren, in einen langen schwarzen Sarg gepackt, und niemals wiederkamen.

Ich erinnere mich, daß etwas aus dem Leben verschwunden war. Es war, als hätte sich die Tür zu einer ganzen schönen, verzauberten Welt geschlossen, in der wir früher frei aus und ein gehen durften. Und nun gab es niemand mehr, der sich darauf verstand, diese Tür zu öffnen.

Und ich erinnere mich, daß wir Kinder so allmählich lernten, mit Spielzeug und Puppen zu spielen und zu leben wie andere Kinder auch, und da konnte es ja den Anschein haben, als vermißten wir Großmutter nicht mehr, als erinnerten wir uns nicht mehr an sie.

Aber noch heute, nach vierzig Jahren, wie ich da sitze und die Legenden über Christus sammle, die ich drüben im Morgenland gehört habe, wacht die kleine Geschichte von Jesu Geburt, die meine Großmutter zu erzählen pflegte, in mir auf. Und ich bekomme Lust, sie noch einmal zu erzählen und sie auch in meine Sammlung mit aufzunehmen.

Es war an einem Weinachtstag, alle waren zur Kirche gefahren, außer Großmutter und mir. Ich glaube, wir beide waren im ganzen Haus allein. Wir hatten nicht mitfahren können, weil die eine zu jung und die andere zu alt war. Und alle beide waren wir betrübt, daß wir nicht zum Mettegesang fahren und die Weihnachtslichter sehen konnten.

Aber wie wir so in unserer Einsamkeit saßen, fing Großmutter zu erzählen an.

»Es war einmal ein Mann«, sagte sie, »der in die dunkle Nacht hinausging, um sich Feuer zu leihen. Er ging von Haus zu Haus und klopfte an. ›Ihr lieben Leute, helft mir!‹ sagte er. ›Mein Weib hat eben ein Kindlein geboren, und ich muß Feuer anzünden, um sie und den Kleinen zu erwärmen.‹

Aber es war tiefe Nacht, so daß alle Menschen schliefen, und niemand antwortete ihm.

Der Mann ging und ging. Endlich erblickte er in weiter Ferne einen Feuerschein. Da wanderte er dieser Richtung zu und sah, daß das Feuer im Freien brannte. Eine Menge weißer Schafe lagen rings um das Feuer und schliefen, und ein alter Hirt wachte über der Herde. Als der Mann, der Feuer leihen wollte, zu den Schafen kam, sah er, daß drei große Hunde zu Füßen des Hirten ruhten und schliefen. Sie erwachten alle drei bei seinem Kommen und sperrten ihre weiten Rachen auf, als ob sie bellen wollten, aber man vernahm keinen Laut. Der Mann sah, daß sich die Haare auf ihrem Rücken sträubten, er sah, wie ihre scharfen Zähne funkelnd weiß im Feuerschein leuchteten und wie sie auf ihn losstürzten. Er fühlte, daß einer sich an seine Hand und einer sich an seine Kehle hängte. Aber die Kinnladen und die Zähne, mit denen die Hunde beißen wollten, gehorchten ihnen nicht, und der Mann litt nicht den kleinsten Schaden.

Nun wollte der Mann weitergehen, um das zu finden, was er brauchte. Aber die Schafe lagen so dicht nebeneinander, Rükken an Rücken, daß er nicht vorwärts kommen konnte. Da stieg der Mann auf die Rücken der Tiere und wanderte über sie hin dem Feuer zu. Und keins von den Tieren wachte auf oder regte sich.«

So weit hatte Großmutter ungestört erzählen können, aber nun

180

konnte ich es nicht lassen, sie zu unterbrechen. »Warum regten sie sich nicht, Großmutter?« fragte ich.

»Das wirst du nach einem Weilchen schon erfahren«, sagte Großmutter und fuhr mit ihrer Geschichte fort. »Als der Mann fast beim Feuer angelangt war, sah der Hirt auf. Es war ein alter mürrischer Mann, der unwirsch und hart gegen alle Menschen war. Und als er einen Fremden kommen sah, griff er nach seinem langen, spitzigen Stabe, den er in der Hand zu halten pflegte, wenn er seine Herde hütete, und warf ihn nach ihm. Und der Stab fuhr zischend gerade auf den Mann los, aber ehe er ihn traf, wich er zur Seite und sauste, an ihm vorbei, weit über das Feld.«

Als Großmutter so weit gekommen war, unterbrach ich sie abermals. »Großmutter, warum wollte der Stock den Mann nicht schlagen?« Aber Großmutter ließ es sich nicht einfallen, mir zu antworten, sondern fuhr mit ihrer Erzählung fort.

»Nun kam der Mann zu dem Hirten und sagte zu ihm: ›Guter Freund, hilf mir und leih mir ein wenig Feuer. Mein Weib hat eben ein Kindlein geboren, und ich muß Feuer machen, um sie und den Kleinen zu erwärmen.‹ Der Hirt hätte am liebsten nein gesagt, aber als er daran dachte, daß die Hunde dem Manne nicht hatten schaden können, daß die Schafe nicht vor ihm davongelaufen waren und daß sein Stab ihn nicht fällen wollte, da wurde ihm ein wenig bange, und er wagte es nicht, dem Fremden das abzuschlagen, was er begehrte. ›Nimm, soviel du brauchst‹, sagte er zu dem Manne.

Aber das Feuer war beinahe ausgebrannt. Es waren keine Scheite und Zweige mehr übrig, sondern nur ein großer Gluthaufen, und der Fremde hatte weder Schaufel noch Eimer, worin er die roten Kohlen hätte tragen können.

Als der Hirt dies sah, sagte er abermals: ›Nimm, soviel du brauchst!‹ Und er freute sich, daß der Mann kein Feuer wegtragen konnte. Aber der Mann beugte sich hinunter, holte die Kohlen mit bloßen Händen aus der Asche und legte sie in seinen Mantel. Und weder versengten die Kohlen seine Hände, als er sie berührte, noch versengten sie seinen Mantel, sondern der Mann trug sie fort, als wenn es Nüsse oder Äpfel gewesen wären.«

Aber hier wurde die Märchenerzählerin zum dritten Mal unterbrochen. »Großmutter, warum wollte die Kohle den Mann nicht brennen?«

»Das wirst du schon hören«, sagte die Großmutter, und dann erzählte sie weiter.

»Als dieser Hirt, der ein so böser, mürrischer Mann war, dies alles sah, begann er sich bei sich selbst zu wundern: ›Was kann dies für eine Nacht sein, wo die Hunde nicht beißen, die Schafe nicht erschrecken, die Lanze nicht tötet und das Feuer nicht brennt?‹ Er rief den Fremden zurück und sagte zu ihm: ›Was ist dies für eine Nacht? Und woher kommt es, daß alle Dinge dir Barmherzigkeit zeigen?‹

Da sagte der Mann: ›Ich kann es dir nicht sagen, wenn du selber es nicht siehst.‹ Und er wollte seiner Wege gehen, um bald ein Feuer anzünden und Weib und Kind wärmen zu können.

Aber da dachte der Hirt, er wolle den Mann nicht ganz aus dem Gesicht verlieren, bevor er erfahren hätte, was dies alles bedeute. Er stand auf und ging ihm nach, bis er dorthin kam, wo der Fremde daheim war. Da sah der Hirt, daß der Mann nicht einmal eine Hütte hatte, sondern er hatte sein Weib und sein Kind in einer Berggrotte liegen, wo es nichts gab als nackte, kalte Steinwände.

Aber der Hirt dachte, daß das arme unschuldige Kindlein vielleicht dort in der Grotte erfrieren würde, und obgleich er ein harter Mann war, wurde er davon doch ergriffen und beschloß, dem Kinde zu helfen. Und er löste sein Ränzel von der Schulter und nahm daraus ein weiches weißes Schaffell hervor. Das gab er dem fremden Mann und sagte, er möge das Kind darauf betten.

Aber in demselben Augenblick, in dem er zeigte, daß auch er

182

barmherzig sein konnte, wurden ihm die Augen geöffnet, und er sah, was er vorher nicht hatte sehen, und hörte, was er vorher nicht hatte hören können.

Er sah, daß rund um ihn ein dichter Kreis von kleinen silberbeflügelten Englein stand. Und jedes von ihnen hielt ein Saitenspiel in der Hand, und alle sangen sie mit lauter Stimme, daß in dieser Nacht der Heiland geboren wäre, der die Welt von ihren Sünden erlösen solle.

Da begriff er, warum in dieser Nacht alle Dinge so froh waren, daß sie niemand etwas zuleide tun wollten. Und nicht nur rings um den Hirten waren Engel, sondern er sah sie überall. Sie saßen in der Grotte, und sie saßen auf dem Berge, und sie flogen unter dem Himmel. Sie kamen in großen Scharen über den Weg gegangen, und wie sie vorbeikamen, blieben sie stehen und warfen einen Blick auf das Kind.

Es herrschte eitel Jubel und Freude und Singen und Spiel, und das alles sah er in der dunklen Nacht, in der er früher nichts zu gewahren vermocht hatte. Und er wurde so froh, daß seine Augen geöffnet waren, daß er auf die Knie fiel und Gott dankte.«

Aber als Großmutter so weit gekommen war, seufzte sie und sagte: »Doch was der Hirte sah, das könnten wir auch sehen, denn die Engel fliegen in jeder Weihnachtsnacht unter dem Himmel, wenn wir sie nur zu gewahren vermögen.«

Und dann legte Großmutter ihre Hand auf meinen Kopf und sagte: »Dies sollst du dir merken, denn es ist so wahr, wie daß ich dich sehe und du mich siehst. Nicht auf Lichter und Lampen kommt es an, und es liegt nicht an Mond und Sonne, sondern was not tut, ist, daß wir Augen haben, die Gottes Herrlichkeit sehen können.«

ERNST KRÜGER

Wie ich einmal den Weihnachtsmann traf

Jedermann kann sich ohne weiteres denken, was das für eine
Freude war, wie es nun endlich Ferien gegeben hatte. Als ob es
kein Ende nehmen wolle, so hatte sich das Vierteljahr von Tag
zu Tag dahingezogen. Da wunderte man sich schier, daß es
nun so plötzlich abgerissen war. Und morgen schon Heiligabend? Wer mochte die Freuden alle ausdenken, die diese Ferien noch bringen sollten!

Als ich nach Hause kam, war mein erstes, daß ich meine Mutter fragte, ob es nun auch wirklich und ganz gewiß wahr sei,
daß morgen der Weihnachtsmann komme. Sie sah mich sechs-
jährigen Knirps lächelnd an und sagte: »Ja, awer du möst hüt
nahmiddag noch irst ens nah Nieseeland rut gahn un Gräuns
halen för Anning ehr Graw.«

Das tat meiner Freude nun allerdings gewaltig Abbruch, denn
»Nieseeland« lag weit ab, und vielleicht konnte der Weihnachtsmann unterdes kommen; und dann war ich nicht da und
wäre leer ausgegangen.

Ich schwieg also mäuschenstill. Zwar wollte ich der Schwester,
die auf dem Friedhof »alle Tage mit den Weihnachtsengeln
spielen konnte«, gern 'Tannengrün holen vom Walde, aber ich
wollte es auch wieder nicht gern tun; denn der Weihnachtsmann kam doch nur einmal im Jahre. Und wenn er nun vorbeiging?

Als ich also noch weiter schwieg, sah die Mutter plötzlich ganz
erstaunt aus dem Fenster, öffnete es schnell und lehnte sich, so
weit es möglich war, hinaus.

So fragte ich, was da wäre?

Sie meinte, »ein ›groten Kirl‹ mit einem weißen Bart«.

»Mudding, wir dat dei Wihnachtsmann?«

Das wüßte sie nicht, das hätte sie nicht mehr genau sehen können.

Ich war fest überzeugt, daß es der Weihnachtsmann gewesen sei, und sorgte mich recht, ob er wohl etwas von unserem Gespräch gehört haben könne. Bereitwillig ließ ich mir nach dem Mittagessen den dicken Überzieher anhelfen. Die Mutter drückte mir den »Pudel« auf den Kopf, daß auch die Ohren versteckt waren, hängte mir einen Korb über den Arm und legte ein Messer hinein, das in Zeitungspapier gewickelt war, und sagte: »So'n schönes Messer tau'n Tüffelschellen krieg ick gor nich mehr wedder; verlier datt nich!«

»Adjüs, Mutter!« Meine Schuhe waren zum Fest neu besohlt worden und klapperten lustig auf dem frischgefrorenen Weg, der vor einigen Tagen noch butterweich gewesen war. Der Steig lief bald quer über die große Wiese. Ich sah, wie die grünen Grasspierchen, die sich nach dem zweiten Schnitt noch hervorgewagt hatten, rotgefrorene Nasen zeigten. Der Wind hatte sie wie kleine Fähnlein alle nach einer Richtung hingeweht, und in den höheren papierdürren Büschlein raschelte es von Zeit zu Zeit.

Hinter Erlen und Eschen sah ich in der Ferne Nieseeland liegen.

Was war das, »Nieseeland«?

Zwei Jahre lag der Tag zurück, an dem wir von dem alten Hause, das die Leute mit dem wunderlichen Namen belegt hatten, Abschied nehmen mußten. Das Haus war zu baufällig geworden. In meiner Erinnerung steht es freilich als ein stattlicher Bau da, einsam zwischen tiefem, tiefem Wald und grauem Moor gelegen. Hier hatte ich gespielt; Blumen, Bäume und lustige Gedanken waren meine Gesellschaft gewesen. Sonst niemand, denn Vater und Mutter mußten den Tag über fleißig arbeiten, und wenn ein Fremder sich in unsere Wildnis verirrte, so lief ich in heilloser Angst davon.

Mittlerweile war ich an den Steg gekommen, der über die Ne-

bel (Nebenfluß der Warnow, die bei Warnemünde in die Ostsee mündet) führte; ich mußte noch über zwei Gräben springen
und war dann auf dem Moordamm, der bei »Nieseeland« endete.

Vor zwei Jahren hatte ich hier viel erlebt. Wie mein Vater den
großen Hecht mit der Harke aus dem Graben gefischt hatte,
wie ich das »Nest« der Hasenmutter fand und einen noch ganz
kleinen Hasen mit nach Hause brachte, und wie ich einmal die
Stelle mit den vielen rubinroten Erdbeeren fand. –

Da lag »Nieseeland« vor mir.

Stolz standen die beiden Eschenbäume vor der Haustür Wa-
che, und der weißgetünchte Giebel ragte hoch auf; daß er
schon ganz bedrohlich schief hing, kümmerte mich weiter
nicht.

Am liebsten wäre ich in unser Haus eingetreten, aber die Mutter hatte es verboten und ganz ernst dabei ausgesehen. Es gefiel
mir auch nicht, daß die Fenster eingeschlagen waren und die
Haustür schief in den Angeln hing, und daß es innen so grausig
wüst aussah. Da sah ich also nur von draußen ins Haus und
ging dann schnell hinüber zum Wald. Ach, wie war es hier still!
Das Herz klopfte mir ein wenig. Wie gewaltige Riesen ragten
die glatten, runden Stämme der Buchen in die Höhe. Sie schienen zu schlafen, und ich vermied es beim Gehen, in den abge-
fallenen Blättern zu rascheln. So hatte mir noch nie gegraut im
Walde, aber nur einen Augenblick.

Am Waldrand stand eine Buche von ganz besonderem Wuchs.
Wie oft war ich daran wie auf einer Treppe in die Höhe gestie-
gen und hatte mich in ihrer Spitze geschaukelt, daß die grünen
Blätter rund um mich herum rauschten? Ob ich es mal wieder
versuchte? – Nein, jetzt nicht – der Wald schläft.

Und hier hatte ich das Zelt gehabt aus grünen Buchenzweigen
– o, wie schön war das alles gewesen! Ich hatte jetzt gar keine
Angst mehr bei all den stummen Bäumen. Es war ja *unser*
Wald, und den kannte ich zu genau.

Nun trat ich zu den Fichten und fing an, grüne Zweige zum Kranz zu schneiden. Ob der Weihnachtsmann hier wohl sein Haus in der Nähe hatte? Möglich wäre es immerhin. So hier in den stillen, großen Wald paßte so ein Weihnachtsmann gerade hinein. Vielleicht konnte ich ihn hier heute noch treffen.

Ich sah auf – – und wahrhaftig, *da kam er schon!* Nicht weit ab von mir ging er, ein großer, freundlicher Mann, durch den stillen Wald. Einen Augenblick verdeckten ihn die Stämme, im nächsten Augenblick sah ich ihn wieder. Ein eisengrauer Bart hing ihm lang auf die Brust herab. Langsam und feierlich schritt er dahin.

Was sollte ich tun? Die Gelegenheit, mit dem Weihnachtsmann zu sprechen, kam so bald nicht wieder; also lief ich geradewegs auf ihn zu. Er sah erstaunt auf. Da fing aber mein Herz so stark zu klopfen an, daß ich kein Wort hervorbringen konnte. So runzelig das Gesicht, so weiß die Augenbrauen, so groß der ganze Mann.

Er sah mich an, als ob er sehr verwundert sei, mich hier zu treffen, und sagte: »Nun, mein Junge, woher kommst denn du? Und was willst du hier?«

Ich ließ mich aber gar nicht lange darauf ein, von den grünen Fichtenzweigen zum Kranz zu erzählen, sondern sah ihn fest an und fragte treuherzig: »Büst du dei Wihnachtsmann?«

Da flog ein stilles Lächeln über die verwitterten Züge. »Warum meinst du das, mein Junge?«

»Wil du so'n langen Bart hest.«

Aus dem Gesicht, das mir tiefste Ehrfurcht einflößte, sahen mich lustige, blanke Augen an: »Ob ich der Weihnachtsmann bin, das sage ich dir jetzt noch nicht; du wirst es heute Heiligabend schon noch sehen! Übrigens kann ich mir ja gleich merken, was du dir wünscht.«

Freude über Freude! Ich hatte mich nicht geirrt. Dreist zählte ich meine drei Wünsche her: »Einen Bukasten, Bleisoldaten un 'ne niege Tafel.« – Eigentlich hatte ich noch mehr Wünsche gehabt, aber seitdem mir die Mutter sagte, dreierlei sei genug, wollte ich hiermit zufrieden sein.

Die hohe Gestalt sah mich prüfend an, nickte das mächtige Haupt einmal, zweimal, dreimal. Dann sagte der Weihnachtsmann »Hm!« und ging weiter. Ich hörte das Rascheln der Blätter unter seinem Fuß und sah ihm mit verklärtem Gesicht nach. Langsam glitt er durch die Stämme, das Haupt zur Erde gesenkt, wie alte Leute tun, wenn sie tief nachdenken. Lange stand ich unbeweglich.

Wie im Traum schnitt ich dann Fichtenzweige ab, bis der Korb gefüllt war, packte das Messer zu unterst in den Korb, damit es nicht verlorengehe, und wandte mich nach Hause.

Ich sah nicht, wie die Schatten der Dämmerung leise aus den Gebüschen hervorkamen, ich hatte kein Auge für die purpurne Abendröte, die breit auf den Waldwipfeln lag, ich hatte selbst für das alte Haus, das ich doch so liebte, keinen Blick des Abschieds – ich sah nur den alten Mann, der mit dem Kopfe nickte, einmal, zweimal, dreimal und »Hm« sagte.

Auf der Wiese kam mir mein Vater entgegen. Er machte, wie ich ihm mein Erlebnis erzählte, ein ungläubiges Gesicht, und die Mutter zu Hause befühlte mir den Puls, ob ich auch fiebere. Sie meinte, der Junge könnte noch krank werden. Da das aber nicht der Fall zu sein schien, brachte sie mich auf zwei Stunden ins Bett.

Nachher hörte ich aber, wie mein Vater zu der Mutter sagte: »Der Weihnachtsmann müsse wohl der Lehrer aus dem Nachbarort Rosin gewesen sein, der oft durch den Wald gehe!« Dann war ich bald eingeschlafen, sah im Traum den Tannenbaum glänzen und den Weihnachtsmann in die Tür treten mit Bleisoldaten, Baukasten und neuer Tafel, und der schiefe Giebel von Nieseeland nickte gar ernsthaft.

Und ganz zuletzt, als alles Wirklichkeit war, als die Soldaten auf den Baukasten lossprengten und die Artillerie mit Kanonen schoß und die neue Tafel so breit und groß voller Äpfel lag, dachte ich mir: Das kann ja nicht der Lehrer von Rosin gewesen sein; es *muß* der Weihnachtsmann gewesen sein. Und er *ist* es auch gewesen.

Hans Zappe

Die Dampfmaschine

Frohe Ungeduld – du leuchtest weithin.

Bisweilen wurde die Ungeduld ein leidenschaftliches Begehren, ja, eine Forderung. Als Zwölfjähriger hat man schon Ansichten und bestimmte Wünsche. Und mein Wunsch war eine Dampfmaschine.

Damals war das technische Spielzeug noch nicht so vollendet wie heute, und es gab wenig Auswahl. Eine Dampfmaschine schien mir der Gipfel der vollkommenen Technik.

Ich stand vor jedem Schaufenster und spähte nach Dampfmaschinen aus. Die Preise erschütterten mich, aber sie erschütterten nicht mein Verlangen.

»Muß es denn eine Dampfmaschine sein?« fragte die Mutter.

Ich nahm diese Frage schon übel. Wie konnte man sich etwas anderes wünschen! Ich war kein »kleines Kind« mehr, das sich ein Schaukelpferd bestellte und mit einem Baukasten zufrieden war. Ich gab aus Trotz gar keine Antwort mehr, wenn der Versuch unternommen wurde, mir einzureden, es gäbe so viele Dinge, die ich notwendig brauchte.

Ich sah nicht die Kummerfalten meiner Mutter, auch die Sorgen auf der Stirn meines Vaters wollte ich nicht bemerken. Das Geschäft ging schlecht. Zeitweise mußten die Sparbüchsen als Einlage benutzt werden, wenn eine unerwartete Rechnung kam. Überall wurde gespart, und selbst der Weihnachtsbaum war diesmal kleiner und nicht so voll wie sonst. Dafür war er billig. »Ein mickriger Besen«, sagte Bruno.

Die Dampfmaschinen in den Spielwarengeschäften glänzten und funkelten. Kostspielige Exemplare standen hinter dem Schaufenster eines Optikerladens. Ich konnte stundenlang davorstehen und jede Einzelheit der zauberischen Maschine in

mich hineinsaugen. Für mich kam nur eine aufrecht stehende
Dampfmaschine in Frage. Sie mußte ein großes Schwungrad
haben und eine vernickelte Pfeife mit ebenholzschwarzem He-
bel. Alle Schulkameraden erzählten davon, wie herrlich es sei,
eine solche Pfeife in Betrieb zu setzen. Man hörte es im ganzen
Hause, wenn die Maschine lief. Und dann gab es eine Menge
von Objekten, die eine Maschine in Gang setzen konnte: eine
Säge, ein Hammerwerk, eine Windmühle, einen Bagger. Eine
Transmission sorgte dafür, daß alle diese Arbeitsmaschinen zu
gleicher Zeit in Gang gesetzt werden konnten. Ein Junge hatte
gesagt: »Ich bin der Generaldirektor.« Generaldirektor – wenn
man das einmal sein dürfte!
Stolzes Jahrhundert mit deinen Dampfmaschinen! Was für eine
Kraft der Dampf hatte! Überall schlummerte die Energie, man
mußte nur den Dreh wissen, um sie sich dienstbar zu machen.
Die ungeahnten Möglichkeiten der Technik können einen
Zwölfjährigen verzaubern und – störrisch machen. Ich stopfte
mir die Ohren zu, wenn es hieß, der Gabentisch würde diesmal
sehr karg ausfallen. Meinetwegen sollte nichts weiter darauf
sein, nur meine Dampfmaschine durfte nicht fehlen.
Um meinen Wünschen neue Nahrung zu geben und ihnen den
Rücken zu stärken, geschah es nun, daß der Briefträger einen
umfangreichen Weihnachtsprospekt einer großen Versand-
firma ins Haus brachte. Er war überreich bebildert, und an
Dampfmaschinen in allen Größen war kein Mangel darin. Ich
war in der Lage, jedem meine Wünsche direkt unter die Nase
zu halten. Und das tat ich mit Ausdauer und einer Unverfro-
renheit, die ihresgleichen suchte. Eine andere Erklärung gab es
nicht mehr: ich war von meiner Idee besessen!
Eines Tages sah ich, wie die Mutter aus der Stadt mit einem
größeren Paket heimkam. Sie versuchte, es vor mir zu verbergen, aber es gelang ihr nicht, obwohl ich so tat, als sähe ich
nichts. Die Dampfmaschine war angekommen! Ich sah nicht
das verhärmte Gesicht meiner Mutter, als sie die gestopften

191

Handschuhe auszog. Sie hatte sich allzusehr versäumt, denn sie war von Laden zu Laden gelaufen.

Ich war wie umgewandelt. Der kindische Trotz war gewichen, seitdem er sein Ziel erreicht hatte. Eine Art Beseligung machte mich auf eine Weise umgänglich, wie ich sie nicht an mir kannte.

Nun zählte ich die Tage bis Weihnachten. Meine Ungeduld war froh, und sicher leuchtete sie mir aus den Augen.

Endlich kam der Heilige Abend. Das Geschäft hatte sich auch in den letzten Tagen nicht erholt, und der »mickrige Besen« mußte sich mit sechs Wachskerzen der billigen Sorte begnügen. Der Baum hatte so kurze und dünne Zweige, daß der Christbaumschmuck nur zu einem Teil auf ihm Platz fand. Die Weihnachtsuhr lief so schnell, daß einem beim Tanz des Baumes beinahe schwindlig werden konnte. So stand schließlich der Baum mehr, als daß er sich drehte, weil ihn niemand mehr aufzog. Mich focht das nicht an. Ich wartete nur auf die Dampfmaschine.

Bei der Bescherung bedeckte sie ein dicker Bogen Packpapier. Erst wurden die Lieder gesungen und die Gedichte aufgesagt. Ich weiß nicht, irgendwie mißtraute ich plötzlich der Tarnung: konnte sich darunter mein Traum, meine Sehnsucht verbergen? Wir wünschten den Eltern ein frohes Fest, dann sagte die Mutter zu mir:

»Leicht ist es uns nicht geworden, aber wir wollten, daß du dich freuen solltest.«

Ich griff nach dem Packpapier, aber – vielleicht war es das Gedränge der Geschwister um den Gabentisch – der Bogen glitt von selber herab, ehe ihn noch meine Hand erreichen konnte. Die Dampfmaschine präsentierte sich, als sei sie feierlich enthüllt worden.

Wortlos stand ich da. Meine Kehle verengte sich, meine Augen begannen zu schmerzen, als wollten sie aus den Höhlen treten. In meinem Kopf schlug eine grausame Hand alles zusammen,

was ich als Traum aufgebaut hatte. Es war eine Dampfmaschine, aber was für eine ...

Sie stand nicht aufrecht wie die viel Bewunderte am Kanal,
wenn sie Pfähle in den morastigen Untergrund einrammte. Sie
war nicht schwarz, hatte keine glänzenden Nickelteile, und
eine Pfeife fehlte völlig. Was war eine Dampfmaschine ohne
Pfeife!

Das Ding da vor mir auf dem Tisch hatte einen unscheinbaren
kleinen Kessel, der auf einem Unterbau von Blech lag, das
kaum Farbe zeigte. Das einzige, was glänzte, war ein dünnes
Messingrohr, das den Kessel mit dem Schwungrad verband.
Was für ein mickriges Schwungrad! Und der alberne Schornstein stand schief.

Die Mutter stand hinter mir. Sie konnte mein Gesicht nicht sehen. Sie glaubte wohl, ich sei starr vor Staunen, weil ich nicht
nach dem Geschenk griff. Und jetzt flüsterte sie:

»Es ist ein Gelegenheitskauf. Alle anderen waren so furchtbar
teuer. Der Schornstein ...«

Ich hörte nicht mehr, was mit dem Schornstein war. Mein eitler
Wunschtraum war mir eingestürzt. Ich mochte das Ding nicht
anfassen. Mir wäre recht gewesen, wenn jetzt der Weihnachtsbaum in Flammen gestanden und der Brand die ganze Stube
samt Dampfmaschine verwüstet hätte. Alle Freude war dahin,
und im Grunde meines Herzens war ich ratlos und tief ver-
stockt.

Was würde nun werden?

Da geschah etwas Seltsames. Wenn ich daran denke, bin ich
noch immer sprachlos darüber. Ich glaubte später, ein Weih-
nachtsengel hätte meine hilflose Lage gesehen und Mitleid mit
meiner grenzenlosen Enttäuschung gehabt. Ich war ja noch ein
dummer Junge, der das Leben nicht kannte. Jedenfalls erlöste
er mich aus meiner Starre und zeigte mir, daß auch in den unscheinbaren Dingen die Kraft der Schöpfung stecken könne.
Es war Bruno, der statt meiner nach der Dampfmaschine griff

und sie vom Gabentisch nahm, um sie auf ein Seitentischchen zu stellen. Er war gespannt, ob und wie sie gehen würde.

Ich ließ ihn gewähren, was ich sonst nicht getan hätte. Und er war eifrig bei der Sache, füllte den kleinen Spiritusbehälter, goß Wasser in den Kessel, hob den wackelnden unnützen Schornstein herunter, so daß die Maschine wie gerupft aussah, und steckte schließlich mit dem Streichholz die »Feuerung« an. Es war alles sehr primitiv, aber das »Feuer« brannte. Noch immer sah ich ziemlich teilnahmslos zu, worüber sich die Mutter wundern mochte. Oder ahnte sie etwas?

Der Kessel brauchte seine Zeit, ehe das Wasser kochte. Aber dann stießen kleine Dampfwölkchen aus dem Rohr, und eigentlich mußte das Schwungrad sich nun drehen. Es fiel ihm gar nicht ein. Bruno half mit dem Zeigefinger nach. Es machte pff ... pff ... pff ... Aber dann stand es still. In mir hohnlachte es. Ein Gelegenheitskauf, hahaha! Für mich gerade gut genug. Ich wandte mich ab, ich konnte es nicht mehr mitansehen.

Da – hinter mir raste etwas! Es ratterte wie eine Nähmaschine. Das Schwungrad drehte sich mit einem tollen Wirbel! Die ganze Maschine zitterte, und Bruno hielt das Brettchen fest, auf dem sie aufmontiert war. Sein Gesicht lachte, die anderen kamen herbei und staunten und jubelten. Die Dampfmaschine raste, als stecke der Teufel in ihr. Oh, diese Energie in dem kleinen Ding! Das war wunderbar. Sie brüstete sich mit ihrer Kraft. Sie hob sich über sich selbst hinaus. Ich war erschrocken, ich war gerührt. In einem unerhörten Leerlauf gab die Dampfmaschine ihre Energie her.

»Wenn wir eine Transmission hätten«, bemerkte ich sachverständig, »dann könnte sie arbeiten.«

Die Mutter wollte wissen, was eine Transmission sei. Dann lächelte sie leise und meinte beiläufig, der Weihnachtsmann sei vielleicht schon unterwegs, der sie bringe. Und das war auch der Fall. Verwandte hatten sich erboten, sie zu schenken.

Oh, dann war alles vollständig. Es kam wirklich nicht so sehr auf die Pfeife an und auch nicht darauf, daß die Maschine einen stehenden Kessel hatte. Das Vergnügen an ihr war nicht weniger groß. Meine Freude machte mich nachgiebig, duldsam und brach meinen störrischen Trotz. –

Als ich im Bett lag und mir das Bild der kleinen, tüchtigen Maschine, die mit ihrem braven Funktionieren mich umgekrempelt hatte, vor den geschlossenen Augen schwebte, da schüttelte es mich plötzlich, und ich begann haltlos und ohne Laut in die Kissen zu weinen. Ich großer Junge war von meiner Dampfmaschine beschämt worden! Ich fühlte, wie ich in einem Strom der Liebe eingebettet war, ohne mein Verdienst. Ich war es nicht wert, so geliebt zu werden.

Ich wußte noch nicht, daß diese Erfahrung das schönste Weihnachtsgeschenk war.

HERMANN HESSE

Weihnacht mit zwei Kindergeschichten

Als unser kleines Christfest beendet war, noch vor zehn Uhr am Abend des 24. Dezember, war ich müde genug, um mich auf Nacht und Bett und vor allem darauf zu freuen, daß nun zwei ganze Tage ohne Post und ohne Zeitung vor uns lagen. Unsere große Wohnstube, die sogenannte Bibliothek, sah ebenso unordentlich und abgekämpft aus wie unser Inneres, aber viel heiterer, denn obwohl wir nur zu dreien gefeiert hatten: Hausherr, Hausfrau und Köchin, gaben doch das Tannenbäumchen mit den herabgebrannten Kerzen, das Durcheinander von farbigen, goldenen und silbernen Papieren und Bändern und auf den Tischen die Blumen, die übereinander geschichteten neuen Bücher, die teils straff, teils müde und halb eingesunken an die Vasen gelehnten Malereien, Aquarelle, Steinzeichnungen, Holzschnitte, Kindermalereien und Photographien der Stube eine ungewohnte und festliche Überfülltheit und Bewegtheit, etwas von Jahrmarkt und etwas von Schatzkammer, einen Hauch von Leben und Unsinn, von Kinderei und Spielerei. Und dazu kam die Luft, die mit Düften ebenso ungeordnet und übermütig beladene Luft mit dem Neben- und Ineinander von Harz, Wachs, Verbranntem, von Backwerk, Wein, Blumen. Des weitern stauten sich im Raume und in der Stunde, wie es alten Leuten zukommt, die Bilder, Klänge und Düfte von vielen, sehr vielen Festen vergangener Jahre, siebzig und mehr Male hatte seit dem ersten großen Erlebnis die Weihnacht mich wieder besucht, und waren es bei meiner Frau manche Jahre und Christfeste weniger, so war bei ihr dafür die Fremde, die Ferne und Erloschenheit und Unwiederbringlichkeit der Heimat und Geborgenheit noch größer als bei mir. War in den letzten angestrengten Tagen das Schenken und

196

Packen, Beschenktwerden und Auspacken, das Sichbesinnen auf echte und unechte Verpflichtungen (die sich für Vernachlässigung oft unerbittlicher rächen als jene) und die ganze etwas erhitzte und überhetzte Betriebsamkeit einer Weihnachtszeit in unserem ruhelosen Zeitalter schon schwer zu bewältigen gewesen, so war diese Wiederbegegnung mit den Jahren und Festen vieler Jahrzehnte eine noch strengere Aufgabe, doch war es wenigstens eine echte und sinnvolle, und die echten und sinnvollen Aufgaben haben den Segen, nicht nur zu fordern und zu zehren, sondern auch zu helfen und zu stärken. Zumal in einer aufgelösten, am Mangel an Sinn erkrankten und hinsterbenden Zivilisation gibt es ja für den einzelnen wie für die Gemeinschaften kein anderes Heil- und Nahrungsmittel, keine andere Kraftquelle fürs Weiterleben, als die Begegnung mit dem, was allem zum Trotz unserem Sein und Tun Sinn gibt und uns rechtfertigt. Und bei der Erinnerung an die Feste und Zusammenhänge eines ganzen Lebens, dem Lauschen auf Klänge und Regungen der Seele bis in die farbige Wildnis der Kindheit zurück, dem Blicken in geliebte längst erloschene Augen erweist sich eben doch das Vorhandensein eines Sinnes, einer Einheit, einer geheimen Mitte, um die wir, bald wissend, bald unwissend, lebenslang gekreist sind. Von den wachs- und honigduftenden frommen Christfesten der Kindheit, in einer, wie es schien, noch heilen, vor Zerstörung sicheren, an ihre Zerstörungsmöglichkeit nicht glaubenden Welt, über alle Wandlungen, Krisen, Erschütterungen und Wiederbesinnungen unseres privaten Lebens wie unserer Epoche hinweg hat sich in uns ein Kern erhalten, ein Sinn, eine Gnade, nicht an irgendein Dogma der Kirchen oder der Wissenschaften, sondern an das Vorhandensein einer Mitte, um die auch ein gefährdetes und gestörtes Leben sich stets aufs neue ordnen kann, ein Glaube an die Erreichbarkeit Gottes von eben diesem innersten Kern unseres Wesens aus, an die Koinzidenz dieses Zentrums mit der Gegenwart Gottes. Wo er gegenwärtig ist, mag ja auch das Häßliche und scheinbar Sinnlose ertragen werden, denn für ihn ist nirgends Erscheinung und Sinn getrennt, für ihn ist alles Sinn.

Das Bäumchen stand schon lange dunkel und ein wenig dumm auf seinem Tischchen, es brannte seit einer Weile das nüchterne elektrische Licht wie an jedem Abend, da wurden wir vor den Fenstern einer anderen Art von Helligkeit gewahr. Der Tag war wechselnd klar und verhangen gewesen, an den Hängen der Berge jenseits des Seetals standen zuweilen lang hingezogene, schmale weiße Wolken, alle in derselben Höhe, sie hatten fest und unbeweglich geschienen und waren doch, so oft man wieder hinaussah, verschwunden oder umgebaut gewesen, und beim Zunachten hatte es so ausgesehen, als würden wir die Nacht über ohne Himmel sein und im Nebel stecken. Aber während wir mit unserer Feier, unserem Baum und seinen Kerzen, unseren Geschenken und den immer dichter kommenden Erinnerungen beschäftigt gewesen waren, hatte sich draußen mancherlei zugetragen und abgespielt. Als wir das gespürt und unser Stubenlicht gelöscht hatten, fanden wir draußen in der großen Stille eine überaus schöne, geheimnisvolle Welt liegen. Das schmale Tal zu unseren Füßen war mit Nebel angefüllt, auf dessen Oberfläche ein bleiches, aber starkes Licht spielte. Über diesem Nebelballen stiegen die beschneiten Hügel und Berge hinan, alle im selben gleichmäßigen, verteilten, aber starken Licht stehend, und auf die weißen Tafeln waren überall die kahlen Bäume und Wälder und die schneefreien Felsgestaltungen wie mit spitzer Feder gekritzelte Buchstaben hingeschrieben, stumme, viele verschweigende Hieroglyphen und Arabesken. Oben aber über alledem wogte mit dem Vollmond durchschienenen Wolkengewimmel weiß und opalglänzend ein gewaltiger Himmel, unruhig wallend und vom Licht des vollen Mondes beherrscht, der zwischen den geisterhaft sich lösenden und wieder dichtenden Schleiern verschwand und erschien, und wenn er ein freies Stück Himmel erkämpfte, sahen wir ihn

198

umgeben von elbisch kühlen, irisierenden Mondregenbogen, deren gleißend gleitende Farbenfolge sich in den Rändern durchschienener Wolken wiederholte. Perlig und milchig rann und rieselte das köstliche Licht durch den Himmel, glänzte schwächer unten im Nebel wider, wogte im Schwellen und Schwinden wie in lebendigen Atemzügen. Ehe ich zu Bett ging, die Lampe brannte wieder, warf ich noch einen Blick auf meinen Gabentisch, und wie Kinder am Christabend ein paar von ihren Geschenken mit ins Schlafzimmer und womöglich mit ins Bett nehmen, nahm ich mir auch etwas mit, um es vor dem Schlafen noch ein wenig bei mir zu haben und zu betrachten. Es waren die Gaben meiner Enkelkinder; von Sibylle, der Jüngsten, ein Staublappen, von Simeli eine kleine Zeichnung, ein Bauernhaus mit einem Sternenhimmel darüber, von Christine zwei farbige Illustrationen zu meiner Erzählung vom Wolf, ein kraftvoll hingehauenes Gemälde von Eva und von ihrem zehnjährigen Bruder Silver ein mit seines Vaters Maschine geschriebener Brief. Ich nahm die Sachen mit ins Atelier, wo ich Silvers Brief noch einmal las, dann ließ ich sie liegen und stieg, mit schwerer Müdigkeit kämpfend, die Treppe zu meinem Schlafzimmer hinauf. Doch konnte ich noch lange Zeit nicht einschlafen, die Erlebnisse und Bilder des Abends hielten mich wach, und die nicht abzuwehrenden Reihen von Vorstellungen endeten jedesmal mit dem Brief meines Enkels, der so lautete:

»Lieber Nonno! Ich will dir jetzt eine kleine Geschichte schreiben. Sie heißt: Für den lieben Gott. Paul war ein frommer Knabe. Er hatte in der Schule schon so viel vom lieben Gott gehört. Er wollte ihm jetzt auch einmal etwas schenken. Paul schaute alle seine Spielsachen an, aber alles gefiel ihm nicht. Da kam Pauls Geburtstag. Er bekam viele Spielsachen, darunter sah er einen Taler. Da rief er: Den schenke ich dem lieben Gott. Paul sagte: Ich gehe hinaus auf das Feld, dort habe ich einen schönen Platz, da wird ihn der liebe Gott sehen und holen. Paul ging auf das Feld. Als Paul im Feld war, sah er ein altes Mütterchen, das mußte sich stützen. Er wurde traurig, und gab ihr den Taler. Paul sagte: Eigentlich war er für den lieben Gott. Viele Grüße von Silver Hesse.«

An jenem Abend gelang es mir nicht mehr, die Erinnerung heraufzubeschwören, an die meines Enkels Erzählung mich mahnte. Erst anderen Tages fand sie sich von selber ein. Ich erinnerte mich: in meiner Knabenzeit, im selben Alter, in dem jetzt mein Enkel stand, zehnjährig also, hatte ich auch einmal eine Geschichte geschrieben, um sie meiner jüngeren Schwester zum Geburtstag zu schenken, es war außer einigen Knabenversen die einzige Dichtung, vielmehr der einzige dichterische Versuch aus meiner Kinderzeit, die erhalten geblieben ist. Ich selbst hatte viele Jahrzehnte nichts mehr von ihm gewußt, vor einigen Jahren aber war, ich weiß nicht mehr bei welchem Anlaß, dieser kindliche Versuch wieder zu mir zurückgekehrt, durch die Hand einer meiner Schwestern vermutlich. Und obwohl ich mich seiner nur noch undeutlich erinnern konnte, schien mir doch, er habe irgendeine Ähnlichkeit oder Verwandtschaft mit der Geschichte, die mein Enkel mehr als sechzig Jahre später für mich verfaßt hatte. Aber wenn ich auch bestimmt wußte, daß meine Kindergeschichte in meinem Besitz sei, wie sollte ich sie finden? Überall vollgestopfte Schubladen, gebündelte Mappen und Briefhaufen mit Aufschriften, die nicht mehr stimmten oder nicht mehr leserlich waren, überall beschriebenes und bedrucktes Papier aus Jahren und Jahrzehnten her, aufbewahrt, weil man sich zum Wegwerfen nicht hatte entschließen können, aufbewahrt aus Pietät, aus Gewissenhaftigkeit, aus Mangel an Schneid und Entschlußkraft, aus Überschätzung des Geschriebenen, das einmal »wertvolles Material« für irgendwelche neue Arbeiten abgeben könnte, aufbewahrt und eingesargt, wie einsame alte Damen Kasten und Dachböden voll Schachteln und Schächtelchen mit Briefen, gepreßten Blumen, abgeschnittenen Kinderlöckchen aufbewahren. Unendlich vieles sammelt sich, auch wenn man das Jahr hindurch Zentner von Papier verbrennt, um einen Literaten an, der nur selten den Wohnort gewechselt hat und in die Jahre gekommen ist.

Aber ich hatte mich nun in den Wunsch festgebissen, jene Erzählung wiederzusehen, sei es auch nur, um sie mit der meines gleichaltrigen Kollegen Silver zu vergleichen oder sie vielleicht abzuschreiben und ihm als Gegengabe zu schicken. Ich plagte mich und plagte meine Frau damit einen ganzen Tag, und wirklich fand ich das Ding schließlich am unwahrscheinlichsten Platz. Die Geschichte ist im Jahre 1887 in Calw geschrieben und heißt:

Die beiden Brüder
(für Marulla)

Es war einmal ein Vater, der hatte zwei Söhne. Der eine war schön und stark, der andere klein und verkrüppelt, darum verachtete der Große den Kleinen. Das gefiel dem Jüngeren nun gar nicht, und er beschloß, in die weite, weite Welt zu wandern. Als er eine Strecke weit gegangen war, begegnete ihm ein Fuhrmann, und als er den fragte, wohin er fahre, sagte der Fuhrmann, er müsse den Zwergen ihre Schätze in einen Glasberg führen. Der Kleine fragte ihn, was der Lohn sei. Er bekam die Antwort, er bekomme als Lohn einige Diamanten. Da wollte der Kleine auch gern zu den Zwergen gehen. Darum fragte er den Fuhrmann, ob er glaube, daß die Zwerge ihn aufnehmen wollten. Der Fuhrmann sagte, das wisse er nicht, aber er nahm den Kleinen mit sich. Endlich kamen sie an den Glasberg, und der Aufseher der Zwerge belohnte den Fuhrmann reichlich für seine Mühe und entließ ihn. Da bemerkte er den Kleinen und fragte ihn, was er wolle. Der Kleine sagte ihm alles. Der Zwerg sagte, er solle ihm nur nachgehen. Die Zwerge nahmen ihn gern auf, und er führte ein herrliches Leben.

Nun wollen wir auch nach dem anderen Bruder sehen. Diesem

ging es lang daheim sehr gut. Aber als er älter wurde, kam er zum Militär und mußte in den Krieg. Er wurde am rechten Arm verwundet und mußte betteln gehen. So kam der Arme auch einmal an den Glasberg und sah einen Krüppel dastehen, ahnte aber nicht, daß es sein Bruder sei. Der aber erkannte ihn gleich und fragte ihn, was er wolle. »O mein Herr, ich bin an jeder Brotrinde froh, so hungrig bin ich.« – »Komm mit mir«, sagte der Kleine, und ging in eine Höhle, deren Wände von lauter Diamanten glitzerten. »Du kannst dir davon eine Handvoll nehmen, wenn du die Steine ohne Hilfe herunterbringst«, sagte der Krüppel. Der Bettler versuchte nun mit seiner einen gesunden Hand etwas von den Diamantenfelsen loszumachen, aber es ging natürlich nicht. Da sagte der Kleine: »Du hast vielleicht einen Bruder, ich erlaube dir, daß er dir hilft.« Da fing der Bettler an zu weinen und sagte: »Wohl hatte ich einst einen Bruder, klein und verwachsen, wie Sie, aber so gutmütig und freundlich, er hätte mir gewiß geholfen, aber ich habe ihn lieblos von mir gestoßen, und ich weiß schon lang nichts mehr von ihm.« Da sagte der Kleine: »Ich bin ja dein Kleiner, du sollst keine Not leiden, bleib bei mir.«

Daß zwischen meiner Märchenerzählung und der meines Enkels und Kollegen eine Ähnlichkeit oder Verwandtschaft bestehe, ist wohl kein Irrtum des Großvaters. Ein Durchschnitts-Psychologe würde die beiden kindlichen Versuche etwa dahin deuten: jeder der beiden Erzähler sei natürlich mit dem Helden seiner Geschichte zu identifizieren, und es erdichte sich sowohl der fromme Knabe Paul wie der kleine Krüppel eine doppelte Wunscherfüllung, nämlich zunächst ein massives Beschenktwerden, sei es mit Spielzeug und Taler oder mit einem ganzen Berg voll Edelsteinen und einem geborgenen Leben bei Zwergen, bei seinesgleichen also, fern von den Großen, Erwachsenen, Normalen. Darüber hinaus aber erdichtet jeder der Märchenerzähler sich auch noch einen moralischen Ruhm, eine Tugendkrone, denn mitleidig gibt er seinen Schatz dem Armen hin (was in Wirklichkeit weder der zehnjährige Alte noch der zehnjährige Junge getan hätte). Das mag wohl stimmen, ich habe nichts dagegen. Aber es scheint mir auch, daß die Wunscherfüllung sich im Bereich des Imaginären und Spielerischen vollziehe, wenigstens kann ich von mir sagen, daß ich im Alter von zehn Jahren weder Kapitalist noch Juwelenhändler war und bestimmt noch niemals mit Wissen einen Diamanten gesehen hatte. Dagegen waren manche Grimmsche Märchen und war vielleicht auch Aladin mit der Wunderlampe mir schon bekannt, und der Edelsteinberg war für das Kind weniger eine Vorstellung von Reichtum als ein Traum von unerhörter Schönheit und Zaubermacht. Und eigentümlich kam mir auch diesmal vor, daß in meinem Märchen kein lieber Gott vorkommt, obwohl er für mich vermutlich selbstverständlicher und realer war als für den Enkel, der erst »in der Schule« auf ihn neugierig geworden war.

Schade, daß das Leben so kurz und so sehr mit aktuellen, scheinbar wichtigen und unumgänglichen Pflichten und Aufgaben überstopft ist; manchmal wagt man des Morgens ja kaum das Bett zu verlassen, weil man weiß, daß der große Schreibtisch noch übervoll von Unerledigtem liegt und tagsüber die Post den Haufen noch zweimal erhöhen wird. Sonst wäre mit den beiden Kindermanuskripten noch manches amüsante und nachdenkliche Spiel zu treiben. Mir schiene zum Beispiel nichts spannender als eine vergleichende Untersuchung von Stil und Syntax in den beiden Versuchen. Aber für so hübsche Spiele ist nun einmal unser Leben nicht lang genug. Auch wäre es am Ende nicht angezeigt, den um dreiundsechzig Jahre jüngeren von den beiden Autoren durch Analyse und Kritik, durch Anerkennung oder Tadel vielleicht in seiner Entwicklung zu beeinflussen. Denn aus ihm kann unter Umständen ja noch etwas werden, nicht aber aus dem Alten.

HEINRICH BÖLL

Krippenfeier

Die großen Lampen brannten schon, als er dort ankam; sie bildeten einen Lichtschirm, der parallel zum Himmel stand und die Dunkelheit wie ein Gewölbe erscheinen ließ. Der große Tannenbaum in der Bahnhofshalle tropfte von Nässe, und von den kerzenförmigen Glühbirnen hingen ein paar schief, und einige schienen defekt zu sein. Die Halle war fast leer: eben packte eine Heilsarmee-Kapelle ihre Instrumente ein, und die Männer und Frauen mit ihren roten Mützenrändern klemmten die Noten unter den Arm und trotteten müde auf den Vorplatz hinaus. Der Mann an der Wurstbude sah Benz scharf an und rief: »Wurst, mein Herr, ganz heiße Wurst!« Er fixierte Benz so scharf, daß er sich losreißen mußte, um links herum nach unten zu schwenken, wo die Telefonzellen sind.

Plötzlich setzte im großen Lautsprecher die Musik ein: Beethoven, Neunte Symphonie; sie erfüllte für einen Augenblick fortissimo die Halle, dann schien jemand am Knopf zu drehen, und die Musik wurde sehr leise.

Unten, wo die Telefonzellen sind, war es muffig und lichtlos, und aus den Aborten in der Ecke strömte der beständige Geruch sedimentierter Männlichkeit. Benz kam an dem gläsernen Café vorüber, in dem Leute hockten, um lustlos Salat, Butterbrote und Wurst zu essen: sie schienen in eine Falle geraten zu sein, wo sie gewaltsam gespeist wurden. Er ging weiter. Die beiden Telefonzellen waren besetzt, und er drehte sich herum und wartete: oben schimmerten die lichtgefüllten Röhren in der Reihe von Kaufläden: Zigarrenkisten und Blumen, Zeitschriften und Parfumflaschen standen in diesem quälenden, bläulichen Licht, und über einem großen, weiß-gelben Transparent, das ein Verhütungsmittel anpries, schwebte ein lächelnder

Sperrholz-Engel, silbern bemalt, der den Stern von Bethlehem gegen das blau gekachelte Gewölbe der Halle hielt. Irgendwo rechts, nicht weit von ihm entfernt, hatte eine religiöse Handlung ihren Kasten aufgehängt: »Katholischer Schriftenvertrieb – Belieferung von Vereinen« stand darüber; grimassierende Krippenfiguren schienen auf dem rötlichen Samt des Kastens zu tanzen, flankiert von harfespielenden Engeln, deren Rücken man benutzt hatte, um Spruchbänder aufzustellen, die an lakkierten Holzstäben befestigt waren: »Gloria in excelsis Deo« und »Friede den Menschen auf Erden« stand über den starren Engellocken.

Benz wandte sich um: immer noch waren die Zellen besetzt, und durch die defekte Scheibe der linken Zelle hindurch sah er das Gesicht einer weinenden Frau, deren schmerzhaft verzogener Mund sich manchmal zu einem Flüstern schloß. Sie weinte ganz haltlos; über ihr blasses Gesicht rollten die Tränen wie über Wachs.

Von den gekachelten Wänden tropfte es, die Decke hatte einen feuchten Schimmer, und Beethoven wurde durch den Lautsprecher gequetscht. Benz klappte seinen Kragen hoch und zündete seine Pfeife an – da schlug ihm jemand die Tür der Nebenzelle ins Kreuz, und als er sich umblickte, sah er einen schwarzgekleideten Mann, der ihn wütend ansah und schnell die Stufen zum gläsernen Café hinaufstieg. Benz ging in die Zelle hinein, setzte seine Tasche ab und suchte Kleingeld aus dem Mantel. Durch das Glas sah er den Schatten der Frau nebenan: an der Silhouette des Telefonapparates sah er, daß der Hörer aufgelegt war; die Frau stand da und tupfte sich mit einem rötlichen Quast im Gesicht herum; ihr grünes Kopftuch war verrutscht; sie zog es sehr langsam hoch. Dann hörte er, wie sie die Klinke herunterdrückte, und er öffnete die Tür seiner Zelle einen Spalt, um sie zu sehen. Er sah sie nur einen Augenblick: sie war schön und lächelte jetzt. Er schloß langsam die Tür seiner Zelle und wählte.

Zwischen den Klingelzeichen hörte er das sanfte Rauschen der amtlichen Stille, und den Beethoven nahm er jetzt nur sehr leise mit dem rechten Ohr wahr. Dazwischen eine sehr kräftige männliche Stimme, die einen verspäteten Zug ankündigte, und dann sagte eine Frauenstimme im Hörer ärgerlich: »Was ist los? Was ist denn?«, und er hörte jetzt die Neunte Symphonie doppelt: mit dem linken Ohr im Hörer und mit dem rechten draußen, und er sagte leise: »Nichts – nichts ist los«, und plötzlich brach im Telefon die Symphonie ab, und er wußte, daß die Frau eingehängt hatte. Er legte den Hörer auf und begriff, daß er vergessen hatte, den Zahlknopf zu drücken: sie hatte ihn nicht gehört. Er drückte auf den anderen Knopf, das Geld rollte in die Metallschnauze zurück, und er nahm es heraus. Er nahm sein Notizbuch aus der Tasche, blätterte es durch und schrieb drei Telefonnummern auf die stählerne, gelb lackierte Sprosse zwischen den Scheiben.

Wieder schien jemand am Knopf gedreht zu haben, denn von draußen kam der Beethoven wieder fortissimo zu ihm hinein; er warf zögernd das Geld ein und wählte; es blieb nicht lange still, und die Männerstimme, die »Hallo!« rief, »Hallo!«, war kaum zuhören, so laut war auch dort hinten die Musik, und es war die gleiche, die aus der Halle zu ihm kam. Er hing ein, ohne etwas zu sagen, drückte wieder auf den Knopf, ließ das Geld in seine Hand rollen, verließ die Zelle und ging langsam an den Aborten vorbei wieder hinauf. Die großen Lampen waren jetzt ausgeknipst, nur von den kerzenförmigen Glühbirnen des Tannenbaums kam Licht, und das Engelhaar war zusammengeklebt von Nässe und hing an Strähnen herunter. Aus einer unsichtbaren Ecke der Halle kam Beethoven herunter. Draußen auf dem nassen Platz sah er einen grell erleuchteten Schaukasten stehen. Er ging langsam darauf zu: eine große blonde Puppe stand da im Ski-Dreß und lächelte ihn an, sie hielt ihm einen silbrig bepuderten Tannenzweig entgegen. Ihre Perücke schien echt zu sein, es war warmleuchtendes, goldblondes Haar; nur als er genauer ihren aufgesperrten Mund betrachtete, sah er, daß sie keinen Gaumen hatte: dunkelblaues Nichts gähnte hinter ihren rosigen Lippen. Er ging langsam in die dunkle Stadt hinein; irgendwo in der Nähe war eine Kirche gewesen, und vielleicht stand sie noch da. Er ging an einem rötlich erleuchteten Hotel vorbei, hinter dessen schweren Vorhängen der Beethoven fast gesummt zu werden schien. Sehr sanft war diese Musik. Aber auch die Kirche war schon wieder aufgebaut, in den großen Fenstern spiegelten sich die Laternen, und an der Tür klebte ein großes weißes Schild, mit korrekten schwarzen Buchstaben beschriftet: »Mette: 0.00 Uhr, Einlaß 23.00 Uhr.« Obwohl er wußte, daß es vergeblich war, rüttelte er an der Klinke und beugte sich dann tief nach unten, um durchs Schlüsselloch zu sehen: kerzenförmige Glühbirnen umrandeten den Altar und verdunkelten das Ewige Licht. Er ging langsam zum Bahnhof zurück. Es war erst neun Uhr. Schon als er um die Ecke bog, hörte er die Musik, sie quoll aus dem schwarzen Schlund des Bahnhofs und stieg wie eine Art Dampf aus allen seinen Öffnungen.

Im Wartesaal waren nicht viele Leute. Sie saßen vor ihren Gläsern und Tassen, und auf den Tischen standen Tannenzweige in den Vasen, mit kleinen rötlichen Holzpilzchen behangene Tannenzweige, und mitten im Wartesaal hing ein Transparent mit der Inschrift: »Frohes Fest allen Reisenden«. Unter dem Transparent stand ein gähnender Kellner, der sich die Serviette vor den Mund hielt.

Benz stellte sich vor den Kasten mit den Krippenfiguren, und er sah im Hintergrund des Kastens die Heiligen Drei Könige, bärtige, feingekleidete Männer, die auf künstlichem Moos einhertappten und imaginäre Kamele an den nach rückwärts ausgestreckten Händen hinter sich her zogen. Vor dem heiligen Joseph war eine Preistafel aufgestellt, die ihm bis ans Kinn reichte: »256,– DM – auch einzeln käuflich« stand darauf, und Benz dachte: »Wenn der heilige Joseph soviel Geld gehabt hätte, wäre er im besten Hotel Bethlehems untergekommen, und die ganze Krippenindustrie wäre illusorisch geblieben.«

Aus dem Lautsprecher kam jetzt der Schlußchor der Neunten Symphonie, und es war aufregend, wie der Chor nach dem »Freude!« immer wieder aussetzte und für Augenblicke eine atemlose Stille aus dem Lautsprecher kam. »Freude«, sang der Chor, »Freude, schöner Götterfunken.«

Über den Kasten hinweg sah er jetzt dem Mann an der Sperre zu, der seine Brille zurechtrückte und dann langsam den Takt des Chorgesangs mit seiner Knipszange auf das eisene Törchen schlug.

»... freudetrunken, göttliche, dein Heiligtum, Heiligtum.«

Jetzt hob der Mann an der Sperre seine Zange, schob eine Fahrkarte in die Schnauze, knipste sie, schob eine zweite hinein, knipste sie und fing wieder an, den Takt zu klopfen. Benz erschrak für einen Augenblick und spürte sein Herz klopfen: die Frau mit dem grünen Kopftuch war durch die Sperre gegangen, aber sie war nicht allein; ein Mann, dessen Arm sie hielt, lächelte zu ihr hinab.

»... wo dein sanfter Flügel weilt – Flügel weilt.«

Benz ging vom Kasten weg, schlenderte ein paarmal durch die Halle und spielte mit den beiden Zehnpfennigstücken, die er lose in der Manteltasche hatte. Er versuchte sich einzureden, daß er mit seinem letzten Geld zurückfahren und allein zu Hause sitzen würde. Oben rollte ein Zug übers Gewölbe, und er dachte einen Augenblick wieder an das schöne Gesicht der Frau und spürte sein Herz, für einen Augenblick. Der Zug hielt jetzt oben, eine Stimme rief etwas, und Leute kamen die Bahnsteigtreppe herunter. Es waren nicht viele Leute, und sie kamen sehr schnell. Benz blieb stehen und sah ihnen entgegen, aber er kannte keinen von denen, die eilig an ihm vorbei in die Stadt gingen, und er fühlte sich plötzlich erleichtert, weil die Halle wieder leer war. Der Mann an der Sperre stand auf, schloß das eiserne Törchen, und nun erloschen auch die kerzenförmigen

Glühbirnen, und der Tannenbaum sah im Dunkeln fast schön aus.

».. . Kuß der ganzen Welt«, sang der Chor, »der ganzen Welt.«

Dann war auch der Lautsprecher still, und es fiel etwas wie Frieden über den Bahnhof. Alles war dunkel, auch draußen das Mädchen im Ski-Dreß leuchtete nicht mehr; nur in dem Kasten mit den Krippenfiguren brannte noch Licht. Benz blieb noch ein paar Minuten vor ihnen stehen und lächelte ihnen zu, bevor er in den Wartesaal ging, um auf seinen Zug zu warten.

O. Henry

Das Geschenk der Weisen

Ein Dollar und siebenundachtzig Cent. Das war alles. Und sechzig Cent davon bestanden aus Pennies, die man jeweils einzeln oder paarweise dem Krämer und dem Gemüsehändler und dem Metzger abgehandelt hatte, bis einem die Wangen brannten wegen des unausgesprochenen Vorwurfs der Knausrigkeit, der bei einer derartigen Feilscherei unausbleiblich war. Dreimal zählte Della das Geld nach. Ein Dollar und siebenundachtzig Cent. Und am folgenden Tag war Weihnachten!

In dieser Lage blieb offensichtlich nichts anderes übrig, als sich auf die schäbige Couch zu werfen und zu heulen. Das tat Della denn auch. Was zu der philosophischen Überlegung anreizt, daß das Leben im Grunde aus Schluchzen, Seufzen und Lächeln besteht, wobei allerdings das Schluchzen überwiegt.

Während die Frau des Hauses allmählich vom ersten zum zweiten Stadium übergeht, wollen wir uns das Heim ein wenig anschauen. Eine möblierte Wohnung für acht Dollar die Woche. Sie spottet zwar nicht gerade jeder Beschreibung, aber sie unterscheidet sich auch nicht wesentlich von einer Bettlerbehausung.

Unten im Flur befand sich ein Briefkasten, in den nie ein Brief fiel, und eine elektrische Klingel, der kein sterblicher Finger einen Ton entlocken konnte. Dazu gehörte auch noch eine Visitenkarte, die den Namen »Mr. James Dillingham Young« trug.

Dieses »Dillingham« verdankte seine Entstehung einer früheren Epoche des Wohlstandes, als sein Besitzer noch dreißig Dollar in der Woche verdiente. Doch jetzt, da sein Einkommen auf zwanzig Dollar die Woche zusammengeschrumpft war, wirkten die Buchstaben von »Dillingham« etwas verschwommen, als ob sie ernsthaft daran dächten, sich zu einem bescheidenen und anspruchslosen »D« zusammenzuziehen. Aber jedesmal, wenn Mr. James Dillingham Young heimkam und seine Wohnung oben erreichte, wurde er von Mrs. James Dillingham Young, die Ihnen bereits unter dem Namen Della bekannt ist, »Jim« gerufen und stürmisch umarmt. Soweit war also alles in Ordnung.

Della hörte auf zu weinen und bearbeitete ihre Wangen mit der Puderquaste. Sie stand am Fenster und sah bedrückt einer grauen Katze zu, die auf einem grauen Zaun des grauen Hinterhofes einherspazierte. Morgen war Weihnachten, und sie hatte nur einen Dollar siebenundachtzig, um ein Geschenk für Jim zu kaufen. Schon seit Monaten hatte sie jeden entbehrlichen Pfennig gespart, und das war das Ergebnis. Mit zwanzig Dollar in der Woche kann man keine großen Sprünge machen. Die Ausgaben waren größer gewesen, als sie vorausgesehen hatte. So ist es immer. Nur ein Dollar siebenundachtzig, um ein Geschenk für Jim zu kaufen. Für ihren Jim. Manche glückliche Stunde hatte sie damit zugebracht, sich etwas Schönes für ihn auszudenken. Etwas Schönes und Seltenes und Kostbares – etwas, was in etwa der Ehre würdig war, Jim als Besitzer zu haben.

Zwischen den Fenstern des Zimmers hing ein schmaler, hoher Wandspiegel. Vielleicht haben Sie schon einmal einen solchen schmalen Spiegel in einer Achtdollarwohnung gesehen. Eine sehr schlanke und sehr flinke Person kann, wenn sie ihr Spiegelbild in einer raschen Folge von Längsstreifen betrachtet, in ihm eine einigermaßen genaue Vorstellung ihrer Erscheinung gewinnen. Die schlanke Della verstand sich auf diese Kunst.

Plötzlich wirbelte sie vom Fenster weg und stand vor dem Spiegel. Ihre Augen leuchteten, aber ihr Gesicht hatte innerhalb von zwanzig Sekunden alle Farbe verloren. Schnell löste sie ihr Haar und ließ es in seiner ganzen Länge herabfallen.

Nun, die James Dillingham Youngs besaßen zwei Dinge, auf

die sie beide besonders stolz waren. Das eine war Jims goldene Uhr, die schon sein Vater und Großvater getragen hatten. Das andere war Dellas Haar. Hätte die Königin von Saba in der Wohnung auf der anderen Seite des Lichtschachtes gewohnt, dann hätte Della bestimmt einmal ihr Haar zum Trocknen aus dem Fenster gehängt, nur um die Juwelen und Kostbarkeiten Ihrer Majestät wertlos erscheinen zu lassen. Wenn König Salomon der Hausmeister gewesen wäre und alle seine Schätze im Keller aufgestapelt hätte, dann hätte Jim jedesmal, wenn er an ihm vorbeikam, seine Uhr gezückt, nur um zu sehen, wie er sich vor Neid den Bart ausrupfte.

So fiel jetzt also Dellas wunderschönes Haar an ihr herab, wallend und glänzend wie ein brauner Wasserfall. Es reichte ihr bis unter das Knie und hüllte sie fast wie ein Gewand ein. Doch dann steckte sie es nervös und hastig wieder auf. Zwischendurch zögerte sie einen Augenblick und verharrte reglos, während ein paar Tränen auf den abgetretenen roten Teppich fielen.

Schnell zog sie ihre alte braune Jacke an und setzte ihren alten braunen Hut auf.

Ihre Röcke wirbelten, und in ihren Augen stand noch immer der leuchtende Schimmer, als sie zur Tür hinaushuschte, die Treppe hinab und auf die Straße.

Sie blieb vor einem Schild stehen, das die Aufschrift trug: »Mme. Sofronie. Haare aller Art.« Della eilte eine Treppe hinauf und suchte sich zu sammeln, noch ganz außer Atem. Madame, groß, allzu bleich, kühl, sah kaum so aus, als könne sie Sofronie* heißen.

»Würden Sie mein Haar kaufen?« fragte Della.

»Ich kaufe Haar«, antwortete Madame. »Nehmen Sie den Hut ab und lassen Sie mich einmal sehen.«

Herab wogte der braune Wasserfall.

* griech. Grundbedeutung des Namens: Vernunft.

»Zwanzig Dollar«, sagte Madame, wobei sie die Masse mit ge-
übtem Griff anhob.

»Geben Sie mir schnell das Geld«, sagte Della.

Oh, die beiden nächsten Stunden schritten auf rosigen Schwingen einher. (Verzeihen Sie mir diese schiefe Metapher.) Sie
durchstöberte nämlich die Geschäfte nach einem Geschenk für
Jim.

Sie fand es schließlich. Es war gewiß nur für Jim hergestellt
worden und für keinen anderen. Es war nichts Gleichwertiges
in sämtlichen Läden aufzutreiben, denn sie hatte sie alle auf
den Kopf gestellt. Es war eine einfach und edel gestaltete Pla-
tinuhrkette, deren eigentlicher Wert allein in dem kostbaren
Material bestand und nicht in aufdringlichen Verzierungen –
wie es bei allen wirklich guten Dingen sein sollte. Sie war sogar
seiner Uhr würdig. Della hatte sie kaum entdeckt, als sie wußte,
daß sie Jim gehören mußte. Sie paßte zu ihm. Schlichtheit und
Wert – diese Bezeichnungen trafen auf beide zu. Einundzwan-
zig Dollar nahm man ihr dafür ab, und sie eilte mit den siebenundachtzig Cent heim. Wenn Jim seine Uhr an dieser Kette
trug, konnte er in jeder Gesellschaft, so oft es ihm beliebte,
nach der Zeit sehen. So herrlich die Uhr auch war, er schaute
zuweilen nur verstohlen auf sie, weil sie an einem alten Leder-
riemen und nicht an einer Kette hing.

Als Della zu Hause ankam, wich ihr Freudenrausch ein wenig
der nüchternen Überlegung. Sie holte ihre Brennschere hervor,
zündete das Gas an und machte sich daran, die Verheerungen,
die Großmut und Liebe angerichtet hatten, zu beheben. Und
das ist stets eine ungeheure Arbeit, liebe Freunde, eine Mam-
mutarbeit.

Nach vierzig Minuten war ihr Kopf mit winzigen, enganliegen-
den Löckchen bedeckt, mit denen sie wunderbar aussah – wie
ein Schüler, der die Schule geschwänzt hat. Sie betrachtete
lange, sorgfältig und kritisch ihr Bild im Spiegel. »Wenn Jim
mich nicht umbringt«, sagte sie zu sich selbst, »bevor er mich

richtig angeschaut hat, sagt er bestimmt, daß ich wie ein Ballettmädchen von Coney Island aussehe. Aber was hätte ich machen sollen – oh, was hätte ich machen sollen mit einem Dollar und siebenundachtzig Cent?«

Um sieben Uhr war der Kaffee fertig, und die Bratpfanne stand hinten auf dem Herd, heiß und bereit, die Koteletts zu braten.

Jim verspätete sich nie. Della legte die Uhrkette in ihrer Hand zusammen und setzte sich auf die Tischkante in der Nähe der Tür, zu der er immer hereinkam. Dann hörte sie von weitem seine Schritte auf den Stufen der untersten Treppe, und sie wurde einen Augenblick lang blaß. Sie hatte die Angewohnheit, bei den unbedeutendsten alltäglichen Anlässen ein kleines Stoßgebet zu sprechen, und so flüsterte sie jetzt: »Bitte, lieber Gott, mach, daß er mich noch immer hübsch findet!«

Die Tür öffnete sich, Jim trat ein und schloß sie wieder. Er sah schmal und sehr ernst aus. Armer Kerl, er war erst zweiundzwanzig – und hatte schon die Last einer Familie zu tragen! Er brauchte dringend einen neuen Mantel, und er hatte keine Handschuhe.

Jim blieb bei der Tür stehen, unbeweglich wie ein Jagdhund, der eine Wachtel wittert. Seine Augen waren auf Della gerichtet, und in ihnen lag ein Ausdruck, den sie nicht deuten konnte und der sie erschreckte. Es war weder Zorn noch Erstaunen, weder Vorwurf noch Entsetzen oder sonst eine Gemütsbewegung, auf die sie gefaßt war. Er starrte sie nur an mit diesem sonderbaren Gesichtsausdruck.

Della glitt vom Tisch herunter und ging ihm entgegen.

»Jim, Liebling«, rief sie aus, »schau mich doch nicht so an! Ich habe mir mein Haar abschneiden lassen und es verkauft, weil ich es nicht ertragen hätte, zu Weihnachten kein Geschenk für dich zu haben. Es wächst wieder nach – du bist mir doch deswegen nicht böse, oder? Ich mußte es einfach tun. Mein Haar wächst furchtbar schnell. Sag ›Frohe Weihnachten‹, Jim, und laß uns glücklich sein! Du weißt nicht, was für ein nettes – was für ein herrliches, nettes Geschenk ich für dich habe.«

»Du hast dein Haar abgeschnitten?« fragte Jim mühsam, als habe er auch nach schwerster geistiger Anstrengung diese offensichtliche Tatsache noch nicht erfaßt.

»Abgeschnitten und verkauft«, sagte Della. »Hast du mich jetzt nicht mehr so lieb wie früher? Ich bin doch dieselbe, auch ohne mein Haar.«

Jim sah sich suchend im Zimmer um.

»Du meinst, daß dein Haar verschwunden ist?« fragte er mit einem fast idiotischen Ausdruck.

»Du brauchst nicht danach zu suchen«, sagte Della. »Es ist verkauft, ich sage es doch – verkauft und verschwunden. Heute ist Heiligabend, mein Junge. Sei doch lieb zu mir, ich habe es doch deinetwegen getan. Die Haare auf meinem Kopf waren vielleicht gezählt«, fuhr sie plötzlich mit ernsthafter Zärtlichkeit fort, »aber niemand kann meine Liebe zu dir zählen. Soll ich jetzt die Koteletts aufsetzen, Jim?«

Auf einmal schien Jim aus seinem Trancezustand zu erwachen. Er umarmte seine Della. Wir aber wollen zehn Sekunden lang mit diskreter Aufmerksamkeit einen belanglosen Gegenstand in der entgegengesetzten Ecke betrachten. Acht Dollar in der Woche oder eine Million im Jahr – wo liegt da der Unterschied? Ein Mathematiker oder ein Gelehrter würde eine falsche Antwort geben.

Die Weisen aus dem Morgenland brachten kostbare Gaben mit, aber die eine war nicht darunter. Diese rätselhafte Behauptung wird sich später aufklären.

Jim zog ein Päckchen aus der Manteltasche und warf es auf den Tisch.

»Schätz mich nicht falsch ein, Dell«, sagte er. »Ich glaube nicht, daß es eine Frisur oder einen Haarschnitt oder ein Haarwaschmittel oder sonst etwas in dieser Richtung gibt, weswegen ich mein Mädchen weniger lieben sollte. Aber wenn du das Päck-

chen da aufmachst, wirst du verstehen, warum ich zuerst so
entgeistert war.«

Weiße Finger rissen hastig an der Schnur und an dem Papier.
Und dann ein entzückter Freudenschrei, und dann, ach, ein
schneller, echt weiblicher Wechsel zu hysterischen Tränen und
Klagen, die den sofortigen Einsatz aller tröstenden Kraft des
Hausherrn verlangten.

Denn dort lagen *die Kämme* – die Kammgarnitur für die Seite
und den Hinterkopf, die Della schon so lange in einem Schaufenster am Broadway bewundert hatte. Wunderbare Kämme,
echt Schildpatt, an den Rändern mit Steinen besetzt – genau in
der Farbe, die zu ihrem herrlichen verschwundenen Haar
paßte. Es waren teure Kämme, das wußte sie, und ihr Herz
hatte sie begehrt und ersehnt, ohne die geringste Hoffnung, sie
jemals zu besitzen. Und nun gehörten sie ihr, aber die Zöpfe,
die diese begehrenswerten Schmuckstücke hätten zieren sollen,
waren verschwunden.

Aber sie drückte die Kämme an die Brust, und schließlich hatte
sie sich so weit gefaßt, daß sie mit tränenverschleierten Augen
und mit einem Lächeln aufblicken und sagen konnte: »Mein
Haar wächst doch so schnell nach, Jim!«

Und dann sprang Della auf wie eine kleine Katze, die sich ver-
brüht hatte, und rief: »Oh, oh!«

Jim hatte sein wunderschönes Geschenk noch nicht gesehen.
Sie hielt es ihm eifrig auf der Handfläche entgegen. Das matt-
glänzende kostbare Metall leuchtete gleichsam auf im Wider-
schein ihrer heiter-erregten Seele.

»Ist sie nicht herrlich, Jim? Ich habe die ganze Stadt danach ab-
gesucht. Du mußt jetzt bestimmt hundertmal am Tag auf die
Uhr schauen. Gib mir deine Uhr. Ich will sehen, wie sie sich
daran ausnimmt.«

Anstatt zu gehorchen, warf sich Jim auf die Couch, ver-
schränkte die Hände unter dem Kopf und lächelte.

»Dell«, sagte er, »wir wollen unsere Weihnachtsgeschenke

wegpacken und sie noch eine Weile aufheben. Sie sind zu schön, um jetzt schon gebraucht zu werden. Ich habe die Uhr verkauft, um das Geld für die Kämme zu bekommen. Und jetzt setzt du wohl am besten die Koteletts auf.«

Die Weisen aus dem Morgenland waren, wie Sie wissen, kluge Männer – ungemein kluge Männer –, die dem Kind in der Krippe ihre Geschenke brachten. Sie erfanden die Sitte der Weihnachtsgeschenke. Da sie so weise waren, müssen auch ihre Gaben weise gewesen sein, und sie haben wohl auch schon an die Umtauschmöglichkeit für doppelt vorhandene Geschenke gedacht. Und hier habe ich Ihnen so recht und schlecht die wenig aufregende Geschichte zweier törichter Kinder in einer Mietswohnung erzählt, die höchst unklug die größten Schätze ihres Hauses füreinander geopfert haben. Aber im Hinblick auf die Weisen in unserer Zeit muß abschließend gesagt werden, daß von allen, die sich beschenken, diese beiden die weisesten waren. Von allen, die Geschenke machen und erhalten, sind Leute wie diese beiden die weisesten. Überall sind sie die weisesten. Sie sind die wahren Weisen.

Die Weihnachtsinsel

Es ist eine Geschichte, die man eigentlich nur in der Heiligen
Nacht erzählen darf. Und nicht mitten in einem glitzernden,
verschneiten Walde oder in einem warmen Zimmer, an dessen
Scheiben der leise Schnee liegt, oder in einem kleinen Gebirgs-
dorf, über dem der Weihnachtsglockenklang weht. Diese alte
einfache Geschichte darf man nur in einer stürmischen Weihnachtsnacht in einem einsamen Stranddorf erzählen. Hin und
wieder muß man schweigen und die Wellen reden lassen. Und
dann muß man zu den Sternen aufsehen, die am hohen, dunklen Winterhimmel stehen, und muß still warten, ob das »Ehre
sei Gott in der Höhe!« heruntertönt. Nur dann werden wir die
Geschichte von der Weihnachtsinsel hören und verstehen, wie
sie gemeint ist. Sie ist keine Legende und kein Märchen, sie ist
vielleicht auch keine volle Wirklichkeit, ich weiß es nicht, aber
alte Frauen in nordischen Fischerdörfern wissen davon und erzählen sie. Doch ist das schon lange her. Da war ich ein Kind.

In meiner Heimat, in einem kleinen Dorf an der See, mit
grauen Strohdächern und hohen Dünen, mit weiten Wiesen
und einem im Winter überfrorenen Fluß liegt ein altes schwarzes Boot am Strande. Schon als ich ein ganz kleines Kind war
und an dem Flusse spielte, lag das Boot dort, und wenn ich
daran lehnte und der scharfe Teergeruch mich in der Sonne
umgab, schloß ich die Augen und träumte, dies sei das große
schwarze Boot gewesen, das den braunen Fischerjungen Daniel
Runge zu seiner Mutter brachte.
So kommt denn heute abend zu mir zum schwarzen Boot, und
wenn der Ostwind weht, kriechen wir alle darunter und sind
bewahrt und beschützt. Wir sitzen nahe beieinander und hören

die See singen, halten uns bei den Händen und erzählen uns die Geschichte von der Weihnachtsinsel.

Wir wissen nicht, ob es hundert Jahre und mehr her sein mögen, daß der kleine Daniel Runge am Strande der Ostsee stand und den sieben langen schwarzen Booten nachsah, die zum Fischfang hinauszogen. Ihre hohen kupferfarbenen Segel waren in der hellen Oktobersonne wie große bunte Herbstblätter anzusehen, die der Südwest aus dem kleinen Hafen hinaustrieb. Und es würde Februar sein, bis sie heimkehrten. Das hatte der kleine Daniel schon fünf Jahre mitangesehen. Vielleicht auch schon länger, er wußte es nicht mehr genau. Heute war er acht Jahre alt. Nun kam der lange Winter ohne die Männer, die dort hinaussegelten, ohne Boot und Netze, ohne all die Seegeschichten abends am Ofen. Allein mit dem Großvater war es langweilig. Der kleine Daniel lief nach Hause und streichelte Vaters Seestiefel. Wie oft hatte er das schon getan. Und immer paßten sie ihm noch nicht. Es ist zum Verzweifeln, wie langsam ein Mensch wächst.

Hinter den Dünen brauste es eintönig. Daniel kannte keine Stunde bei Tag und bei Nacht ohne dieses Lied. Er wußte nichts Schöneres. Und er hörte darin die Stimme des Vaters. Der war vor drei Jahren so hinausgesegelt und nicht wieder zurückgekommen. Mathilde Runge war die einzige Frau im Dorf, die mit hinausfuhr. Sie war hart und stumm, anders als andere Fischerfrauen im Dorf. Sie wäre ins Wasser gegangen, wenn ihr Mann sie nicht mitgenommen hätte. Bei dem Sturm, der das Boot und Martin Runge in die Tiefe des Meeres hinabzog, wurde Mathilde Runge gerettet. Es war in der Nähe einer Insel, als das Unglück geschah. Man brachte sie dorthin, und sie blieb. Sie wollte nie mehr in ihr Dorf zurük, nie mehr in ihr Haus, nie mehr zu Daniel.

Die Insel war kahl und still, Möwenschwärme, Sand, ein paar braune Kiefern, Moos und Dünengras, mehr gab es dort nicht. Und eine einzige alte Hütte. Diese Hütte und die Meeresbucht, die tief in die kleine Insel einschnitt, waren Zuflucht und einziger Ruheort der Fischerboote im Winter. Ein alter Fischer bewohnte die Hütte, als Mathilde dorthin gebracht wurde.

Stumm diente sie diesem Mann, stumm den in der Weihnachtszeit einlaufenden Booten. Wenn die Boote heimwärts segelten, starrte sie ihnen nach. Sie wollte hierbleiben. Die Vorräte, die die Boote mitbrachten, dienten auch ihr zum Unterhalt. Im nächsten Winter starb der Alte. Mathilde pflegte und begrub ihn in der tiefen Einsamkeit dieser Insel. Schnee und wilde Vogelschwärme umgaben sie. So vergingen drei Jahre, Frühjahr, Sommer, Herbst und Winter. Stumm und starr ging die Frau ihren Weg. Ganz leise war es manchmal, als riefe Daniels helle Kinderstimme nach ihr: »Mutter! Mutter!«

Aber sie blieb, und eine sonderbare stille Freude war in ihr, wenn die sieben langen schwarzen Boote auftauchten mit den Männern ihres Dorfes und wenn der Weihnachtsabend kam, an dem sie ihnen das Essen, das Feuer, das Lager richtete in dem niedrigen grauen Haus mit dem Rohrdach. Die Fischer nannten das verlassene Stückchen Erde: die Weihnachtsinsel.

An diese Insel denkt der kleine Daniel Runge heute. Und er möchte wie ein kleiner eiliger Fisch den sieben Booten nachschwimmen, bis in die ferne Bucht. Der Großvater schläft am Ofen, die Abendsuppe wird kalt in den Tellern. Daniel löffelt nachdenklich vor sich hin. Dann nimmt er die Büchse mit Tran und fettet langsam die hohen Seestiefel. Er hockt auf der Erde, das letzte Tageslicht fällt durch die Fenster auf sein weißblondes Haar. Die Stiefel sind fast so hoch wie der kleine Daniel, er langt mit der Hand nicht auf den Boden. Die schwarzgelbe Katze schleicht heran und schnuppert an dem Tran. Er stippt ihren Schwanz hinein, da springt sie davon. Daniel muß sich vor Lachen an dem Stiefel festhalten. Mitsamt seinen Stiefeln fällt er um. Davon wacht der Großvater auf, schimpft, und beide löffeln ihre Suppe zu Ende. Die wieder versöhnte Katze bekommt den Rest. Von dem Wandbord sehen zwei große weiße Porzellanmöpse mit krallen schwarzen Augen auf den Mann und das Kind, und auf dem Dach des strohgedeckten Lehmhauses quietscht die Wetterfahne, ein langer hölzerner Fisch.

Es ist ein trauriges Einschlafen. Daniel denkt an die hohen kupferfarbenen Segel, die weiter und weiter hinaus auf das graugrüne Wasser fahren, ohne ihn, ohne den kleinen Daniel. Wann werden sie ihn endlich mitnehmen zu den Fischen, zu der Insel, zur Mutter! Und er betet um ein Wunder, um das ganz große Wunder, daß eins der Boote umkehrt und ihn holt. Die Katze liegt mit in Daniels Bett, und das Meer rauscht sein brausendes Nachtlied.

Es war zwei Tage später am frühen Morgen. Die Sonne arbeitete sich langsam durch eine dicke Nebelschicht. Leise fielen die ersten lichten Strahlen auf das Wasser. Der kleine Hafen des Stranddorfes war still. Aus den Schornsteinen stieg der erste Rauch auf. Die Frauen gingen an ihr Tagewerk. Mit seinem struppigen blonden Haar und den aufmerksam suchenden blauen Augen stand der kleine Daniel am Hafen. So stand er seit der Abfahrt der Boote zu allen möglichen Stunden und wartete. Durch die Stille des Morgens und des Nebels drang ein leises Rauschen. Der leichte Nordost teilte die graue Decke über dem Wasser. Daniel spitzte die Ohren wie ein wachsamer Hund. Das war nicht nur die Bewegung von Wind und Wasser, das war mehr! Und kupferrot, hoch und lebendig tauchte im hellen Sonnenstrahl dieser frühen Stunde ein Segel auf. Ach, er hatte es ja gewußt, ganz sicher gewußt, sie kamen, ihn zu holen. Daniel schrie, sprang, winkte, rannte herum, und Bello, der schwarze Pudel, bellte wie ein Unsinniger. Das Wunder war da, das große Wunder! – Wenn auch Daniel bald begriff, daß der Fischer Kemp nicht umgekehrt war – als einziger der sieben Boote –, um die Sehnsucht eines Kindes zu erfüllen –, sondern weil er Bruch in der Takelage hatte und reparieren mußte, so verkleinerte dieser Umstand keineswegs das Wunder ın seinen Augen. Er hockte Stunde um Stunde bei Franz Kemp und den beiden jungen Fischern, denen das Boot gehörte, und machte ihnen flehentlich klar, sie mußten ihn mitnehmen. Franz Kemp lachte, aber wenn er an die stumme Frau auf der einsamen Insel dachte, wie er sie am letzten Weihnachten gesehen, grau und freudlos arbeitend, da kam in sein Lachen ein anderer Ton.

Es ist zwei Wochen später, schon Mitte November, daß das kupferne Segel sich in der ersten Morgendämmerung langsam und ernst wieder aus dem Hafen schiebt. Hinter seinen Seestiefeln, in die er all sein Hab und Gut verpackt hat, sitzt strahlend und stumm der kleine Daniel im Boot. Er wagt kein Wort, keine Bewegung, in der wahnsinnigen Angst, die drei Männer könnten ihn noch in letzter Stunde wieder an Land verstoßen. Kleiner rotbackiger Daniel, mit der blauen Wollmütze auf dem runden Kopf, die Arme um die hohen Stiefel des Vaters geschlagen, gibt es etwas Seligeres auf der ganzen Welt wie dich an diesem grauen Novembermorgen?

Großvater und Bello stehen am Ufer. Sie haben es schwer eingesehen, daß ihr Daniel fort muß. Aber beide sind alt und müde. Über die weite See sind Winterstürme gezogen, auch über die Insel. Das Schilfdach der Hütte ist undicht geworden. Mit rauhen Händen flickt und bessert Mathilde Runge. Ihr Gesicht ist hart, in den Augen scheint Öde und Verlassenheit dieser Welt eingedrungen zu sein. Aber Weihnachten ist nah. Ein Schimmer von Unruhe, Vorbereitung, Erwartung liegt auch über der kleinen grauen Hütte.

In der fernen lebendigen Welt wird gekauft und gearbeitet. Da stehen auf den Märkten die Weihnachtsbäume, da duften die Häuser nach Kuchen und Tannennadeln, da gibt es verschlossene Türen und erwartende Kinder. Das »Siehe, ich verkündige Euch große Freude« steht über der Erde. Mathilde Runge weiß das alles nicht mehr. Sie denkt an ein dunkles Wellengrab und schließt ihre Herzenstür zu vor dieser Zeit des Leuchtens.

222

Aber sie schafft und bereitet in der Inselhütte das Lager für die Männer der sieben Boote, sie backt Brot und mischt in den Teig Zucker, damit es wie Kuchen sei. Und sie überzählt die Vorräte an gedörrtem Fisch und geräuchertem Fleisch, an Reis und Fett, an Holz und Tannenzapfen, an Tran und Schnaps. Die Boote werden noch hinzubringen, was fehlt. Aber sie ist stolz, so sparsam gewirtschaftet zu haben. Es kam im Herbst ein großer Segler vorbei, ein Däne, und die fremden Leute gingen an Land. Sie haben ihr einiges Gute dagelassen in staunendem Mitleid vor dieser einsamen Frau. So hat sie manches, was die Männer des Dorfes nicht kennen. Sie ist die graue stille Mutter der kommenden Gäste und der verlassenen Weihnachtsinsel.

Es ist der Morgen des 24. Dezember. Die Insel ist weiß im Schnee. In der Nacht kam es in dichten Wolken über das Meer. Auf dem Schilfdach liegt die weiße Decke, rings um die Hütte ist nicht eine Fußspur zu sehen. Der Stall, in dem Maria und Joseph zur Heiligen Nacht Unterkunft fanden, mag nicht ärmlicher und verlassener dagestanden haben als dieses Haus, in dem die Fischer einkehren sollten. Aber eine helle Sonne steht nun über allem. Himmel und Wasser werden blau, und ein stetiger kalter Ostwind weht über die Flut. Im Stall blöken die Milchschafe, Mathilde wirft ihnen das Heu vor. Es ist das einzige Getier, das hier gedeiht und im Sommer Futter findet. Sie bekommen heute ein reichliches Teil, Mathilde weiß kaum, daß es geschieht. Aber etwas vom weihnachtlichen Schenkenwollen liegt heute auch in ihren harten Händen.

Jetzt tauchen sie auf, die Segel, eins, zwei, nun zählt sie schon fünf. Schwer schlägt ihr Herz. Sie soll wieder Menschen sehen, Männer ihres Dorfes. Schnell geht sie ins Haus, wirft Holzbalken auf die Feuerstätte, es flammt hoch auf. Das Rauchfleisch kocht in dem schwarzen Eisentopf, am geschmiedeten Haken hängend. Der Raum ist von salzig kräftigem Duft erfüllt. Kiefernzweige wirft sie auf die Glut. Es soll nach Weihnachten riechen. Aber sie geht nie hinunter zur Bucht, sie kann es nicht. Es wäre immer wieder unerträglich, daß der große Martin Runge nicht lachend an Land steigt. Keinen Schritt geht sie den Männern entgegen. Sie läuft, als sich Stimmen nähern, in den Stall, um nochmal nach den Schafen zu sehen. Dann, als sie die Männer im Hause hört, geht sie vor die Stalltür, um einen Blick auf die langen schwarzen Boote in der Bucht zu tun. Die Hütte liegt ein wenig hoch. Als sie vor das Haus kommt, sieht sie neben den großen tiefen Fußstapfen der Männer im Schnee unfaßlich kurze Spuren. Sie ist plötzlich so schwach und haltlos, daß sie hinknien muß. Sie muß mit den Händen die kleinen Spuren fühlen und ausmessen, glühendheiße Tränen fallen in die kleinen derben Stiefelabdrücke. Mathildes erste Tränen, seit der Mann ertrank. Noch kniet sie so, da geht die Tür auf. Daniel stürzt laut schreiend und jubelnd auf die Mutter zu und erdrückt sie fast mit seinen beiden festen Kinderarmen in wilder Seligkeit. Sie kann nichts wie schluchzen, unaufhaltsam, wie Eisblöcke im Tauwind zu Tal gerissen werden, ein befreiter Strom.

Es treten die Männer in die Tür. Es kommen noch welche von der Bucht herauf, aber sie schweigen, sie gehen in das Haus. Nur Daniel ruft und jubelt immerfort: »Mutter, ich bin auf See gewesen, Mutter, heute ist Weihnachten. Und ich hab' was für dich, du kannst es nicht raten!« –

Es ist später Abend, die dunklen Fischergestalten liegen und sitzen in dem großen Raum um den Feuerplatz. Sie sind satt und müde. Aber es ist heute anders als in den letzten Jahren. Ein helles Licht ist allen aufgegangen wie den Hirten auf dem Felde.

Eifrig und andächtig hat der kleine Daniel gesagt: »Siehe, ich verkündige euch große Freude!« Und die weite, graue See rauscht ihr gewaltiges Weihnachtslied dazu. Wäre der Stern von Bethlehem in dieser Nacht wieder über den Himmel gezogen, er möchte über der Inselhütte still gestanden haben.

Neben dem Feuerplatz stehen Martin Runges lange Seestiefel, aus denen Daniel wichtig all seine Habe herausholt.

»Die kriegst du zu Weihnachten, Mutter, weil sie mir noch zu groß sind. Dann kannst du auch zur See fahren.«

Als alles schläft und die Glut niedergebrannt ist und Daniel heiß und satt sich wie ein kleiner Hund zusammengerollt hat und rotbackig und fest schläft, wie er es an Bord getan, nimmt ihn Mathilde leise auf den Arm und trägt ihn in ihre Kammer. Da legt sie ihn in ihr Bett, und wieder kniet sie hin wie bei den Fußspuren im Schnee und weint. Sie muß dem Jesuskind danken.

Am Dreikönigstag laufen die hohen Segel wieder aus. Aber Daniel bleibt bei seiner Mutter. Er sieht ein, er muß ihr helfen. Aber wenn der Frühlingswind kommt, dann werden die Boote ihn wohl holen. Bis dahin wird er Mutter alles erzählt haben, was er auf See erlebt hat. Und sie wird einsehen, daß er bestimmt wieder mit hinaus muß. Und dann wird er bald bei ihr auf der Insel, bald bei den Männern in den Booten sein. Welch ein Leben voller Wunder!

Über der Weihnachtsinsel stehen auch heute die Sterne. Einsam und leer liegt wohl die graue Hütte, wir wissen es nicht. Aber leise reden am Strand die Wellen von kleinen Jungenfüßen, die ihre Spur im Schnee ließen und ihren Weg in die verschneite Welt einer Seele fanden.

Das Paket des lieben Gottes

Nehmt eure Stühle und eure Teegläser mit hier hinten an den Ofen und vergeßt den Rum nicht. Es ist gut, es warm zu haben, wenn man von der Kälte erzählt.

Manche Leute, vor allem eine gewisse Sorte Männer, die etwas gegen Sentimentalität hat, haben eine starke Aversion gegen Weihnachten. Aber zumindest *ein* Weihnachten in meinem Leben ist bei mir wirklich in bester Erinnerung. Das war der Weihnachtsabend 1908 in Chicago. Ich war Anfang November nach Chicago gekommen, und man sagte mir sofort, als ich mich nach der allgemeinen Lage erkundigte, es würde der härteste Winter werden, den diese ohnehin genügend unangenehme Stadt zustande bringen könnte. Als ich fragte, wie es mit den Chancen für einen Kesselschmied stünde, sagte man mir, Kesselschmiede hätten keine Chancen, und als ich eine halbwegs mögliche Schlafstelle suchte, war alles zu teuer für mich. Und das erfuhren in diesem Winter 1908 viele in Chicago, aus allen Berufen.

Und der Wind wehte scheußlich vom Michigansee herüber durch den ganzen Dezember, und gegen Ende des Monats schlossen auch noch eine Reihe großer Fleischpackereien ihren Betrieb und warfen eine ganze Flut von Arbeitslosen auf die kalten Straßen.

Wir trabten die ganzen Tage durch sämtliche Stadtviertel und suchten verzweifelt nach etwas Arbeit und waren froh, wenn wir am Abend in einem winzigen, mit erschöpften Leuten angefüllten Lokale im Schlachthofviertel unterkommen konnten. Dort hatten wir es wenigstens warm und konnten ruhig sitzen. Und wir saßen, solange es irgend ging mit *einem* Glas Whisky, und wir sparten alles den Tag über auf für dieses eine Glas

Whisky, in das noch Wärme, Lärm und Kameraden mit einbegriffen waren, all das, was es an Hoffnung für uns noch gab.

Dort saßen wir auch am Weihnachtsabend dieses Jahres, und das Lokal war noch überfüllter als gewöhnlich und der Whisky noch wäßriger und das Publikum noch verzweifelter. Es ist einleuchtend, daß weder das Publikum noch der Wirt in Feststimmung geraten, wenn das ganze Problem der Gäste darin besteht, mit einem Glas eine ganze Nacht auszureichen, und das ganze Problem des Wirtes, diejenigen hinauszubringen, die leere Gläser vor sich stehen hatten.

Aber gegen zehn Uhr kamen zwei, drei Burschen herein, die, der Teufel mochte wissen woher, ein paar Dollars in der Tasche hatten, und die luden, weil es doch eben Weihnachten war und Sentimentalität in der Luft lag, das ganze Publikum ein, ein paar Extragläser zu leeren. Fünf Minuten darauf war das ganze Lokal nicht wiederzuerkennen. Alle holten sich frischen Whisky (und paßten nun ungeheuer genau darauf auf, daß ganz korrekt eingeschenkt wurde), die Tische wurden zusammengerückt, und ein verfroren aussehendes Mädchen wurde gebeten, einen Cakewalk zu tanzen, wobei sämtliche Festteilnehmer mit den Händen den Takt klatschten. Aber was soll ich sagen, der Teufel mochte seine schwarze Hand im Spiel haben, es kam keine rechte Stimmung auf.

Ja, geradezu von Anfang an nahm die Veranstaltung einen direkt bösartigen Charakter an. Ich denke, es war der Zwang, sich beschenken lassen zu müssen, der alle so aufreizte. Die Spender dieser Weihnachtsstimmung wurden nicht mit freundlichen Augen betrachtet. Schon nach den ersten Gläsern des gestifteten Whiskys wurde der Plan gefaßt, eine regelrechte Weihnachtsbescherung, sozusagen ein Unternehmen größeren Stils, vorzunehmen.

Da ein Überfluß an Geschenkartikeln nicht vorhanden war, wollte man sich weniger an direkt wertvolle und mehr an solche Geschenke halten, die für die zu Beschenkenden passend waren und vielleicht sogar einen tieferen Sinn hatten.

So schenkten wir dem Wirt einen Kübel mit schmutzigem Schneewasser von draußen, wo es davon gerade genug gab, *damit er mit seinem alten Whisky noch ins neue Jahr hinausreichte.* Dem Kellner schenkten wir eine alte, zerbrochene Konservenbüchse, *damit er wenigstens ein anständiges Servicestück hätte,* und einem zum Lokal gehörigen Mädchen ein schartiges Taschenmesser, *damit sie wenigstens die Schicht Puder vom vergangenen Jahr abkratzen könnte.*

Alle diese Geschenke wurden von den Anwesenden, vielleicht nur die Beschenkten ausgenommen, mit herausforderndem Beifall bedacht. Und dann kam der Hauptspaß.

Es war nämlich unter uns ein Mann, der mußte einen schwachen Punkt haben. Er saß jeden Abend da, und Leute, die sich auf dergleichen verstanden, glaubten mit Sicherheit behaupten zu können, daß er, so gleichgültig er sich auch geben mochte, eine gewisse, unüberwindliche Scheu vor allem, was mit der Polizei zusammenhing, haben mußte. Aber jeder Mensch konnte sehen, daß er in keiner guten Haut steckte.

Für diesen Mann dachten wir uns etwas ganz Besonderes aus. Aus einem alten Adreßbuch rissen wir mit Erlaubnis des Wirtes drei Seiten aus, auf denen lauter Polizeiwachen standen, schlugen sie sorgfältig in eine Zeitung und überreichten das Paket unserem Mann.

Es trat eine große Stille ein, als wir es überreichten. Der Mann nahm das Paket zögernd in die Hand und sah uns mit einem etwas kalkigen Lächeln von unten herauf an. Ich merkte, wie er mit den Fingern das Paket anfühlte, um schon vor dem Öffnen festzustellen, was darin sein könnte. Aber dann machte er es rasch auf.

Und nun geschah etwas sehr Merkwürdiges. Der Mann nestelte eben an der Schnur, mit der das »Geschenk« verschnürt war, als sein Blick, scheinbar abwesend, auf das Zeitungsblatt fiel, in das die interessanten Adreßbuchblätter geschlagen waren. Aber da war sein Blick schon nicht mehr abwesend. Sein ganzer dünner Körper (er war sehr lang) krümmte sich sozusagen um das Zeitungsblatt zusammen, er bückte sein Gesicht tief darauf herunter und las. Niemals, weder vor- noch nachher, habe ich je einen Menschen so lesen sehen. Er verschlang das, was er las, einfach. Und dann schaute er auf. Und wieder habe ich niemals, weder vor- noch nachher, einen so strahlend schauen sehen wie diesen Mann.

»Da lese ich eben in der Zeitung«, sagte er mit einer verrosteten, mühsam ruhigen Stimme, die in lächerlichem Gegensatz zu seinem strahlenden Gesicht stand, »daß die ganze Sache einfach schon lang aufgeklärt ist. Jedermann in Ohio weiß, daß ich mit der ganzen Sache nicht das geringste zu tun hatte.« Und dann lachte er.

Und wir alle, die erstaunt dabeistanden und etwas ganz anderes erwartet hatten und fast nur begriffen, daß der Mann unter irgendeiner Beschuldigung gestanden und inzwischen, wie er eben aus diesem Zeitungsblatt erfahren hatte, rehabilitiert worden war, fingen plötzlich an, aus vollem Halse und fast aus dem Herzen mitzulachen, und dadurch kam ein großer Schwung in unsere Veranstaltung, die gewisse Bitterkeit war überhaupt vergessen, und es wurde ein ausgezeichnetes Weihnachten, das bis zum Morgen dauerte und alle befriedigte.

Und bei dieser allgemeinen Befriedigung spielte es natürlich gar keine Rolle mehr, daß dieses Zeitungsblatt nicht wir ausgesucht hatten, sondern Gott.

Monolog eines Kellners

Ich weiß nicht, wie es hat geschehen können; schließlich bin ich
kein Kind mehr, bin fast fünzig Jahre und hätte wissen müssen,
was ich tat – und hab's doch getan, noch dazu, als ich schon
Feierabend hatte und mir eigentlich nichts mehr hätte passieren
können. Aber es ist passiert, und so hat mir der Heilige Abend
die Kündigung beschert. Alles war reibungslos verlaufen: Ich
hatte beim Dinner serviert, kein Glas umgeworfen, keine So-
ßenschüssel umgestoßen, keinen Rotwein verschüttet, mein
Trinkgeld kassiert und mich auf mein Zimmer zurückgezogen,
Rock und Krawatte aufs Bett geworfen, die Hosenträger von
den Schultern gestreift, meine Flasche Bier geöffnet, hob gerade den Deckel von der Terrine und roch: Erbsensuppe. Die
hatte ich mir beim Koch bestellt, mit Speck, ohne Zwiebeln,
aber sämig, sämig. Sie wissen sicher nicht, was sämig ist; es
würde zu lange dauern, wenn ich es Ihnen erklären wollte:
Meine Mutter brauchte drei Stunden, um zu erklären, was sie
unter sämig verstand. Na, die Suppe roch herrlich, und ich
tauchte die Schöpfkelle ein, füllte meinen Teller, spürte und
sah, daß die Suppe richtig sämig war – da ging meine Zimmer-
tür auf, und herein kam der Bengel, der mir beim Dinner auf-
gefallen war: klein, blaß, bestimmt nicht älter als acht, hatte
sich den Teller hoch füllen und alles, ohne es anzurühren, wieder abservieren lassen: Truthahn und Kastanien, Trüffeln und
Kalbfleisch, nicht mal vom Nachtisch, den doch kein Kind vor-
übergehen läßt, hatte er auch nur einen Löffel gekostet, ließ
sich fünf halbe Birnen und 'nen halben Eimer Schokoladensoße
auf den Teller kippen und rührte nichts, aber auch nichts an,
und sah doch dabei nicht mäklig aus, sondern wie jemand, der
nach einem bestimmten Plan handelt. Leise schloß er die Tür

hinter sich und blickte auf meinen Teller, dann mich an: »Was ist denn das?« fragte er. »Das ist Erbsensuppe«, sagte ich. – »Die gibt es doch nicht«, sagte er freundlich, »die gibt es doch nur in dem Märchen von dem König, der sich im Wald verirrt hat.« Ich hab's gern, wenn Kinder mich duzen; die Sie zu einem sagen, sind meistens affiger als die Erwachsenen. »Nun«, sage ich, »eins ist sicher: Das ist Erbsensuppe.« – »Darf ich mal kosten?« – »Sicher, bitte«, sagte ich, »setz dich hin.« Nun, er aß drei Teller Erbsensuppe, ich saß neben ihm auf meinem Bett, trank Bier und rauchte und konnte richtig sehen, wie sein kleiner Bauch rund wurde, und während ich auf dem Bett saß, dachte ich über vieles nach, was mir inzwischen wieder entfallen ist; zehn Minuten, fünfzehn, eine lange Zeit, da kann einem schon viel einfallen, auch über Märchen, über Erwachsene, über Eltern und so. Schließlich konnte der Bengel nicht mehr, ich löste ihn ab, aß den Rest der Suppe, noch eineinhalb Teller, während er auf dem Bett neben mir saß. Vielleicht hätte ich nicht in die leere Terrine blicken sollen, denn er sagte: »Mein Gott, jetzt habe ich dir alles aufgegessen.« – »Macht nichts«, sagte ich, »ich bin noch satt geworden. Bist du zu mir gekommen, um Erbsensuppe zu essen?« – »Nein, ich suchte nur jemand, der mir helfen kann, eine Kuhle zu finden; ich dachte, du wüßtest eine.« Kuhle, Kuhle, dann fiel mir's ein, zum Murmelspielen braucht man eine, und ich sagte: »Ja, weißt du, das wird schwer sein, hier im Haus irgendwo eine Kuhle zu finden.« – »Können wir nicht eine machen«, sagte er, »einfach eine in den Boden des Zimmers hauen?« Ich weiß nicht, wie es hat geschehen können, aber ich hab's getan, und als der Chef mich fragte: Wie konnten Sie das tun?, wußte ich keine Antwort. Vielleicht hätte ich sagen sollen: Haben wir uns nicht verpflichtet, unseren Gästen jeden Wunsch zu erfüllen, ihnen ein harmonisches Weihnachtsfest zu garantieren? Aber ich hab's nicht gesagt, ich hab geschwiegen. Schließlich konnte ich nicht ahnen, daß seine Mutter über das Loch im Parkettboden

231

stolpern und sich den Fuß brechen würde, nachts, als sie betrunken aus der Bar zurückkam. Wie konnte ich das wissen? Und daß die Versicherung eine Erklärung verlangen würde, und so weiter, und so weiter. Haftpflicht, Arbeitsgericht, und immer wieder: unglaublich, unglaublich. Sollte ich ihnen erklären, daß ich drei Stunden, drei geschlagene Stunden lang mit dem Jungen Kuhle gespielt habe, daß er immer gewann, daß er sogar von meinem Bier getrunken hat – bis er schließlich todmüde ins Bett fiel? Ich hab nichts gesagt, aber als sie mich fragten, ob ich es gewesen bin, der das Loch in den Parkettboden geschlagen hat, da konnte ich nicht leugnen; nur von der Erbsensuppe haben sie nichts erfahren, das bleibt unser Geheimnis. Fünfunddreißig Jahre im Beruf, immer tadellos geführt. Ich weiß nicht, wie es hat geschehen können; ich hätte wissen müssen, was ich tat, und hab's doch getan: Ich bin mit dem Aufzug zum Hausmeister hinuntergefahren, hab' Hammer und Meißel geholt, bin mit dem Aufzug wieder raufgefahren, hab' ein Loch in den Parkettboden gestemmt. Schließlich konnte ich nicht ahnen, daß seine Mutter darüber stolpern würde, als sie nachts um vier betrunken aus der Bar zurückkam. Offen gestanden, ganz so schlimm finde ich es nicht, auch nicht, daß sie mich rausgeschmissen haben. Gute Kellner werden überall gesucht.

Felix holt Senf

Es war am Weihnachtsabend im Jahre 1927 gegen sechs Uhr, und Preissers hatten eben beschert. Der Vater balancierte auf einem Stuhl dicht vorm Weihnachtsbaum und zerdrückte die Stearinflämmchen zwischen den angefeuchteten Fingern. Die Mutter hantierte draußen in der Küche, brachte das Eßgeschirr und den Kartoffelsalat in die Stube und meinte: »Die Würstchen sind gleich heiß!« Ihr Mann kletterte vom Stuhl, klatschte fidel in die Hände und rief ihr nach: »Vergiß den Senf nicht!« Sie kam, statt zu antworten, mit dem leeren Senfglas zurück und sagte: »Felix, hol Senf! Die Würstchen sind sofort fertig.« Felix saß unter der Lampe und drehte an einem kleinen billigen Fotoapparat herum. Der Vater versetzte dem Fünfzehnjährigen einen Klaps und polterte: »Nachher ist auch noch Zeit. Hier hast du Geld. Los, hol Senf! Nimm den Schlüssel mit, damit du nicht zu klingeln brauchst. Soll ich dir Beine machen?«

Felix hielt das Senfglas, als wollte er damit fotografieren, nahm Geld und Schlüssel und lief auf die Straße. Hinter den Ladentüren standen die Geschäftsleute ungeduldig und fanden sich vom Schicksal ungerecht behandelt. Aus den Fenstern aller Stockwerke schimmerten die Christbäume. Felix spazierte an hundert Läden vorbei und starrte hinein, ohne etwas zu sehen. Er war in einem Schwebezustand, der mit Senf und Würstchen nichts zu tun hatte. Er war glücklich, bis ihm vor lauter Glück das Senfglas aus der Hand aufs Pflaster fiel. Die Rolläden prasselten an den Schaufenstern herunter, und Felix merkte, daß er sich seit einer Stunde in der Stadt herumtrieb. Die Würstchen waren inzwischen längst geplatzt! Er brachte es nicht über sich, nach Hause zu gehen. So ganz ohne Senf! Gerade heute hätte er Ohrfeigen nicht gut vertragen.

Herr und Frau Preisser aßen die Würstchen mit Ärger und ohne Senf. Um acht wurden sie ängstlich. Um neun liefen sie aus dem Haus und klingelten bei Felix' Freunden. Am ersten Weihnachtsfeiertag verständigten sie die Polizei.

Sie warteten drei Tage vergebens. Sie warteten drei Jahre vergebens. Langsam ging ihre Hoffnung zugrunde, schließlich warteten sie nicht mehr und versanken in hoffnungslose Traurigkeit.

Die Weihnachtsabende wurden von nun an das Schlimmste im Leben der Eltern. Da saßen sie schweigend vorm Christbaum, betrachteten den kleinen billigen Fotoapparat und ein Bild ihres Sohnes, das ihn als Konfirmanden zeigte, im blauen Anzug, den schwarzen Filzhut keck auf dem Ohr. Sie hatten den Jungen so liebgehabt, und daß der Vater manchmal eine lockere Hand bewiesen hatte, war doch nicht böse gemeint gewesen, nicht wahr? Jedes Jahr lagen die zehn alten Zigarren unterm Baum, die Felix dem Vater damals geschenkt hatte, und die warmen Handschuhe für die Mutter. Jedes Jahr aßen sie Kartoffelsalat mit Würstchen, aber aus Pietät ohne Senf. Das war ja auch gleichgültig, es konnte ihnen doch niemals wieder schmecken.

Sie saßen nebeneinander, und vor ihren weinenden Augen verschwammen die brennenden Kerzen zu großen glitzernden Lichtkugeln. Sie saßen nebeneinander, und er sagte jedes Jahr: »Diesmal sind die Würstchen aber ganz besonders gut.« Und sie antwortete jedesmal »Ich hol' dir die von Felix noch aus der Küche. Wir können jetzt nicht mehr warten.«

Doch um es rasch zu sagen: Felix kam wieder. Das war am Weihnachtsabend im Jahre 1932 kurz nach sechs Uhr . . Die Mutter hatte die heißen Würstchen hereingebracht, da meinte der Vater: »Hörst du nichts? Ging nicht eben die Tür?« Sie lauschten und aßen dann weiter. Als jemand ins Zimmer trat, wagten sie nicht, sich umzudrehen. Eine zitternde Stimme sagte: »So, da ist der Senf, Vater.« Und eine Hand schob sich zwischen den beiden alten Leuten hindurch und stellte wahrhaftig ein gefülltes Senfglas auf den Tisch.

Die Mutter senkte den Kopf ganz tief und faltete die Hände. Der Vater zog sich am Tisch hoch, drehte sich trotz der Tränen lächelnd um, hob den Arm, gab dem jungen Mann eine schallende Ohrfeige und sagte: »Das hat aber ziemlich lange gedauert, du Bengel. Setz dich hin!«

Was nützt der beste Senf der Welt, wenn die Würstchen kalt werden? Daß sie kalt wurden, ist erwiesen. Felix saß zwischen den Eltern und erzählte von seinen Erlebnissen in der Fremde, von fünf langen Jahren und vielen wunderbaren Sachen. Die Eltern hielten ihn bei den Händen und hörten vor Freude nicht zu ...

Unterm Christbaum lagen Vaters Zigarren, Mutters Handschuhe und der billige Fotoapparat. Und es schien, als hätten fünf Jahre nur zehn Minuten gedauert. Schließlich stand die Mutter auf und sagte: »So, Felix, jetzt hol' ich dir deine Würstchen.«

LANGSTON HUGHES

Ein Heiligabend

Das farbige Dienstmädchen Arcie war schrecklich müde, als
sie, über den heißen Herd gebeugt, das Abendessen kochte.
Heute hatte sie zwischen den Mahlzeiten das ganze Haus für
die weiße Familie, bei der sie arbeitete, sauber gemacht, damit
zum morgigen Weihnachtstag alles fertig war. Jetzt schmerzte
sie der Rücken, und der Kopf tat ihr weh vor Müdigkeit. Nun,
sie würde ja bald gehen – wenn nur die Frau und die Kinder
zum Essen nach Hause kämen. Sie waren unterwegs, um immer noch mehr Sachen für den Tannenbaum einzukaufen, der
geputzt, mit Flittergold behangen und prächtig anzuschauen im
Wohnzimmer stand und darauf wartete, daß seine Kerzen angezündet würden.

Arcie wünschte, sie könnte für Joe einen Baum erschwingen. Er
hatte noch nie einen gehabt, und es ist doch so schön für ein
Kind, Weihnachten ein Bäumchen zu haben. Joe wurde bald
sechs.

Arcie starrte auf den Braten im Ofen der Weißen und machte
sich Gedanken, wieviel sie heute abend für Spielsachen ausgeben könne. Sie bekam nur sieben Dollar die Woche; vier mußte
sie der Wirtin für das Zimmer bezahlen und dafür, daß sie jeden Tag auf Joe aufpaßte, während sie, Arcie, arbeitete.

Gott, es ist schwieriger, als man sich vorstellt, ein Kind aufzuziehen, dachte Arcie.

Sie blickte nach der Uhr auf dem Küchentisch. Nach sieben.
Was machte die Weißen nur so verdammt rücksichtslos?
Warum bloß kamen sie nicht nach Hause zum Abendbrot? Sie
wußten doch, daß sie gehen wollte, bevor alle Geschäfte schlossen. Ihr blieb ja keine Zeit, für Joe etwas zu besorgen, wenn sie
sich nicht beeilten. Und ihre Wirtin wollte wahrscheinlich auch

einkaufen gehen und nicht länger den kleinen Joe auf dem Halse haben.

»Verdammt!« sagte Arcie vor sich hin. »Wenn ich mein Geld schon hätte, würde ich das Abendessen auf dem Herd stehenlassen. Ich muß es einfach noch schaffen, bevor die Läden zumachen.« Aber sie hatte ihr Geld für die Woche noch nicht Die Frau hatte versprochen, am Heiligabend zu zahlen, ein oder zwei Tage früher als sonst.

Arcie hörte eine Tür zuschlagen, dann Schwatzen und Lacher vorn im Haus. Sie lief aus der Küche und sah, wie sich die Frau und die Kinder den Schnee von den Mänteln klopften.

»Umm-mm! Es ist prima zum Heiligabend«, sagte eines der Kinder zu Arcie. »Es schneit wie verrückt, Mutter wäre beinahe bei rotem Licht weitergefahren. Man kann kaum sehen vor Schneeflocken. Prima!«

»Das Abendbrot ist fertig«, sagte Arcie. Sie dachte daran, daß sie mit ihren Schuhen im Schnee schlecht gehen konnte

Es schien, als ließen sich die Weißen heute so viel Zeit wie nur irgend möglich zum Essen. Während Arcie das Geschirr spülte, kam die Frau mit dem Geld.

»Arcie«, sagte die Frau, »es tut mir leid, aber würde es dir was ausmachen, wenn ich dir heute abend nur fünf Dollar gebe? Die Kinder haben mit ihren Geschenkeinkäufen und allem dafür gesorgt, daß ich knapp an Kleingeld bin.«

»Ich möchte gern sieben«, sagte Arcie. »Ich brauche sie.«

»Tja, sieben habe ich einfach nicht«, sagte die Frau. »Ich habe auch nicht gewußt, daß du das ganze Geld noch vor Ende der Woche haben wolltest. Ich kann es wirklich nicht erübrigen.«

Arcie nahm die fünf. Als sie aus der warmen Küche kam, packte sie sich ein, so gut sie konnte, und hetzte zu dem Haus, wo sie ein Zimmer zur Miete hatte, um Joe zu holen. Wenigstens konnte er sich in der Stadt die Weihnachtsbäume in den Schaufenstern ansehen.

Die Wirtin, eine starke, helle Farbige, hatte schlechte Laune.

Sie sagte zu Arcie: »Ich dachte, Sie kämen zeitig nach Hause und holten den Jungen. Sie müßten doch wissen, daß ich auch gelegentlich mal weggehen will.«

Arcie erwiderte nichts, denn hätte sie etwas gesagt, so hätte ihr die Wirtin wahrscheinlich an den Kopf geworfen, daß sie nicht danach bezahlt würde, um Tag und Nacht auf das Kind aufzupassen.

»Komm, Joe«, sagte Arcie zu ihrem Sohn. »Wir wollen auf die Straße gehen.«

»Stimmt es, daß der Weihnachtsmann in der Stadt ist?« sagte Joe und zwängte sich in seinen abgetragenen kleinen Mantel. »Ich möchte ihn gern sehen.«

»Weiß nichts davon«, sagte seine Mutter, »aber beeil dich und zieh die Gummischuhe an. Die Geschäfte machen gleich zu.«

Es waren sechs oder acht Straßen bis zum Geschäftsviertel. Sie stapften durch den fallenden Schnee, beide froren ein wenig. Aber wie schön war der Schnee! In der Hauptstraße baumelten strahlende rote und blaue Lampen. Vor dem Rathaus stand ein Weihnachtsbaum – aber es waren keine Geschenke daran, nur Lichter. In den Schaufenstern lag Spielzeug in Hülle und Fülle – zum Verkauf.

Joe hörte nicht auf mit seinem »Mama, ich möchte . . .«

Aber die Mutter lief weiter. Es war fast zehn, Ladenschlußzeit, und Arcie wollte für Joe ein Paar billige Handschuhe und etwas Warmes zum Anziehen und auch ein oder zwei Spielsachen kaufen. Sie hoffte, sie käme vielleicht an einem Ramschladen vorbei, der Kindersachen hätte. Und in dem Zehn-Cent-Laden könnte sie das Spielzeug kriegen.

»Oh! Sieh mal . . .«, rief Joe unaufhörlich und zeigte auf die Sachen in den Auslagen. Wie warm und freundlich die Lichter und die Läden und die Leuchtreklame durch das Schneegestöber aussahen.

Die Fausthandschuhe und die anderen Sachen kosteten Arcie mehr als einen Dollar. Bei A. & P. kaufte Arcie eine große

238

Schachtel harte Bonbons für neunundvierzig Cent. Und dann
schob sie sich mit Joe durch die Menge auf der Straße, bis sie
zu dem Zehn-Cent-Laden gelangten. Kurz vor dem Geschäft
kamen sie an einem Kino vorbei. Joe sagte, er wolle reingehen,
die Filme ansehen.

Arcie sagte: »Ba, ba! Nein, mein Junge. Hier sind wir nicht in
Baltimore, wo es auch Vorstellungen für Farbige gibt. In diesen
kleinen Städten hier lassen sie Farbige nicht rein. Wir können
da nicht rein.«

»Ach«, sagte Joe.

Im Zehn-Cent-Laden drängten sich fürchterlich viele Menschen. Arcie ermahnte Joe, draußen zu bleiben und auf sie zu
warten. In dem vollen Geschäft auf ihn aufzupassen, das wäre
ja was! Außerdem wollte sie ihn auch nicht sehen lassen, was
sie für Spielzeug kaufte. Das sollte morgen eine Überraschung
vom Weihnachtsmann werden.

Joe stand draußen vor dem Zehn-Cent-Laden im Licht und im
Schnee, viele Leute gingen vorüber. Uih, Weihnachten war
schön! Lauter Flimmer und Sterne und Watte. Und der Weihnachtsmann kam von irgendwoher und steckte schöne Sachen
in die Strümpfe. Und alle Leute in den Straßen schleppten Pakete, und die Kinder sahen fröhlich aus.

Aber Joe wurde es bald müde, nur so vor dem Zehn-Cent-
Laden zu stehen und nachzudenken und zu warten. Es gab in
den anderen Schaufenstern noch so viel zu bestaunen. Er ging
ein Stückchen die Straße entlang und dann noch ein Stückchen, lief und guckte. Er ging schließlich so weit, bis er zu dem
Kino der Weißen kam.

In der Vorhalle des Theaters, hinter den Glastüren, war es
warm und schrecklich fein, alles erstrahlte im Licht. Joe blieb
stehen und schaute hinein, und wie er so guckte, erkannte er
unter Palmenzweigen und fliegenden farbigen Bändern und
den Leuchtsternen der Vorhalle einen wunderbaren glänzenden Weihnachtsbaum. Daneben stand – umringt von Kindern

und Erwachsenen, alles Weiße natürlich – ein großer, freundlicher Mann in Rot. Oder war es kein Mensch? Joe riß die Augen weit auf. Nein, auf keinen Fall war es ein Mensch. Das war der Weihnachtsmann!

Der kleine Joe stieß eine der Glastüren auf und rannte in die Vorhalle des Kinos der Weißen. Stracks lief er durch die Menge und postierte sich so, daß er den Weihnachtsmann gut sehen konnte. Der teilte Gaben aus, kleine Geschenke für Kinder, Schachteln mit tierförmigem Gebäck und Lutschbonbons. Und hinter ihm am Baum hing ein großes Schild, das Joe natürlich nicht lesen konnte; darauf stand: Unseren kleinen Besuchern ein frohes Fest! Der Weihnachtsmann. Rings in der Vorhalle waren noch mehr Plakate: Besuchen Sie nach der Vorstellung mit Ihren Kindern unseren Weihnachtsmann. Und ein anderes Schild verkündete: Das GEM-Theater erfreut seine Gäste – besuchen Sie unseren Weihnachtsmann.

Und dort war nun der Weihnachtsmann in rotem Anzug und weißem Bart, über und über betupft mit glitzernden Schneeflocken, umgeben von Klappern und Trommeln und Schaukelpferden, aber die verschenkte er nicht. Doch die Schilder darüber erklärten (hätte sie Joe lesen können), daß sie am ersten Weihnachtstag auf der Bühne den glücklichen Gewinnern überreicht würden. Heute abend teilte der Weihnachtsmann nur Bonbons, Lutscher und Kekstiere an die Kinder aus. Joe wollte entsetzlich gern einen Lutscher haben. Er rückte an den Weihnachtsmann heran, bis er wirklih genau vor allen anderen stand. Und dann bemerkte der Weihnachtsmann den kleinen Joe.

Warum eigentlich grinsen die meisten Weißen immer, wenn sie ein Negerkind sehen? Der Weihnachtsmann grinste. Jedermann grinste und blickte auf den kleinen schwarzen Joe – der in der Vorhalle eines Theaters für Weiße nichts zu suchen hatte. Dann bückte sich der Weihnachtsmann und suchte verstohlen eine der zu gewinnenden Klappern, eine gewaltige, starke, laute Blechklapper, wie man sie beim Tingeltangel verwendet. Und er schlug sie grimmig, direkt auf Joe zu. Das war ein Spaß; die Weißen lachten, die Kinder und alle anderen. Aber der kleine Joe lachte nicht. Er fürchtete sich. Während die gewaltige Klapper dröhnte, machte er kehrt und flüchtete aus der warmen Vorhalle des Kinos hinaus auf die Straße, wo Schnee war und wo die Leute vorbeieilten. Von dem Gelächter erschreckt, hatte er zu weinen begonnen. Er suchte die Mama. Im Grunde seines Herzens hatte er sich niemals vorgestellt, daß der Weihnachtsmann gewaltige Klappern schlug, so auf Kinder zu, und dann lachte. In dem Gewimmel auf der Straße nahm er die falsche Richtung. Er fand weder den Zehn-Cent-Laden noch seine Mutter. Zu viele Leute waren unterwegs, alles Weiße, die sich wie weiße Schatten im Schnee bewegten, eine Welt von weißen Leuten. Joe dauerte es schrecklich lange, bis er endlich Arcie entdeckte, schwarz, besorgt; sie schob sich durch die vorüberflutende Menge und packte ihn. Obwohl sie die Arme voller Päckchen hatte, bekam sie es fertig, ihn mit nur einer freien Hand zu schütteln.

»Warum bleibst du nicht dort, wo ich dich hinstelle?« fragte sie laut. »Müde, wie ich schon bin, muß ich noch abends durch alle Straßen laufen und dich suchen. Ich könnte dich auf der Stelle verprügeln.«

Als Joe auf dem Nachhauseweg wieder zu Atem kam, erzählte er seiner Mama, daß er in dem Kino war.

»Aber der Weihnachtsmann gab mir nichts«, sagte Joe unter Tränen. »Er kam mit so viel Lärm auf mich zu, da bin ich rausgerannt.«

»Geschieht dir recht«, sagte Arcie, durch den Schnee watend. »Du hattest dort nichts verloren. Als ich wegging, hab' ich dir gesagt, du solltest warten.«

»Aber ich hab' den Weihnachtsmann dort drin gesehen«, sagte Joe, »da bin ich reingegangen.«

»Huh! Das war gar nicht der Weihnachtsmann«, sagte Arcie.

»Wenn er es gewesen wäre, hätte er dich nicht so behandelt. Das ist ein Kino für Weiße – ich hab' es dir doch gesagt –, und das war nur ein alter weißer Mann.«

»Och«, sagte der kleine Joe.

HILDE FÜRSTENBERG

Oleander und die Sterntaler

Allen Menschen wird im Laufe ihres Lebens mindestens ein besonderes Weihnachtsfest geschenkt, eines, das sich von allen
anderen unterscheidet; das seltsamste Weihnachtsfest jedoch
erlebte der Dichter Oleander – für ihn bezahlte an einem Heiligen Abend eine kleine Holzfigur mit Sterntalern seine irdischen
Rechnungen. Und das geschah also:
Oleander saß am Nachmittag vor dem Weihnachtsfest in seiner
Stube und zählte sein Geld. Es war – wie das bei den Dichtern
meist ist – zu wenig. Als der Herbst begann, hatte Oleander
sich vorgenommen, diesmal ein richtiges Weihnachtsfest zu feiern, aber je näher das Fest kam, desto kleiner wurden seine
Pläne. Das Mikroskop für den Bruder gab er zuerst auf – von
einem Bruder verlangt man Verständnis –, dann verzichtete er
auf den Korb mit Früchten und Wein, den seine Wirtin hatte
haben sollen. Er zahlte ja seine Miete, und wenn er auch hin
und wieder einen Teller Suppe bekam oder in der geheizten
Küche sitzen durfte, so brauchte er dafür ja noch nicht solche
Geschenke zu machen. Er war eben ein armer Dichter, und
seine Armut war der Mitwelt größere Schande als ihm. Am
schmerzlichsten war es jedoch, daß er darauf verzichten mußte,
Fräulein Jane nebenan, die ihm immer so freundlich Bücher
lieh, einen Kasten Schokolade mit Tannenzweig zu schenken.
Gleichzeitig hätte er ihr seine Gedichte überreichen können, es
wäre ein schönes Geschenk gewesen. Die handgeschriebenen
Gedichte allein sahen zu billig aus, das ging nicht.
Ob er versuchen sollte, bei dem Krämer nebenan einen solchen
Kasten Schokolade auf Kredit zu erwerben? Herr Michelsen
hatte zwar gestern erst durch seine Wirtin sagen lassen, Herr
Oleander möge endlich seine Schulden bezahlen, aber am

Weihnachtsabend ließ er vielleicht noch einmal mit sich reden. So groß waren ja auch die Schulden nicht. Oleander suchte die kleinen Zettel aus der Tischschublade und rechnete die Endsummen zusammen: nicht ganz zehn Mark. Oleander dachte, ob er nun zehn oder zwölf Mark schuldig war – Herr Michelsen war ein reicher Mann. Entschlossen machte der Dichter sich auf den Weg. An Michelsens Eingang standen zwei dunkelgrüne Tannenbäume, im Laden drängte sich die Menge zu den letzten Weihnachtseinkäufen. Oleander ging einige Male vor den hellerleuchteten Schaufenstern hin und her, er getraute sich nicht, hineinzugehen. Einmal sah er Herrn Michelsen mit einer Dame nahe bei der Türe stehen, sie sprachen miteinander und sahen zu ihm hin. Gleich darauf ging die Dame an dem jungen Dichter vorüber, sie lächelte ihn freundlich an, blonde Haare quollen unter ihrer dunklen Pelzmütze hervor, braune Augen grüßten ihn zärtlich. Oleander wurde verlegen und ging schnell davon. Traurig irrte er in den Straßen umher, spät erst kam er zurück in seine Stube. Er mochte kein Licht mehr anzünden, hastig zog er seine Kleider aus und legte sich zu Bett. Von einer Straßenlaterne fiel Helligkeit auf die kleine, ihm liebgewordene Holzfigur, ein fröhliches Mädchen, eine Art Schutzgeist darstellend, die er vor Jahren von einer Reise in die Berge heimgebracht hatte. Oleander seufzte, wandte das Gesicht zur Wand und schloß die Augen. Heute gefiel ihm sein Schutzengel auf der Kommode gar nicht, so sehr er auch das holzgeschnitzte Mädchen liebte – er war zu betrübt. »Gewiß«, sagte er leise, »ich weiß, daß du so schön wie immer bist, aber, siehst du, selbst unserer Liebe ist der Geldmangel im Wege. Auf Erden ist es so und nicht anders –.«
Nach einer kleinen Weile meinte er ein leises Knistern zu hören, er wandte sich um und sah, wie die Figur auf der Kommode sich bewegte. Kein Zweifel, sie lächelte auch. Vorsichtig und behutsam raffte sie mit der rechten Hand den blauen Sternenmantel zusammen und stand plötzlich vor dem Tisch mitten

im Zimmer, hoch und schlank wie Jane. Oleander wagte nicht, sich zu rühren, er lag ganz still und betrachtete die Erscheinung. Als sie den Kopf über den Tisch neigte, meinte er, sie sehe der blonden Dame ähnlich, die am Abend an ihm vorbeiging. Sie lächelte so freundlich. Dann, als sie zärtlich zu ihm hinübersah, entdeckte er, daß sie braune Augen hatte, groß und leuchtend wie jene Fremde; als sie jedoch auf dem Tisch hantierte, meinte er in den Bewegungen wieder eine Ähnlichkeit mit Jane zu erkennen. Oleander wurde verwirrt und seufzte leise. Das holde Mädchen indessen, das so plötzlich in das stille Leben Oleanders eingetreten war, zerriß langsam und sorgfältig die kleinen Zettel mit dem Schuldkonto, die auf dem Tische lagen, dann löste sie die Sterne von ihrem Mantel und legte sie auf das Papier. Oleander schüttelte den Kopf. »Was tust du?« sagte er verwundert.

»Auf Erden ist es so und nicht anders«, entgegnete sie.

Dies fand Oleander seltsam, aber er widersprach nicht. Man hatte es immerhin mit einer Erscheinung aus einer anderen Welt zu tun.

»Ich werde ein Gedicht machen für dich«, sagte der Dichter. Das Mädchen lächelte und häufte Sterne auf Sterne. Oleander wurde müde vom bloßen Zusehen und schlief ein.

Der helle Weihnachtsmorgen schaute durch die Scheiben, als Oleander erwachte. Still und unverändert stand die Figur auf der Kommode, die Sterne auf ihrem Mantel funkelten im blassen Goldglanz der Wintersonne. Oleander lächelte traurig. Als er jedoch auf seinen Tisch sah, entdeckte er zwei kleine Päckchen und einen Haufen Papierschnitzel. Die Schuldzettel: sie waren zerrissen. Der Dichter warf einen scheuen Blick nach der Kommode. Lächelte das Mädchen? War nicht ein kleines, vergnügtes Blinzeln in ihren Augenwinkeln? Was bedeutete dies?

Als die Wirtin ins Zimmer trat, stand Oleander verstört vor den Papierschnitzeln und den aufgelösten Päckchen. Eine Weihnachtsglocke aus Schokolade, eine Schachtel Zigaretten, ein Päckchen Kaffee.

»Frohe Weihnachten«, sagte die Frau. »Herr Oleander, so sehen sie aber nicht schön aus.« – »Wie?« Er fuhr mit der Hand durch seine ungeordneten Haare, knöpfte sein Hemd am Halse zu. »Wer hat dies –« fragte er.

»Ja, ist es nicht nett von Herrn Michelsen? Er war gestern abend hier, als sie weg waren, und brachte die Päckchen. Da fand er die Zettel und zerriß sie –«

Oleander seufzte und sah mit einem Lächeln nach der Kommode. Aber sein Schutzengel sah ihn nicht an und tat, als habe er mit der ganzen Sache nicht das geringste zu tun.

WOLFGANG BORCHERT

Die drei dunklen Könige

Er tappte durch die dunkle Vorstadt. Die Häuser standen ab-
gebrochen gegen den Himmel. Der Mond fehlte, und das Pflaster war erschrocken über den späten Schritt. Dann fand er
eine alte Planke. Da trat er mit dem Fuß gegen, bis eine Latte
morsch aufseufzte und losbrach. Das Holz roch mürbe und
süß. Durch die dunkle Vorstadt tappte er zurück. Sterne waren
nicht da.

Als er die Tür aufmachte (sie weinte dabei, die Tür), sahen ihm
die blaßblauen Augen seiner Frau entgegen. Sie kamen aus
einem müden Gesicht. Ihr Atem hing weiß im Zimmer, so kalt
war es. Er beugte sein knochiges Knie und brach das Holz.
Das Holz seufzte. Dann roch es mürbe und süß ringsum. Er
hielt sich ein Stück davon unter die Nase. Riecht beinahe wie
Kuchen, lachte er leise. Nicht, sagten die Augen der Frau, nicht
lachen. Er schläft.

Der Mann legte das süße mürbe Holz in den kleinen Blech-
ofen. Da glomm es auf und warf eine Handvoll warmes Licht
durch das Zimmer. Die fiel hell auf ein winziges rundes Gesicht
und blieb einen Augenblick. Das Gesicht war erst eine Stunde
alt, aber es hatte schon alles, was dazugehörte: Ohren, Nase,
Mund und Augen. Die Augen mußten groß sein, das konnte
man sehen, obgleich sie zu waren. Aber der Mund war offen,
und es pustete leise daraus. Nase und Ohren waren rot. Er lebt,
dachte die Mutter. Und das kleine Gesicht schlief.

Da sind noch Haferflocken, sagte der Mann. Ja, antwortete die
Frau, das ist gut. Es ist kalt. Der Mann nahm noch von dem süßen, weichen Holz. Nun hat sie ihr Kind gekriegt und muß
frieren, dachte er. Aber er hatte keinen, dem er dafür die Fäuste
ins Gesicht schlagen konnte. Als er die Ofentür aufmachte, fiel

247

wieder eine Handvoll Licht über das schlafende Gesicht. Die Frau sagte leise: Kuck, wie ein Heiligenschein, siehst du? Heiligenschein! dachte er, und er hatte keinen, dem er die Fäuste ins Gesicht schlagen konnte.

Dann waren welche an der Tür Wir sahen das Licht, sagten sie, vom Fenster. Wir wollen uns zehn Minuten hinsetzen. Aber wir haben ein Kind, sagte der Mann zu ihnen. Da sagten sie nichts weiter, aber sie kamen doch ins Zimmer, stießen Nebel aus den Nasen und hoben die Füße hoch. Wir sind ganz leise, flüsterten sie und hoben die Füße hoch. Dann fiel das Licht auf sie.

Drei waren es. In drei alten Uniformen. Einer hatte einen Pappkarton, einer einen Sack. Und der dritte hatte keine Hände. Erfroren, sagte er, und hielt die Stümpfe hoch. Dann drehte er dem Mann die Manteltasche hin. Tabak war darin und dünnes Papier. Sie drehten Zigaretten. Aber die Frau sagte: Nicht, das Kind.

Da gingen die vier vor die Tür, und ihre Zigaretten waren vier Punkte in der Nacht. Der eine hatte dicke umwickelte Füße. Er nahm ein Stück Holz aus seinem Sack. Ein Esel, sagte er, ich habe sieben Monate daran geschnitzt. Für das Kind. Das sagte er und gab es dem Mann. Was ist mit den Füßen? fragte der Mann. Wasser, sagte der Eselschnitzer, vom Hunger. Und der andere, der dritte? fragte der Mann und befühlte im Dunkeln den Esel. Der dritte zitterte in seiner Uniform: Oh, nichts, wisperte er, das sind nur die Nerven. Man hat eben zuviel Angst gehabt. Dann traten sie die Zigaretten aus und gingen wieder hinein.

Sie hoben die Füße hoch und sahen auf das kleine schlafende Gesicht. Der Zitternde nahm aus seinem Pappkarton zwei gelbe Bonbons und sagte dazu: Für die Frau sind die.

Die Frau machte die blassen Augen weit auf, als sie die drei Dunklen über das Kind gebeugt sah. Sie fürchtete sich. Aber da stemmte das Kind die Beine gegen ihre Brust und schrie so kräftig, daß die drei Dunklen die Füße aufhoben und zur Tür schlichen. Hier nickten sie noch mal, dann stiegen sie in die Nacht hinein.

Der Mann sah ihnen nach. Sonderbare Heilige, sagte er zu seiner Frau. Dann machte er die Tür zu. Schöne Heilige sind das, brummte er und sah nach den Haferflocken. Aber er hatte kein Gesicht für seine Fäuste.

Aber das Kind hat geschrien, flüsterte die Frau, ganz stark hat es geschrien. Da sind sie gegangen. Kuck mal, wie lebendig es ist, sagte sie stolz. Das Gesicht machte den Mund auf und schrie.

Weint er? fragte der Mann.

Nein, ich glaube, er lacht, antwortete die Frau.

Beinahe wie Kuchen, sagte der Mann und roch an dem Holz, wie Kuchen, ganz süß. Heute ist ja Weihnachten, sagte die Frau.

Ja, Weihnachten, brummelte er, und vom Ofen her fiel eine Handvoll Licht hell auf das kleine schlafende Gesicht.

MARIE LUISE KASCHNITZ

Das Wunder

Ein Kind sitzt da und wartet auf das Wunder,
und wenn das Wunder nicht kommt, ist alles aus
und vorbei...

Die Schwierigkeit, die man im Verkehr mit Don Crescenzo
hat, besteht darin, daß er stocktaub ist. Er hört nicht das geringste und ist zu stolz, den Leuten von den Lippen zu lesen.
Trotzdem kann man ein Gespräch mit ihm nicht einfach damit
anfangen, daß man etwas auf einen Zettel schreibt. Man muß
so tun, als gehöre er noch zu einem, als sei er noch ein Teil unserer lauten, geschwätzigen Welt.
Als ich Don Crescenzo fragte, wie das an Weihnachten gewesen sei, saß er auf einem der Korbstühlchen am Eingang seines
Hotels. Es war sechs Uhr, und der Strom der Mittagskarawa-
nen hatte sich verlaufen. Es war ganz still, und ich setzte mich
auf das andere Korbstühlchen, gerade unter das Barometer mit
dem Werbebild der Schiffahrtslinie, einem weißen Schiff im
blauen Meer. Ich wiederholte meine Frage, und Don Crescenzo hob die Hände gegen seine Ohren und schüttelte bedauernd den Kopf. Dann zog er ein Blöckchen und einen Bleistift
aus der Tasche, und ich schrieb das Wort Natale und sah ihn
erwartungsvoll an.
Ich werde jetzt gleich anfangen, meine Weihnachtsgeschichte
zu erzählen, die eigentlich Don Crescenzos Geschichte ist.
Aber vorher muß ich noch etwas über diesen Don Crescenzo
sagen. Meine Leser müssen wissen, wie arm er einmal war und
wie reich er jetzt ist, ein Herr über hundert Angestellte, ein Besitzer von großen Wein- und Zitronengärten und von sieben
Häusern. Sie müssen sich sein Gesicht vorstellen, das mit jedem

das mit jedem Jahr der Taubheit sanfter wirkt, so als würden Gesichter nur von der beständigen Rede und Gegenrede geformt und bestimmt. Sie müssen ihn vor sich sehen, wie er unter den Gästen seines Hotels umhergeht, aufmerksam und traurig und schrecklich allein. Und dann müssen sie auch erfahren, daß er sehr gern aus seinem Leben erzählt und daß er dabei nicht schreit, sondern mit leiser Stimme spricht.

Oft habe ich ihm zugehört, und natürlich war mir auch die Weihnachtsgeschichte schon bekannt. Ich wußte, daß sie mit der Nacht anfing, in der der Berg kam, ja, so hatten sie geschrien: der Berg kommt, und sie hatten das Kind aus dem Bett gerissen und den schmalen Felsenweg entlang. Er war damals sieben Jahre alt, und wenn Don Crescenzo davon berichtete, hob er die Hände an die Ohren, um zu verstehen zu geben, daß dieser Nacht gewiß die Schuld an seinem jetzigen Leiden zuzuschreiben sei.

Ich war sieben Jahre alt und hatte das Fieber, sagte Don Crescenzo und hob die Hände gegen die Ohren, auch dieses Mal. Wir waren alle im Nachthemd, und das war es auch, was uns geblieben war, nachdem der Berg unser Haus ins Meer gerissen hatte, das Hemd auf dem Leibe, sonst nichts. Wir wurden von Verwandten aufgenommen, und andere Verwandte haben uns später das Grundstück gegeben, dasselbe, auf dem jetzt das Albergo steht. Meine Eltern haben dort, noch bevor der Winter kam, ein Haus gebaut. Mein Vater hat die Maurerarbeiten gemacht, und meine Mutter hat ihm die Ziegel in Säcken den Abhang hinuntergeschleppt. Sie war klein und schwach, und wenn sie glaubte, daß niemand in ihrer Nähe sei, setzte sie sich einen Augenblick auf die Treppe und seufzte, und die Tränen liefen ihr über das Gesicht. Gegen Ende des Jahres war das Haus fertig, und wir schliefen auf dem Fußboden, in Decken gewickelt, und froren.

Und dann kam Weihnachten, sagte ich, und deutete auf das Wort »Natale«, das auf dem obersten Zettel stand.

Ja, sagte Don Crescenzo, dann kam Weihnachten, und an diesem Tage war mir so traurig zumute, wie in meinem ganzen Leben nicht. Mein Vater war Arzt, aber einer von denen, die keine Rechnungen schreiben. Er ging hin und behandelte die Leute, und wenn sie fragten, was sie schuldig seien, sagte er, zuerst müßten sie die Arzneien kaufen und dann das Fleisch für die Suppe, und dann wollte er ihnen sagen, wieviel. Aber er sagte es nie. Er kannte die Leute hier sehr gut und wußte, daß sie kein Geld hatten. Er brachte es einfach nicht fertig, sie zu drängen, auch damals nicht, als wir alles verloren hatten und die letzten Ersparnisse durch den Hausbau aufgezehrt waren. Er versuchte es einmal, kurz vor Weihnachten, an dem Tage, an dem wir unser letztes Holz im Herd verbrannten. An diesem Abend brachte meine Mutter einen Stoß weißer Zettel nach Hause und legte sie vor meinen Vater hin, und dann nannte sie ihm eine Reihe von Namen, und mein Vater schrieb die Namen auf die Zettel und jedesmal ein paar Zahlen dazu. Aber als er damit fertig war, stand er auf und warf die Zettel in das Herdfeuer, das gerade am Ausgehen war. Das Feuer flackerte sehr schön, und ich freute mich darüber, aber meine Mutter fuhr zusammen und sah meinen Vater traurig und zornig an.

So kam es, daß wir am vierundzwanzigsten Dezember kein Holz mehr hatten, kein Essen und keine Kleider, die anständig genug gewesen wären, damit in die Kirche zu gehen. Ich glaube nicht, daß meine Eltern sich darüber viel Gedanken machten. Erwachsene, denen so etwas geschieht, sind gewiß der Überzeugung, daß es ihnen schon einmal wieder bessergehen wird und daß sie dann essen und trinken und Gott loben können, wie sie es oft getan haben im Laufe der Zeit. Aber für ein Kind ist das etwas ganz anderes. Ein Kind sitzt da und wartet auf das Wunder, und wenn das Wunder nicht kommt, ist alles aus und vorbei. Bei diesen Worten beugte sich Don Crescenzo vor und sah auf die Straße hinaus, so als ob dort etwas seine Aufmerksamkeit in Anspruch nähme. Aber in Wirklichkeit versuchte er nur, seine Tränen zu verbergen. Er versuchte, mich nicht merken zu lassen, wie das Gift der Enttäuschung noch heute alle Zellen seines Körpers durchdrang.

Unser Weihnachtsfest, fuhr er nach einer Weile fort, ist gewiß ganz anders als die Weihnachten bei Ihnen zu Hause. Es ist ein sehr lautes, sehr fröhliches Fest. Das Jesuskind wird im Glasschrein in der Prozession getragen, und die Blechmusik spielt. Viele Stunden lang werden Böllerschüsse abgefeuert, und der Hall dieser Schüsse wird von den Felsen zurückgeworfen, so daß es sich anhört wie eine gewaltige Schlacht. Raketen steigen in die Luft, entfalten sich zu gigantischen Palmenbäumen und sinken in einem Regen von Sternen zurück ins Tal. Die Kinder johlen und lärmen, und das Meer mit seinen schwarzen Winterwellen rauscht so laut, als ob es vor Freude schluchze und singe. Das ist unser Christfest, und der ganze Tag vergeht mit Vorbereitungen dazu. Die Knaben richten ihre kleinen Feuerwerkskörper, und die Mädchen binden Kränze und putzen die versilberten Fische, die sie der Madonna umhängen. In allen Häusern wird gebraten und gebacken und süßer Sirup gerührt. So war es auch bei uns gewesen, so lange ich denken konnte. Aber in der Christnacht, die auf den Bergsturz folgte, war es in unserem Haus furchtbar still. Es brannte kein Feuer, und darum blieb ich so lange wie möglich draußen, weil es dort immer noch ein wenig wärmer war als drinnen. Ich saß auf den Stufen und sah zur Straße hinauf, wo die Leute vorübergingen und wo die Wagen mit ihren schwachen Öllämpchen auftauchten und wieder verschwanden. Es war eine Menge Leute unterwegs, Bauern, die mit ihren Familien in die Kirche fuhren, und andere, die noch etwas zu verkaufen hatten, Eier und lebendige Hühner und Wein. Als ich da saß, konnte ich das Gegacker der Hühner hören und das lustige Schwatzen der Kinder, die einander erzählten, was sie alles erleben würden heute nacht. Ich sah jedem Wagen nach, bis er in dem dunklen Loch des Tunnels verschwand, und dann wandte ich den Kopf wieder und schaute nach einem neuen Fuhrwerk aus; als es auf der Straße stiller wurde, dachte ich, das Fest müsse begonnen haben, und ich würde nun etwas vernehmen von dem Knattern der Raketen und den Schreien der Begeisterung und des Glücks. Aber ich hörte nichts als die Geräusche des Meeres, das gegen die Felsen klatschte, und die Stimme meiner Mutter, die betete und mich aufforderte, einzustimmen in die Litanei. Ich tat es schließlich, aber ganz mechanisch und mit verstocktem Gemüt. Ich war sehr hungrig und wollte mein Essen haben, Fleisch und Süßes und Wein. Aber vorher wollte ich mein Fest haben, mein schönes Fest ...

Und dann auf einmal veränderte sich alles auf eine unfaßbare Art. Die Schritte auf der Straße gingen nicht mehr vorüber, und die Fahrzeuge hielten an. Im Schein der Lampen sahen wir einen prallen Sack, der in unseren Garten geworfen, und hochgepackte Körbe, die an den Rand der Straße gestellt wurden. Eine Ladung Holz und Reisig rutschte die Stufen herunter, und als ich mich vorsichtig die Treppe hinauftastete, fand ich auf dem niederen Mäuerchen, auf Tellern und Schüsseln, Eier, Hühner und Fisch. Es dauerte eine ganze Weile, bis die geheimnisvollen Geräusche zum Schweigen kamen und wir nachsehen konnten, wie reich wir mit einem Male waren. Da ging meine Mutter in die Küche und machte Feuer an, und ich stand draußen und sog inbrünstig den Duft in mich ein, der bei der Verbindung von heißem Öl, Zwiebeln, gehacktem Hühnerfleisch und Rosmarin entsteht.

Ich wußte in diesem Augenblick nicht, was meine Eltern schon ahnen mochten, nämlich, daß die Patienten meines Vaters, diese alten Schuldner, sich abgesprochen hatten, ihm Freude zu machen auf diese Art. Für mich fiel alles vom Himmel, die Eier und das Fleisch, das Licht der Kerzen, das Herdfeuer und der schöne Kittel, den ich mir aus einem Packen Kleider hervorwühlte und so schnell wie möglich überzog. Lauf, sagte meine Mutter, und ich lief die Straße hinunter und durch den langen, finsteren Tunnel, an dessen Ende es schon glühte und funkelte von buntem Licht. Als ich in die Stadt kam, sah ich schon von weitem den roten und goldenen Baldachin, unter dem der Bischof die steile Treppe hinaufgetragen wurde. Ich hörte die Trommeln und die Pauken und das Evvivageschrei und brüllte aus Leibeskräften mit. Und dann fingen die großen Glocken in ihrem offenen Turm an zu schwingen und zu dröhnen.

Don Crescenzo schwieg und lächelte freudig vor sich hin. Gewiß hörte er jetzt wieder, mit einem inneren Gehör, alle diese heftigen und wilden Geräusche, die für ihn so lange zum Schweigen gekommen waren und die ihm in seiner Einsamkeit noch viel mehr als jedem anderen Menschen bedeuteten: Menschenliebe, Gottesliebe, Wiedergeburt des Lebens aus dem Dunkel der Nacht.

Ich sah ihn an, und dann nahm ich das Blöckchen zur Hand. Sie sollten schreiben, Don Crescenzo. Ihre Erinnerungen. – Ja, sagte Don Crescenzo, das sollte ich. Einen Augenblick lang richtete er sich hoch auf, und man konnte ihm ansehen, daß er die Geschichte seines Lebens nicht geringer einschätzte als das, was im Alten Testament stand oder in der Odyssee. Aber dann schüttelte er den Kopf. Zuviel zu tun, sagte er.

Und auf einmal wußte ich, was er mit all seinen Umbauten und Neubauten, mit der Bar und den Garagen und dem Aufzug hinunter zum Badeplatz im Sinne hatte. Er wollte seine Kinder schützen vor dem Hunger, den traurigen Weihnachtsabenden und den Erinnerungen an eine Mutter, die Säcke voll Steine schleppt und sich hinsetzt und weint.

Erinnerung an die Schiebetür

Es ist so süß, sich zu erinnern. Es macht so warm von innen. Dabei sind es manchmal die kleinsten Begebenheiten, klein am Augenblicke ihres Erlebens gemessen, die groß und voll werden im Nachgeschmack.

Solcherart ist die Erinnerung an unsere Schiebetür. Es war an sich nichts Besonderes an ihr, was des Erinnerns wert wäre. Allenfalls das, daß sie zwei Flügel hatte, die sich teilten und in der Wand verschwanden wie ein Theatervorhang, eine recht ansehnliche Einrichtung also für unsere häuslichen Verhältnisse. Sie war das Größte an unserer kleinen Wohnung, kann man sagen.

Wir hatten sie uns beim Bau ausdrücklich ausbedungen, um doch wenigstens ein Bücher- und Schreibkabinett vom Universalwohnzimmer abzugrenzen. Wenn wir die Schiebetüre schlossen, hatten wir ein Zimmerchen mehr, und wenn wir sie öffneten, genossen wir das Glück, daß wir wieder alle beisammen waren. Wir alle: das waren wir drei. Wir waren noch eine ganz kleine Familie mit einem kleinen Kind in einer ganz kleinen Wohnung.

Da kam nun Weihnachten heran. Wir freuten uns sehr darauf, daß wir diesmal dem Christkind unser Christianekind mitbringen durften zum Spielen. Aber wenn das Christkind nun fragen sollte: »Wo ist eigentlich euer Weihnachtszimmer?«, das könnte uns schön in Verlegenheit bringen. Danach fragt das Christkind zwar nicht, es braucht keinen größeren Platz als ein Herz. Aber wir waren gewöhnt, so zu fragen von daheim, wo es natürlich besondere Weihnachtszimmer gegeben, in denen sich wochenlang vor dem Fest das Christkind hatte ausbreiten können mit seinen Eisenbahnen, Kaufläden, Puppenstuben,

Glaskugeln und einer Unmasse von Päckchen, Paketen, Papier, Holzwolle und Kerzen.

So ein richtiges Weihnachtszimmer hatten wir nicht zu bieten. Dafür hatten wir aber die Schiebetür. Wir konnten doch ausnahmsweise einmal am Schreibtisch essen und Christianens Wägelchen ganz gut zwischen den Regalen mit Brehms Tierleben und Grimms Wörterbuch unterbringen, solange auf der anderen Schiebeseite das Christkind das Fest vorbereitete.

Wer von uns dem Christkind zur Hand gehen sollte, war Gegenstand längerer Beratung. Am besten verstehen sich darauf die Mütter. Sie sind auch geschickter, den Baum zu putzen, vorausgesetzt, daß er einmal fest im Ständer steht, und dafür hatte ich vorgesorgt.

Infolgedessen kamen wir überein, daß ich mich lieber den Hausgeschäften widmen sollte, um die Mutter ungestört dem Christkind zu überlassen.

So wurde denn die Schiebetüre zugezogen, und während auf der einen Seite das Christkind hantierte, wartete auf der andern der Vater sein Kind. Das war recht gemütlich, denn das Kind schlief zumeist oder spielte erwachend mit seinen Händchen. Zu den festgesetzten Zeiten kam die Mutter zum Stillen herein, und so rückte die Stunde der Bescherung ganz friedlich näher. Es war vereinbart, daß bei einbrechender Dämmerung die Weihnachtsmusik anheben, hiernach das Klingelzeichen ertönen und die Schiebetüre sich auftun sollte. Was die Weihnachtsmusik betraf, so war es bei uns beiden daheim üblich, Weihnachtslieder zu singen; doch versprach ich mir nicht viel davon, wenn ich nun allein hätte singen wollen. Ich nahm daher die Viola aus dem Kasten und spielte lieber die altvertrauten Melodien. Der dunkle Bratschenton, von einigen Akkorden untermalt, klang zwischen Büchern und Schiebetüre recht feierlich, so daß Christiane in ihrem Wägelchen aufhörte zu quengeln, denn das lange Warten fing an, ihr zu mißfallen. Solange ich indessen spielte, hielt sie sich zu meiner großen Befriedigung staunend still, sobald ich absetzte, wurde sie wieder unruhig.

Ich spielte daher Lied um Lied. Um es genau zu sagen: Ich spielte die gespielten Lieder eben noch und noch einmal. Denn so groß war mein Weihnachtsrepertoire doch nicht, daß ich beständig neue Lieder hätte spielen können, nachdem ich »Stille Nacht«, »O du fröhliche«, »Vom Himmel hoch, da komm' ich her«, »Vom Himmel hoch ihr Englein kommt« und ähnliches absolviert hatte. Ich schmuggelte auch andere Lieder ein, die einigermaßen paßten, beispielsweise »Morgen, Kinder, wird's was geben«, obwohl das genaugenommen nicht zutraf. Heute ja, jetzt gleich sollte es Bescherung geben.

Warum das Christkind immer noch nicht läutete? Ich spielte wohl schon eine halbe Stunde. Es war ganz dunkel geworden zwischen den Büchern; die Weihnachtskerzen funkelten von drüben durch die Schiebetüre. Sie schloß nicht mehr ganz exakt, wie das eben in Neubauten bei vielen Türen und Fenstern vorkommt. Warum das Christkind immer noch nicht das Klingelzeichen gab zur Bescherung?

Ich wiederholte mein Repertoire von neuem. Es wollte mir scheinen, als ob es mir unter den Fingern zusammenschrumpfte. Mir fiel nichts mehr dazu ein, im Gegenteil, mir entfielen sogar die Lieder, die ich eben noch gewußt hatte.

»Bist du denn noch nicht soweit, Christkindchen?« fragte ich da in meiner Not durch die Schiebetüre. »Aber längst!« antwortete das Christkind. »Ich warte doch nur, daß du aufhörst zu spielen!«

Da setzte ich aber schleunigst ab, legte die Bratsche zur Seite, nahm die kleine Christiane auf den Arm, und unter seligem Gebimmel öffnete sich die Schiebetüre vor der strahlenden Fülle. Aber erst jetzt nach vielen, vielen Jahren habe ich recht empfunden, was mich die gute Schiebetüre erleben ließ: welche Himmelsgabe es ist, wenn man durchs ganze Leben aufeinander behutsam zu warten weiß, von hüben wie drüben.

Die Leihgabe

Am meisten hat Vater sich jedesmal zu Weihnachten Mühe gegeben. Da fiel es uns allerdings auch besonders schwer, drüber wegzukommen, daß wir arbeitslos waren. Andere Feiertage, die beging man, oder man beging sie nicht; aber auf Weihnachten lebte man zu, und war es erst da, dann hielt man es fest; und die Schaufenster, die brachten es ja oft noch nicht mal im Januar fertig, sich von ihren Schokoladenweihnachtsmännern zu trennen.

Mir hatten es vor allem immer die Zweige und Kasperles angetan. War Vater dabei, sah ich weg; aber das fiel meist mehr auf, als wenn man hingesehen hätte; und so fing ich dann allmählich doch wieder an, in die Läden zu gucken. Vater war auch nicht gerade unempfindlich gegen die Schaufensterauslagen, er konnte sich nur besser beherrschen. Weihnachten, sagte er, wäre das Fest der Freude, das Entscheidende wäre jetzt nämlich: nicht traurig zu sein, auch dann nicht, wenn man kein Geld hätte.

»Die meisten Leute«, sagte Vater, »sind bloß am ersten und zweiten Feiertag fröhlich und vielleicht nachher zu Silvester noch mal. Das genügt aber nicht; man muß mindestens schon einen Monat vorher mit Fröhlichsein anfangen. Zu Silvester«, sagte Vater, »da kannst du dann getrost wieder traurig sein; denn es ist nie schön, wenn ein Jahr einfach so weggeht. Nur jetzt, so vor Weihnachten, da ist es unangebracht, traurig zu sein.« Vater selber gab sich auch immer große Mühe, nicht traurig zu sein um diese Zeit; doch er hatte es aus irgendeinem Grund da schwerer als ich; wahrscheinlich deshalb, weil er keinen Vater mehr hatte, der ihm dasselbe sagen konnte, was er mir immer sagte.

Es wäre bestimmt auch alles leichter gewesen, hätte Vater noch seine Stelle gehabt. Er hätte jetzt sogar wieder als Hilfspräparator gearbeitet; aber sie brauchten keine Hilfspräparatoren im Augenblick. Der Direktor hatte gesagt, aufhalten im Museum könnte Vater sich gern, aber mit Arbeit müßte er warten, bis bessere Zeiten kämen.

»Und wann, meinen Sie, ist das?« hatte Vater gefragt.

»Ich möchte Ihnen nicht weh tun«, hatte der Direktor gesagt.

Frieda hatte mehr Glück gehabt; sie war in einer Großdestille am Alexanderplatz als Küchenhilfe eingestellt worden und war dort auch gleich in Logis. Uns war es ganz angenehm, nicht dauernd mit ihr zusammenzusein; sie war jetzt, wo wir uns nur mittags und abends mal sahen, viel netter.

Aber im Grunde lebten auch wir nicht schlecht. Denn Frieda versorgte uns reichlich mit Essen, und war es zu kalt, dann gingen wir ins Museum rüber; und wenn wir uns alles angesehen hatten, lehnten wir uns unter dem Dinosauriergerippe an die Heizung, sahen aus dem Fenster oder fingen mit dem Museumswärter ein Gespräch über Kaninchenzucht an.

An sich war das Jahr also durchaus dazu angetan, in Ruhe und Beschaulichkeit zu Ende gebracht zu werden. Wenn Vater sich nur nicht solche Sorge um einen Weihnachtsbaum gemacht hätte.

Es kam ganz plötzlich.

Wir hatten eben Frieda aus der Destille abgeholt und sie nach Hause gebracht und uns hingelegt, da klappte Vater den Band *Brehms Tierleben* zu, in dem er abends immer noch las, und fragte zu mir rüber: »Schläfst du schon?«

»Nein«, sagte ich, denn es war zu kalt zum Schlafen.

»Mir fällt eben ein«, sagte Vater, »wir brauchen ja einen Weihnachtsbaum.« Er machte eine Pause und wartete meine Antwort ab.

»Findest du?« sagte ich.

»Ja«, sagte Vater, »und zwar so einen richtigen, schönen; nicht so einen murkligen, der schon umkippt, wenn man bloß mal eine Walnuß dranhängt.«

Bei dem Wort Walnuß richtete ich mich auf. Ob man nicht vielleicht auch ein paar Lebkuchen kriegen könnte zum Dranhängen?

Vater räusperte sich. »Gott –«, sagte er, »warum nicht; mal mit Frieda reden.«

»Vielleicht«, sagte ich, »kennt Frieda auch gleich jemand, der uns einen Baum schenkt.«

Vater bezweifelte das. Außerdem: So einen Baum, wie er ihn sich vorstellte, den verschenkte niemand, der wäre ein Reichtum, ein Schatz wäre der.

Ob er vielleicht eine Mark wert wäre, fragte ich.

»Eine Mark –?!« Vater blies verächtlich die Luft durch die Nase: »Mindestens zwei.«

»Und wo gibt's die?«

»Siehst du«, sagte der Vater, »das überleg' ich auch gerade.«

»Aber wir können ihn doch gar nicht kaufen«, sagte ich; »zwei Mark: wo willst du die denn jetzt hernehmen?«

Vater hob die Petroleumlampe auf und sah sich im Zimmer um. Ich wußte, er überlegte, ob sich vielleicht noch was ins Leihhaus bringen ließe; es war aber schon alles drin, sogar das Grammophon, bei dem ich so geheult hatte, als der Kerl hinter dem Gitter mit ihm weggeschlurft war.

Vater stellte die Lampe wieder zurück und räusperte sich. »Schlaf mal erst; ich werde mir den Fall durch den Kopf gehen lassen.«

In der nächsten Zeit drückten wir uns bloß immer an den Weihnachtsbaumverkaufsständen herum. Baum auf Baum bekam Beine und lief weg; aber wir hatten noch immer keinen.

»Ob man nicht doch –?« fragte ich am fünften Tag, als wir gerade wieder im Museum unter dem Dinosauriergeripe an der Heizung lehnten.

»Ob man was?« fragte Vater scharf.

»Ich meine, ob man nicht doch versuchen sollte, einen gewöhnlichen Baum zu kriegen?«

»Bist du verrückt?!« Vater war empört. »Vielleicht so einen Kohlstrunk, bei dem man nachher nicht weiß, soll es ein Handfeger oder eine Zahnbürste sein? Kommt gar nicht in Frage.« Doch was half es; Weihnachten kam näher und näher. Anfangs waren die Christbaumwälder in den Straßen noch angefüllt worden; aber allmählich lichteten sie sich, und eines Nachmittags waren wir Zeuge, wie der fetteste Christbaumverkäufer vom Alex, der Kraftriemen-Jimmy, sein letztes Bäumchen, ein wahres Streichholz von einem Baum, für drei Mark fünfzig verkaufte, aufs Geld spuckte, sich aufs Rad schwang und wegfuhr.

Nun fingen wir doch an, traurig zu werden. Nicht schlimm; aber immerhin, es genügte, daß Frieda die Brauen noch mehr zusammenzog, als sie es sonst zu tun pflegte, und daß sie uns fragte, was wir denn hätten.

Wir hatten uns zwar daran gewöhnt, unseren Kummer für uns zu behalten, doch diesmal machten wir eine Ausnahme, und Vater erzählte es ihr.

Frieda hörte aufmerksam zu. »Das ist alles?« Wir nickten. »Ihr seid aber komisch«, sagte Frieda; »wieso geht ihr denn nicht einfach in den Grunewald einen klauen?«

Ich habe Vater schon häufig empört gesehen, aber so empört wie an diesem Abend noch nie.

Er war kreidebleich geworden. »Ist das dein Ernst?« fragte er heiser.

Frieda war sehr erstaunt. »Logisch«, sagte sie; »das machen doch alle.«

»Alle –!« echote Vater dumpf, »alle –!« Er erhob sich steif und nahm mich bei der Hand. »Du gestattest wohl«, sagte er darauf zu Frieda, »daß ich erst den Jungen nach Hause bringe, ehe ich dir hierauf die gebührende Antwort erteile.«

Er hat sie ihr niemals erteilt. Frieda war vernünftig; sie tat so, als ginge sie auf Vaters Zimperlichkeit ein, und am nächsten Tag entschuldigte sie sich. Doch was nützte das alles; einen Baum, gar einen Staatsbaum, wie Vater ihn sich vorstellte, hatten wir deshalb noch lange nicht.

Aber dann – es war der dreiundzwanzigste Dezember, und wir hatten eben wieder unseren Stammplatz unter dem Dinosauriergerippe bezogen – hatte Vater die große Erleuchtung.

»Haben Sie einen Spaten?« fragte er den Museumswärter, der neben uns auf seinem Klappstuhl eingenickt war.

»Was?!« rief der und fuhr auf, »was habe ich?!«

»Einen Spaten, Mann«, sagte Vater ungeduldig; »ob Sie einen Spaten haben.«

Ja, den hätte er schon.

Ich sah unsicher an Vater empor. Er sah jedoch leidlich normal aus; nur sein Blick schien mir eine Spur unsteter zu sein als sonst.

»Gut«, sagte er jetzt; »wir kommen heute mit Ihnen nach Hause, und Sie borgen ihn uns.«

Was er vorhatte, erfuhr ich erst in der Nacht.

»Los«, sagte Vater und schüttelte mich, »steh auf!«

Ich kroch schlaftrunken über das Bettgitter. »Was ist denn bloß los!«

»Paß auf«, sagte Vater und blieb vor mir stehen: »Einen Baum stehlen, das ist gemein; aber sich einen borgen, das geht.«

»Borgen –?« fragte ich blinzelnd.

»Ja«, sagte Vater. »Wir gehen jetzt in den Friedrichshain und graben eine Blautanne aus. Zu Hause stellen wir sie in die Wanne mit Wasser, feiern morgen dann Weihnachten mit ihr, und nachher pflanzen wir sie wieder am selben Platz ein. Na –?« Er sah mich durchdringend an.

»Eine wunderbare Idee«, sagte ich.

Summend und pfeifend gingen wir los; Vater den Spaten auf dem Rücken, ich einen Sack unter dem Arm. Hin und wieder hörte Vater auf zu pfeifen, und wir sangen zweistimmig »Morgen, Kinder, wird's was geben« und »Vom Himmel hoch, da komm' ich her«. Wie immer bei solchen Liedern, hatte Vater Tränen in den Augen, und auch mir war schon ganz feierlich zumute.

Dann tauchte vor uns der Friedrichshain auf, und wir schwiegen.

Die Blautanne, auf die Vater es abgesehen hatte, stand inmitten eines strohgedeckten Rosenrondells. Sie war gut anderthalb Meter hoch und ein Muster an ebenmäßigem Wuchs.

Da der Boden nur dicht unter der Oberfläche gefroren war, dauerte es auch gar nicht lange, und Vater hatte die Wurzeln freigelegt. Behutsam kippten wir den Baum darauf um, schoben ihn mit den Wurzeln in den Sack, Vater hängte seine Joppe über das Ende, das raussah, wir schippten das Loch zu, Stroh wurde darüber gestreut, Vater lud sich den Baum auf die Schulter, und wir gingen nach Hause.

Hier füllten wir die große Zinkwanne mit Wasser und stellten den Baum rein.

Als ich am nächsten Morgen aufwachte, waren Vater und Frieda schon dabei, ihn zu schmücken. Er war jetzt mit Hilfe einer Schnur an der Decke befestigt, und Frieda hatte aus Stanniolpapier allerlei Sterne ausgeschnitten, die sie an seinen Zweigen aufhängte; sie sahen sehr hübsch aus. Auch einige Lebkuchenmänner sah ich hängen.

Ich wollte den beiden den Spaß nicht verderben; daher tat ich so, als schliefe ich noch. Dabei überlegte ich mir, wie ich mich für ihre Nettigkeit revanchieren könnte.

Schließlich fiel es mir ein: Vater hatte sich einen Weihnachtsbaum geborgt, warum sollte ich es nicht fertigbringen, mir über die Feiertage unser verpfändetes Grammophon auszuleihen? Ich tat also, als wachte ich eben erst auf, bejubelte vorschriftsmäßig den Baum, und dann zog ich mich an und ging los.

Der Pfandleiher war ein furchtbarer Mensch; schon als wir zum erstenmal bei ihm gewesen waren und Vater ihm seinen

Mantel gegeben hatte, hätte ich dem Kerl sonst was zufügen mögen; aber jetzt mußte man freundlich zu ihm sein.

Ich gab mir auch große Mühe. Ich erzählte ihm was von zwei Großmüttern und »gerade« zu Weihnachten und »letzter Freude auf alte Tage« und so, und plötzlich holte der Pfandleiher aus und haute mir eine herunter und sagte ganz ruhig: »Wie oft du sonst schwindelst, ist mir egal; aber zu Weihnachten wird die Wahrheit gesagt, verstanden?« Darauf schlurfte er in den Nebenraum und brachte das Grammophon an. »Aber wehe, ihr macht was an ihm kaputt! Und nur für drei Tage! Und auch bloß, weil du's bist!« Ich machte einen Diener, daß ich mir fast die Stirn an der Kniescheibe stieß; dann nahm ich den Kasten unter den einen, den Trichter unter den anderen Arm und rannte nach Hause.

Ich versteckte beides erst mal in der Waschküche. Frieda allerdings mußte ich einweihen, denn die hatte die Platten; aber Frieda hielt dicht.

Mittags hatte uns Friedas Chef, der Destillenwirt, eingeladen. Es gab eine tadellose Nudelsuppe, anschließend Kartoffelbrei mit Gänseklein.

Wir aßen, bis wir uns kaum noch erkannten; darauf gingen wir, um Kohlen zu sparen, noch ein bißchen ins Museum zum Dinosauriergeripp; und am Nachmittag kam Frieda und holte uns ab.

Zu Hause wurde geheizt. Dann packte Frieda eine Riesenschüssel voll übriggebliebenem Gänseklein, drei Flaschen Rotwein und einen Quadratmeter Bienenstich aus, Vater legte für mich seinen Band *Brehms Tierleben* auf den Tisch, und im nächsten unbewachten Augenblick lief ich in die Waschküche runter, holte das Grammophon rauf und sagte Vater, er solle sich umdrehen.

Er gehorchte auch; Frieda legte die Platten raus und steckte die Lichter an, und ich machte den Trichter fest und zog das Grammophon auf.

»Kann ich mich umdrehen?« fragte Vater, der es nicht mehr aushielt, als Frieda das Licht ausgeknipst hatte.

»Moment«, sagte ich; »dieser verdammte Trichter – denkst du, ich krieg' das Ding fest?«

Frieda hüstelte.

»Was denn für ein Trichter?« fragte Vater.

Aber da ging es schon los. Es war »Ihr Kinderlein, kommet«; es knarrte zwar etwas, und die Platte hatte wohl auch einen Sprung, aber das machte nichts. Frieda und ich sangen mit, und da drehte Vater sich um. Er schluckte erst und zupfte sich an der Nase, aber dann räusperte er sich und sang auch mit.

Als die Platte zu Ende war, schüttelten wir uns die Hände, und ich erzählte Vater, wie ich das mit dem Grammophon gemacht hätte.

Er war begeistert. »Na –?« sagte er nur immer wieder zu Frieda und nickte dabei zu mir rüber: »Na –?«

Es wurde ein schöner Weihnachtsabend. Erst sangen und spielten wir die Platten durch; dann spielten wir sie noch mal ohne Gesang; dann sang Frieda noch mal alle Platten allein; dann sang sie mit Vater noch mal, und dann aßen wir und tranken den Wein aus, und darauf machten wir noch ein bißchen Musik; und dann brachten wir Frieda nach Hause und legten uns auch hin.

Am nächsten Morgen blieb der Baum noch aufgeputzt stehen. Ich durfte liegenbleiben, und Vater machte den ganzen Tag Grammophonmusik und pfiff die zweite Stimme dazu.

Dann, in der folgenden Nacht, nahmen wir den Baum aus der Wanne, steckten ihn, noch mit den Stanniolpapiersternen geschmückt, in den Sack und brachten ihn zurück in den Friedrichshain.

Hier pflanzten wir ihn wieder in sein Rosenrondell. Darauf traten wir die Erde fest und gingen nach Hause. Am Morgen brachte ich dann auch das Grammophon weg.

Den Baum haben wir noch häufig besucht; er ist wieder angewachsen. Die Stanniolpapiersterne hingen noch eine ganze Weile in seinen Zweigen, einige sogar bis in den Frühling.

Vor ein paar Monaten habe ich mir den Baum wieder mal angesehen. Er ist gute zwei Stock hoch und hat den Umfang eines mittleren Fabrikschornsteins. Es mutet merkwürdig an, sich vorzustellen, daß wir ihn mal zu Gast in unserer Wohnküche hatten.

WILLIAM SAROYAN

Am dritten Tag nach Weihnachten

Donald Efaw, sechs Jahre und drei Monate alt, stand an der Ecke der dritten Avenue und der siebenunddreißigsten Straße; sein ärgerlicher Vater Harry hatte ihm vor einer Stunde befohlen, eine Minute hier zu warten, während er in den Laden ging, um eine Arznei für Alice zu holen, die hustend und weinend krank zu Bett lag. Alice war drei und hatte sie alle die ganze Nacht wachgehalten. Donalds nervöser Vater Harry haßte den Lärm und gab Mutter die Schuld. Mutter hieß Mabelle. »Mabelle Louisa Atkins Fernandez, ehe ich Harry Efaw heiratete«, hatte der Junge seine Mutter einmal zu einem Mann sagen hören, der das zerbrochene Fenster in der Küche reparieren sollte. »Mein Mann hat von seiner Mutter etwas Indianerblut, und ich habe von meinem Vater etwas Indianerblut. Fernandez klingt mehr mexikanisch oder spanisch als indianisch, aber mein Vater hatte trotzdem einen Schuß indianisches Blut. Allerdings haben wir nie unter Indianern gelebt, wie manche Mischlinge. Wir haben immer in Städten gewohnt.

Der Junge trug Überziehhosen und ein altes kariertes Jackett, das sein Vater abgetragen hatte; wenn es nicht so schlecht gesessen hätte, dann hätte es einen Mantel für das Kind abgeben können. Die Ärmel waren abgeschnitten, damit sie ihm paßten, das war alles. Die Taschen saßen außer Reichweite, und der Junge mußte sich die Hände reiben, um sie warm zu halten. Es war jetzt vormittags gegen elf Uhr.

Donalds Vater war in den Laden gegangen. Nun würde er sicher bald herauskommen; und dann gingen sie heim, und dann gab Mutter Alice etwas von dem Zeug – Milch und Medizin –, und dann hörte Alice auf zu weinen und zu husten, und die Eltern hörten auf zu streiten.

Der Laden war Haggertys Bar. Sie hatte einen Eingang an der Ecke und einen andern an der Seitenstraße. Harry Efaw hatte den Ausgang nach der 37. Straße benutzt, fünf Minuten nachdem er hineingegangen war. Er hatte den Jungen auf der Straße nicht vergessen, er wollte nur eine Weile weg von ihm und auch weg von den andern. Er hatte einen kleinen Schuß Korn getrunken, der zuviel gekostet hatte, das war alles. Er hatte einen Vierteldollar gekostet, und das war zuviel für einen Schuß Korn. Er hatte das Getränk hinuntergekippt und war aus dem Lokal gelaufen und weggegangen; er wollte nach ein paar Minuten zurückkommen und den Jungen abholen und dann Lebensmittel und Medizin kaufen und nach Hause gehen, um zu sehen, ob etwas gegen die Krankheit des kleinen Mädchens zu tun sei, aber irgendwie war er einfach immer weitergegangen.

Endlich trat Donald in den Laden und merkte, daß er anders war als jeder andere Laden, den er gesehen hatte. Der Mann in der weißen Jacke sah ihn an und sagte: »Du darfst nicht hier herein. Geh nach Hause.«

»Wo ist mein Vater?«

»Ist der Vater dieses Jungen hier im Hause?« rief der Mann, und alle Leute im Lokal, es waren sieben Männer, drehten sich um und sahen Donald an.

Sie sahen ihn nur einen Augenblick an, dann fuhren sie fort zu trinken und zu reden.

»Wer auch dein Vater ist«, sagte der Mann, »hier ist er nicht.«

»Harry«, sagte Donald. »Harry Efaw.«

»Ich kenne niemand, der Harry Efaw heißt. Los, geh nach Hause!«

»Er sagte mir, ich soll draußen eine Minute warten.«

»Ja, ich weiß. Na ja, hier kommen viele Leute her, die bloß ein Glas trinken und dann gehen. Ich glaube, er hat's auch so gemacht. Wenn er dir gesagt hat, du sollst draußen warten, dann tu's lieber. Du kannst nicht hier drin bleiben.«

»Draußen ist es kalt.«

»Ich weiß, daß es draußen kalt ist«, sagte der Barkellner.

»Aber du kannst hier nicht bleiben. Warte draußen, wie's dir dein Vater gesagt hat, oder geh nach Hause.«

»Ich weiß nicht wie«, sagte der Junge.

»Weißt du die Adresse?«

Offenbar verstand der Junge den Sinn der Frage nicht, und so versuchte es der Barkellner auf andere Art.

»Weißt du die Nummer von eurem Haus und den Namen der Straße?«

»Nein. Wir kamen zu Fuß. Um Medizin für Alice zu holen.«

»Ja, ich weiß«, sagte der Mann geduldig. »Und ich weiß auch, daß es draußen kalt ist, aber es ist besser, du gehst trotzdem hier heraus. Ich darf keine kleinen Jungens in dies Lokal kommen lassen.«

Ein schwächlicher Mann von etwa sechzig, der mehr als halbbetrunken und halbtot war, stand von seinem Tisch auf und ging auf den Barkellner zu.

»Ich würde den Jungen gern nach Hause bringen, wenn er mir den Weg zeigt.«

»Setzen Sie sich wieder«, sagte der Barkellner. »Der Junge weiß den Weg nicht.«

»Vielleicht doch«, sagte der Mann. »Ich habe selbst Kinder gehabt, und die Straße ist kein Platz für kleine Jungen. Ich bringe ihn wirklich gerne nach Hause zu seiner Mutter.«

»Ich weiß«, sagte der Barkellner. »Aber setzen Sie sich nur nin.«

»Ich bringe dich heim, Jungchen«, sagte der alte Mann.

»Setzen Sie sich hin.« Der Barkellner schrie es fast, und der alte Mann drehte sich erstaunt um.

»Für was halten Sie mich überhaupt?« fragte er leise »Der Junge hat Angst bekommen und friert und braucht seine Mutter.«

»Wollen Sie sich bitte hinsetzen?« sagte der Barkellner. »Ich weiß alles von dem Jungen. Und Sie sind schon gar nicht der Mann, um ihn nach Hause zu seiner Mutter zu bringen.«

»Jemand muß ihn doch nach Hause zu seiner Mutter bringen«, sagte der alte Mann leise, dann rülpste er. Er steckte in abgetragener und derber Kleidung von der Art, die man – das wußte der Barkellner – von Wohlfahrtsverbänden bekommt. Er besaß vermutlich noch dreißig oder vierzig Cents für Bier, Geld, das er sich höchstwahrscheinlich erbettelt hatte.

»Es ist der dritte Tag nach Weihnachten«, fuhr der alte Mann fort. »Es ist noch nicht lange nach Weihnachten; keiner von uns hat das Recht, einfach zu vergessen, daß man so einem kleinen Burschen nach Hause helfen muß!«

»He, was ist eigentlich los?« fragte ein anderer Trinker von seinem Platz her.

»Nichts ist los«, sagte der Barkellner. »Der Vater dieses Jungen hat zu ihm gesagt, er soll draußen auf ihn warten – das ist alles.« Der Mann wandte sich an Donald Efaw. »Wenn du nicht weißt, wie du nach Hause kommst, dann warte eben draußen, wie's dir dein Vater gesagt hat; sicher kommt er bald zurück und nimmt dich mit nach Hause. Nun mach voran – geh raus!«

Der Junge verließ das Lokal und begab sich wieder dorthin, wo er schon über eine Stunde gestanden hatte. Der alte Mann ging dem Jungen nach. Der Barkellner schwang sich über die Bar, griff vor der Schwingtür den Alten bei den Schultern, drehte ihn herum und führte ihn zurück zu seinem Stuhl.

»Jetzt setzen Sie sich«, sagte er sanft. »Es steht Ihnen nicht zu, sich Gedanken über den Jungen zu machen. Kümmern Sie sich um sich selbst. Ich werde dafür sorgen, daß ihm nichts passiert.«

»Für was halten Sie mich überhaupt?« sagte der alte Mann wieder.

Mit einem kurzen Blick die Straße auf und nieder wandte sich der Barkellner, ein kleiner, gedrungener Ire, Anfang der Fünf-

zig, an der Schwingtür um und sagte: »Haben Sie in letzter
Zeit einmal einen Spiegel gesehen? Sie würden nicht bis zur
nächsten Ecke kommen, mit dem kleinen Jungen an der
Hand.«

»Warum nicht?« fragte der alte Mann.

»Weil Sie nicht wie der Vater irgendeines kleinen Jungen aussehen oder wie ein Großvater oder Freund oder sowas.«

»Ich habe selbst Kinder gehabt«, sagte der Alte leise.

»Ich weiß«, sagte der Barkellner. »Aber sitzen Sie bloß still.
Manche Leute dürfen eben nett zu Kindern sein, und manche
nicht. Das ist alles.«

Er brachte eine Flasche Bier zum Tisch des alten Mannes und
stellte sie neben sein leeres Glas.

»Hier ist eine Flasche auf meine Rechnung«, sagte er. »Ich darf
zu alten Leuten, wie Sie einer sind, gelegentlich nett sein, und
Sie dürfen gelegentlich zu Barkellnern, wie ich einer bin, nett
sein. Aber Sie dürfen nicht nett sein zu einem kleinen Burschen,
dessen Vater wahrscheinlich in einem Lokal hier in der Nähe
ist. Sitzen Sie lieber still und trinken Sie Ihr Bier.«

»Ich brauche Ihr dreckiges Bier nicht«, sagte der alte Mann.
»Und Sie können mich nicht gefangenhalten in Ihrer dreckigen
Bar.«

»Bleiben Sie bloß still sitzen, bis der Vater des Jungen kommt
und ihn nach Hause bringt, dann können Sie, so schnell Sie
wollen, hier heraus.«

»Ich will aber jetzt hier raus«, sagte der alte Mann. »Ich brauche von niemand in der ganzen Welt Schimpfworte einzustek-
ken. Wenn ich Ihnen mal was darüber erzählte, wer ich bin, ich
glaube, dann würden Sie nicht so zu mir sprechen, wie Sie gesprochen haben.«

»Gut, gut«, sagte der Barkellner. Er wollte nicht, daß ihm die
Sache aus der Hand glitt, er wollte keinen Krach, und er
spürte, daß er den Alten im Guten davon abbringen konnte,
dem Jungen durchaus helfen zu wollen. »Erzählen Sie mir was

272

darüber, wer Sie sind, und vielleicht sprech ich dann ganz anders zu Ihnen, nicht so wie jetzt.«

»Das würden Sie sicher, sag ich Ihnen!« sagte der alte Mann.

Der Barkellner war froh, als er sah, daß der Alte sich Bier in sein Glas goß. Er beobachtete, wie er das erste Drittel des Glases austrank, und dann sagte der alte Mann: »Mein Name ist Algayler, ja, das ist mein Name.«

Er trank noch etwas Bier, und der Barkellner wartete, daß er weiterspräche. Er stand jetzt am Ende der Theke, so daß er ein Auge auf den Jungen auf der Straße haben konnte. Das Kind rieb die Hände aneinander, aber sonst fehlte ihm offenbar nichts. Es war ein Junge, der durch Härten aller Art zäh geworden war, und das Warten auf der Straße, bis der Vater käme, würde ihm nicht übermäßig viel anhaben können.

»Algayler«, sagte der alte Mann wieder, und er sprach leise weiter. Der Barkellner konnte nicht hören, was er dann sagte, aber das machte nichts, denn er wußte, daß der Alte von jetzt an in Ordnung war. Er hatte völlig zu sich selbst zurückgefunden.

Eine Frau, die schon etwa eine Woche jeden Tag um Mittag in die Bar kam, trat ein mit einem Foxterrier an der Leine und sagte: »Draußen steht ein kleiner Junge vor der Tür – in der Kälte! Zu wem gehört er denn?«

Die Frau biß die falschen Zähne zusammen, als sie die Trinker musterte, und der Hund tanzte um ihre Füße, um sich an die Wärme des Lokals zu gewöhnen.

»Ihm fehlt nichts«, sagte der Barkellner. »Sein Vater macht eine Besorgung. Er wird jede Minute zurückkommen.«

»Er täte gut daran, in einer Minute zurückzukommen«, sagte die Frau. »Wenn ich etwas nicht ausstehen kann, dann ist es ein Vater, der seinen Jungen auf der Straße rumstehen läßt!«

»Algayler.« Der alte Mann drehte sich um und sprach mit sehr lauter Stimme.

»Was sagen Sie zu mir, Sie betrunkener alter Strolch?« sagte die Frau. Der Hund ging auf den alten Mann zu, strammte die Leine und bellte ein paar Mal.

»Es ist nichts Schlimmes«, sagte der Barkellner höflich. »Er hat nur seinen Namen gesagt.«

»Na, dann ist ja alles in Ordnung, wenn er nichts anderes gesagt hat«, meinte die Frau und biß ihre falschen Zähne wieder zusammen.

Auch der Hund beruhigte sich ein wenig, mußte aber immer noch wegen der Wärme herumtanzen. Er trug eine kleine Schabracke, die sie ihm bei kaltem Wetter immer anzog, aber die nützte seinen Pfoten nichts, und seine Pfoten waren es, die die Kälte am meisten spürten.

Der Barkellner goß Bier für die Frau in ein Glas, und sie begann, an der Bar stehend, zu trinken. Schließlich kletterte sie auf einen Barstuhl, um sich's gemütlich zu machen, und der Hund hörte auf zu tanzen, um herumzuschnüffeln.

Der Barkellner brachte Algayler eine weitere Flasche Freibier, und ohne ein Wort, ja ohne einen Blick waren beide übereingekommen, auf dieser Basis Frieden zu halten.

Ein Mann von etwa fünfunddreißig, dessen Gesicht und sauber geschnittenes Bärtchen irgendwie bekannt schienen, trat von der Tür zur siebenunddreißigsten Straße her ein und forderte einen Schluck Bourbon; der Barkellner schenkte ein und fragte darauf so leise, daß kein anderer ihn hören konnte: »Das ist doch sicher nicht Ihr Sohn, der da draußen steht, nicht wahr?«

Der Mann hatte das kleine Glas an die Lippen gehoben und dabei angeschaut, aber nun, nachdem er die Frage gehört hatte, sah er vom Glas auf zum Barkellner, schluckte schnell hinunter und ging wortlos zum Fenster, um einen Blick auf den Jungen zu werfen. Schließlich wandte er sich nach dem Barkellner um und schüttelte den Kopf. Er forderte noch ein Glas und trank es aus, dann ging er hinaus und an dem Jungen vorbei, ihn kaum beachtend.

Nachdem Algayler seine zweite Flasche Freibier ausgetrunken

hatte, begann er auf seinem Stuhl vor sich hinzudösen, und die Frau mit dem Foxterrier fing an, dem Barkellner etwas von ihrem Hund zu erzählen.

»Ich habe Tippy, seit er lebt«, sagte sie, »und wir sind die ganze Zeit zusammengewesen. Jede Minute!«

Ein Mann unter Dreißig in ziemlich guter Kleidung kam um Viertel nach Zwölf herein und bestellte sich einen Johnny Walker, Schwarzes Etikett, auf Eis und mit einem Glas Wasser, entschied sich dann rasch für Rotes Etikett, und als er ausgetrunken hatte, fragte er: »Wo ist der Fernsehapparat?«

»Wir haben keinen.«

»Keinen Fernsehapparat?« fragte der Mann aufgeräumt. »Ja, was ist denn das für'n Laden? Ich wußte nicht, daß es in ganz New York 'ne Bar gibt, die keinen Fernsehapparat hat. Was sehen sich die Leute denn hier drin an?«

»Wir haben bloß einen Musikautomaten.«

»Gut, also okay«, sagte der Mann. »Wenn das alles ist, was Sie haben, dann ist es eben alles. Was möchten Sie gern hören?«

»Ganz nach Ihrem Belieben.«

Der Mann studierte die Titel der verschiedenen Platten, die im Automaten waren, und sagte dann: »Wie wär's mit Benny Goodmann – ›Jingle Bells‹?«

»Wie Sie wünschen«, sagte der Barkellner.

»Okay«, sagte der Mann und steckte einen Nickel in den Schlitz, »also ›Jingle Bells‹.«

Der Automat lief an, während sich der Mann wieder an die Bar setzte und der Barkellner ihm noch ein Glas Rotes Etikett über Eis mischte. Die Musik begann, und nachdem der Mann einen Augenblick zugehört hatte, sagte er: »Das ist nicht Jingle Bells, das ist was anderes.«

»Sie haben auf die falsche Nummer gedrückt.«

»Na«, sagte der Mann freundlich, »spielt keine Rolle. Spielt keine Rolle. Das da ist auch keine schlechte Nummer.«

Der Junge kam wieder herein, aber der Musikautomat machte

zu viel Lärm – der Barkellner konnte ihm nicht sagen, er solle hinausgehen, ohne ihn anzuschreien, und so ging er hinüber zu dem Jungen und führte ihn hinaus auf die Straße.

»Wo ist mein Vater?« sagte Donald Efaw.

»Er wird jede Minute zurück sein. Warte nur hier draußen!«

So ging es weiter bis halb drei, als es anfing zu schneien. Der Barkellner paßte einen geeigneten Augenblick ab, um hinauszugehen und den Jungen hereinzuholen. Er machte kleine Abstecher in die Küche und holte dem Kind etwas zu essen. Der Junge saß auf einer Kiste hinter der Theke, so daß ihn niemand sehen konnte, und aß von dem Deckel einer zweiten Kiste.

Nachdem er gegessen hatte, wurde er schläfrig, und nun machte ihm der Barkellner ein Lager auf ein paar leeren Bierkästen, wo er sich ausstrecken konnte; er benutzte seinen Mantel als Matratze und drei alte Schürzen aus dem Wäschebeutel und sein Jackett als Decke. Sie hatten beide kein Wort gesprochen, er und der Junge, seit er ihn hereingebracht hatte, und als das Kind sich jetzt ausstreckte und am Einschlafen war, lächelte und weinte es beinahe gleichzeitig.

Die morgendlichen Trinker waren weggegangen, mit ihnen Algayler und die Frau mit den falschen Zähnen und dem Foxterrier, und das einkehrende Publikum wechselte ein weiteres Mal, während der Junge immer noch schlief.

Es war Viertel vor fünf, als er sich aufrichtete. Er erinnerte sich schnell an den Barkellner, aber sie sprachen wieder nicht. Er setzte sich auf, als wäre er zu Hause in seinem Bett, träumte zehn Minuten mit offenen Augen und stieg dann herunter.

Jetzt war es draußen dunkel, und es schneite so heftig wie bei einem Unwetter. Der Junge betrachtete einen Augenblick den Schnee, dann wandte er sich um und sah zu dem Barkellner auf.

»Ist mein Vater zurückgekommen?« fragte er.

»Noch nicht«, sagte der Barkellner.

Er kniete sich zu dem Jungen, um mit ihm zu sprechen.

276

»In ein paar Minuten bin ich mit meiner Arbeit fertig, und wenn du mir euer Haus zeigen kannst, wenn du's siehst, werde ich versuchen, dich nach Hause zu bringen.«

»Ist denn mein Vater nicht gekommen?«

»Nein, er ist nicht gekommen. Vielleicht hat er vergessen, wo er dich stehen ließ.«

»Er ließ mich doch hier«, sagte der Junge, als wäre das etwas, was man unmöglich vergessen kann. »Direkt vor der Tür.«

»Ich weiß.«

Der Barkellner vom Nachtdienst kam in seiner weißen Jacke aus der Küche und sah den Jungen.

»Wer ist denn das, John? Eins von deinen Kindern?«

»Hmmm ja«, sagte der Barkellner, der keine Lust hatte, dem andern auseinanderzusetzen, was geschehen war.

»Wo hat er denn den Rock her?«

Der Junge zuckte zusammen und sah zu Boden.

»Es ist ein alter Rock von mir«, sagte der Barkellner. »Er hat natürlich einen eigenen, aber er will durchaus gerade diesen alten Rock tragen.«

Der Junge blickte mit einem Mal zu dem Barkellner auf, überrascht.

»Ja, ja, John, so ist es nun einmal mit Kindern«, sagte der vom Nachtdienst, »Immer wollen sie gerne so sein wie der Vater.«

»Das stimmt«, sagte der Barkellner.

Er legte seinen weißen Kittel ab und zog sein Straßenjackett und seinen Mantel an und nahm den Jungen bei der Hand.

»Gute Nacht«, sagte er, und sein Kollege wünschte ihm auch gute Nacht und sah ihm nach, wie er mit dem Jungen auf die Straße trat.

Schweigend gingen sie drei Blocks weiter, dann traten sie in einen Drugstore und setzten sich an den Ladentisch

»Schokolade oder Vanille?«

»Ich weiß nicht.«

»Ein Schokoladen- und ein Vanille-Eiscreme-Soda«, sagte der

Barkellner zu dem Soda-Jungen, und als die Gläser auf der Theke standen, machte sich der Barkellner an das Vanille-Eis. Der Junge ließ sich das andere schmecken, und dann gingen sie wieder zusammen hinaus in den Schnee.

»So, nun versuch dich mal zu erinnern, in welcher Richtung du wohnst. Kannst du das wohl?«

»Ich weiß die Richtung nicht.«

Der Barkellner stand im Schnee und versuchte sich klarzumachen, was er tun sollte, aber das war schwer, und er kam nicht weit.

»Also«, sagte er schließlich, »was meinst du – willst du die Nacht zu Hause bei mir und meinen Kindern bleiben? Ich habe zwei Jungen und ein kleines Mädel. Wir machen dir ein Lager, wo du schlafen kannst, und morgen kommt dein Vater und holt dich ab.«

»Kommt er?«

»Na sicher!«

Sie gingen weiter im lautlosen Schneetreiben, und dann hörte der Barkellner, wie der Junge leise zu weinen anfing. Er versuchte nicht, ihn zu trösten, weil er wußte, daß es für ihn keinen Trost gab. Aber der Junge ließ sich nicht gehen, er weinte nur ganz leise und ging mit seinem Freund weiter. Er hatte von Fremden gehört, und er hatte von Feinden gehört und war zu der Meinung gekommen, daß sie ein und dasselbe seien, aber hier war nun jemand, den er nie zuvor gesehen hatte und der doch weder ein Fremder noch ein Feind war. Trotzdem war es schrecklich einsam ohne seinen ewig gereizten Vater.

Sie fingen an, ein paar Stufen hinaufzusteigen, die mit Schnee bedeckt waren, und der Freund des Jungen sagte: »Siehst du, hier wohnen wir. Jetzt bekommen wir etwas Warmes zu essen, und dann kannst du dich schlafen legen, bis morgen, wenn dein Vater dich abholen kommt.«

»Wann wird er kommen?« fragte der Junge.

»Morgen früh«, sagte sein Freund.

Als sie in das beleuchtete Haus traten, sah der Barkellner, daß der Junge nicht mehr weinte – vielleicht würde er nie mehr weinen müssen.

RAY BRADBURY

Das Geschenk

Es war ein Tag vor Weihnachten, und noch während die drei
zum Raumschiff-Flughafen fuhren, machten Mutter und Vater
sich Gedanken. Es war das erste Mal, daß ihr kleiner Sohn in
den Weltraum flog, das erste Mal, daß er überhaupt in ein
Raumschiff stieg, und sie wollten, daß alles vollkommen war.
Als sie am Zolltisch das Geschenk für ihn zurücklassen mußten,
das nur wenige Gramm schwerer war, als die vorschriftsmäßige
Gewichtsgrenze erlaubte, und auch den kleinen Baum mit den
weißen Kerzen, fühlten sie sich um die ganze Weihnachts-
freude und um die eigene Liebe betrogen.
Der Junge erwartete sie im Abfertigungsraum. Während sie
nach dem erfolglosen Zusammenstoß mit den interplanetaren
Beamten auf ihn zugingen, flüsterten sie miteinander.
»Was sollen wir tun?«
»Nichts. Nichts. Was können wir tun?«
»Diese dämlichen Vorschriften!«
»Und er hatte sich so sehr einen Weihnachtsbaum gewünscht!«
Die Sirene heulte auf, und die Leute drängten sich in das Mars
raumschiff.
Mutter und Vater gingen schweigend am Schluß, ihren kleinen
blassen Sohn zwischen sich.
»Ich werde mir schon etwas einfallen lassen«, sagte der Vater.
»Was . . .?« fragte der Junge.
Das Raumschiff startete, und sie wurden kopfüber in den
dunklen Weltraum geschleudert.

Das Raumschiff ließ Feuer zurück und die Erde, auf der man
den 24. Dezember des Jahres 2052 schrieb; es schoß hinaus,
dorthin, wo es keine Zeit gab, keinen Monat, kein Jahr, keine

Stunde. Sie verschliefen den restlichen »Tag«. Um Mitternacht irdischer Zeit und nach den New Yorker Uhren wachte der Junge auf und sagte: »Ich möchte aus der Luke sehen.«

Es gab nur oben auf dem nächsten Deck eine Luke, ein ziemlich großes »Fenster« mit einer Scheibe aus ungeheuer dickem Glas.

»Jetzt noch nicht«, sagte der Vater. »Ich nehme dich später mit hinauf.«

»Ich möchte sehen, wo wir sind und wohin wir fliegen.«

»Ich möchte aber aus einem bestimmten Grund, daß du noch wartest«, sagte der Vater.

Er hatte wach gelegen, sich von einer Seite auf die andere gedreht und an das zurückgelassene Geschenk gedacht, an das bevorstehende Weihnachtsfest, den verlorenen Baum mit den weißen Kerzen. Endlich, vor fünf Minuten, hatte er sich aufgerichtet und glaubte nun einen Plan gefunden zu haben. Er brauchte ihn nur auszuführen, damit die Reise wirklich schön wurde.

»In genau einer Stunde ist Weihnachten, mein Sohn«, sagte der Vater.

»Oh«, sagte die Mutter, entsetzt darüber, daß er das Fest erwähnte. Sie hatte gehofft, der Junge würde es vergessen.

Das Gesicht des Jungen rötete sich wie im Fieber, und seine Lippen zitterten. »Ich weiß, ich weiß. Ich kriege doch ein Geschenk, nicht wahr? Bekomme ich einen Baum? Ihr habt mir versprochen . . .«

»Ja ja, du bekommst sogar noch mehr«, antwortete der Vater.

»Aber . . .«, begann die Mutter.

»Es ist mein Ernst«, sagte der Vater. »Du kannst dich darauf verlassen. All das und noch mehr, viel mehr. Entschuldigt mich jetzt. Ich komme gleich wieder.«

Er ließ sie ungefähr zwanzig Minuten allein. Als er wiederkam, lächelte er. »Gleich ist es soweit.«

»Darf ich deine Uhr halten?« fragte der Junge. Er bekam die

Uhr und hielt sie an der Hand, während der Rest der Stunde in Feuer und Stille und unmerklicher Bewegung verstrich.

»Jetzt ist Weihnachten! Weihnachten! Wo ist das Geschenk?«

»Hierher«, sagte der Vater, faßte den Jungen bei der Schulter und führte ihn aus dem Raum, durch einen Flur und eine schräge Treppe hinauf; seine Frau kam nach.

»Ich verstehe nicht«, sagte sie immer wieder.

»Du wirst schon verstehen. Wir sind da«, sagte der Vater.

Sie blieben vor der Tür einer großen Kabine stehen. Der Vater klopfte dreimal und dann zweimal, ein Signalzeichen. Die Tür öffnete sich, das Licht in der Kabine erlosch, und man hörte Stimmen flüstern.

»Geh hinein, mein Sohn«, sagte der Vater.

»Es ist so dunkel.«

»Ich halte dich an der Hand. Komm, Mama.«

Sie traten in den Raum, die Tür schloß sich hinter ihnen, und der Raum war wirklich sehr dunkel.

Vor ihnen tauchte ein großes Glasauge auf, die Luke, ein Fenster, etwa einen Meter zwanzig hoch und einen Meter achtzig breit, durch das sie in den Weltraum hinausschauen konnten. Der Junge erschrak.

Hinter ihm erschraken auch die Eltern, aber jetzt fingen in der dunklen Kabine ein paar Menschen an zu singen.

»Fröhliche Weihnachten, mein Sohn«, sagte der Vater.

Die Stimmen sangen die alten, vertrauten Weihnachtslieder Der Junge ging langsam vorwärts und preßte dann sein Gesicht an das kalte Glas der Luke. Da stand er lange Zeit und schaute hinaus in den Weltraum, in die tiefe Nacht, in der zehn Milliarden hübsche weiße Kerzen brannten . . .

ERICH KÄSTNER

Sechsundvierzig Heiligabende

Fünfundvierzigmal hintereinander hab' ich mit meinen Eltern zusammen die Kerzen am Christbaum brennen sehen. Als Flaschenkind, als Scnuljunge, als Seminarist, als Soldat, als Student, als angehender Journalist, als verbotener Schriftsteller. In Kriegen und im Frieden. In traurigen und in frohen Zeiten. Vor einem Jahr zum letztenmal. Als es Dresden, meine Vaterstadt, noch gab.

Diesmal werden meine Eltern am Heiligabend allein sein. Im Vorderzimmer werden sie sitzen und schweigend vor sich hinstarren. Das heißt, der Vater wird nicht sitzen, sondern am Ofen lehnen. Hoffentlich hat er eine Zigarre im Mund. Denn rauchen tut er für sein Leben gern.

»Vater hält den Ofen, damit er nicht umfällt«, sagte meine Mutter früher. Mit einem Male wird er »gute Nacht« murmeln und klein und gebückt, denn er ist fast achtzig Jahre alt, in sein Schlafzimmer gehen.

Nun sitzt sie ganz einsam und verlassen. Ein paarmal hört sie ihn nebenan noch husten. Schließlich wird es in der Wohnung vollkommen still sein ... Bei Grüttners oder Ternettes singen sie vielleicht »O du fröhliche, o du selige«. Meine Mutter tritt ans Fenster und schaut auf die weißbemützten Häuserruinen gegenüber. Am Neustädter Bahnhof pfeift ein Zug. Aber ich werde nicht in dem Zuge sein.

Dann wird sie in ihren Kamelhaarpantoffeln leise und langsam durchs Zimmer wandern und meine Fotografien betrachten, die an den Wänden hängen und auf dem Vertiko stehen. In den Büchern, die ich geschrieben habe und die sie auf den Tisch gelegt hat, wird sie blättern. Seufzen wird sie. Und vor sich hinflüstern: »Mein guter Junge.« Und ein wenig weinen.

Nicht laut, obwohl sie allein im Zimmer ist. Aber so, daß ihr altes, tapferes Herz weh tut.

Wenn ich daran denke, ist mir es, als müßte ich, hier in München, auf der Stelle vom Stuhl aufspringen, die Treppen hinunterstürzen und ohne anzuhalten bis nach Dresden jagen. Durch die Straßen und Wälder und Dörfer. Über die Brücken und Berge und verschneiten Äcker und Wiesen. Bis ich endlich außer Atem vor dem Hause stünde, in dem sie sitzt und sich nach mir sehnt, wie ich mich nach ihr.

Aber ich werde die Treppen nicht hinunterstürzen. Ich werde nicht durch die Nacht nach Dresden rennen. Es gibt Dinge, die mächtiger sind als Wünsche. Da muß man sich fügen, ob man will oder nicht. Man lernt es mit der Zeit. Dafür sorgt das Leben. Sogar von euch wird das schon mancher wissen. Vieles erfährt der Mensch zu früh. Und vieles zu spät.

Meine liebe Mutter... Nun bin ich doch selber schon ein leicht angegrauter, älterer Herr von reichlich sechsundvierzig Jahren. Aber der Mutter gegenüber bleibt man immer ein Kind. Mutters Kind eben. Ob man sechsundvierzig ist oder Ministerpräsident von Bischofswerda oder Johann Wolfgang von Goethe persönlich. Das ist den Müttern, Gott sei Dank, herzlich einerlei!

Später wird sie sich eine Tasse Malzkaffee einschenken. Aus der Zwiebelmusterkanne, die in der Ofenröhre warmsteht. Dann wird sie ihre Brille aufsetzen und meinen letzten Brief noch einmal lesen. Und ihn sinken lassen. Und an die fünfundvierzig Heiligabende denken, die wir gemeinsam verlebt haben. An Weihnachtsfeste besonders, die weit, weit zurückliegen. In längstvergangenen Zeiten, da ich noch ein kleiner Junge war.

An das eine Mal etwa, wo ich ihr einen großen, schönen, feuerfesten Topf gekauft hatte und mit ihm, als sie mich zur Bescherung rief, hastig durch den Flur rannte. Als ich ins Zimmer einbiegen wollte, begann ich strahlend: »Da, Mutti, hast du...« Ich wollte natürlich rufen: »... einen Topf!« Aber nein, Mut-

ters feuerfester Topf kam leider, als ich in die Zielgerade einbog, mit der Tür in Berührung. Er zerbrach, und ich stammelte
entgeistert: »Da, Mutti, hast du – einen Henkel!« Denn mehr
als den Henkel hatte ich nicht in der Hand.
Wenn sie daran denkt, wird sie lächeln. Und einen Schluck
Malzkaffee trinken. Und sich anderer Weihnachten erinnern.
Vielleicht jenes Heiligabends, an dem ich ihr die »sieben Sachen« schenkte. Verlegen überreichte ich ihr eine kleine, in Sei-
denpapier gewickelte Pappschachtel und sagte, während sie
diese unterm Christbaum vorsichtig und gespannt auspackte:
»Weißt du, ich habe doch nicht viel Geld gehabt – aber es sind
sieben Sachen, und alle sieben sind sehr praktisch!« In der
Schachtel fand sie eine Rolle schwarzen Zwirn, eine Rolle weißen Zwirn, eine Spule schwarzer Nähseide, eine Spule weißer
Nähseide, ein Briefchen Sicherheitsnadeln, ein Heftchen Näh-
nadeln und ein Kärtchen mit einem Dutzend Druckknöpfchen.
Sieben Sachen! Da freute sie sich sehr, und ich war stolz wie
der Kaiser von Annam. Oder ihr fällt jener Weihnachtsabend
ein, an dem ich, nach der Bescherung, noch zu Försters Fritz,
meinem besten Freund, lief, um zu sehen, was denn der bekommen hatte. Seinen Eltern gehörte das Milchgeschäft an der
Ecke Jordanstraße . . .
Ganz plötzlich kam ich wieder nach Hause. Ich stand, als
meine Mutter die Tür öffnete, blaß und verstört vor ihr. Försters Fritz hatte eine Eisenbahn geschenkt bekommen, und als
ich damit hatte spielen wollen, hatte er mich geschlagen.
Da stand ich nun klein und ernst vor ihr und fragte, was ich tun
solle. Zurückschlagen hatte ich nicht können. Er war ja mein
bester Freund. Und warum er mich eigentlich geschlagen hatte,
begriff ich überhaupt nicht. Was hatte ich ihm denn getan?
Damals hatte meine Mutter zu mir gesagt: »Es war richtig, daß
du nicht zurückgeschlagen hast! Einen Freund, der uns haut,
sollen wir auch nicht prügeln, sondern mit Verachtung strafen.«
»Mit Verachtung strafen?« Ich machte kehrt.

»Wo willst du denn hin?« fragte meine Mutter.

»Wieder zurück!« erklärte ich energisch. »Ihn mit Verachtung strafen!« Und so ging ich wieder zu Försters und verbrachte den Rest des Abends damit, meinen Freund Fritz gehörig zu verachten. Leider weiß ich nicht mehr, wie ich das im einzelnen gemacht habe. Schade. Sonst könnte ich euch das Rezept verraten.

Oder meine Mutter wird an einen anderen Heiligabend denken, der nicht ganz so weit zurückliegt. Es sind höchstens zwanzig Jahre her – da gingen wir, nach unserer Bescherung, an den Albertplatz zu Tante Lina, um dabeizusein, wenn der kleine Franz beschert bekäme. Franz war das Kind meiner früh verstorbenen Base Dora.

Ich war damals ungefähr fünfundzwanzig Jahre alt. Und plötzlich sagte Tante Lina, der Weihnachtsmann, der zum kleinen Franz hätte kommen sollen, habe in letzter Minute wegen Überlastung abtelefoniert, und ich müsse ihn unbedingt vertreten! Sie zogen mir einen umgewendeten Pelz an, hängten mir einen großen weißen Bart aus Watte um, drückten mir einen Sack mit Äpfeln und Haselnüssen in die Hand und stießen mich in das Zimmer, wo Franz, der kleine Knirps, neugierig und etwas ängstlich auf den richtigen Weihnachtsmann wartete. Als ich ihn mit kellertiefer Stimme fragte, ob er auch gefolgt habe, antwortete er: O ja, das habe er schon getan. Und dann kitzelte mich der alberne Wattebart derartig in der Nase, daß ich laut niesen mußte.

Und der kleine Franz sagte höflich: »Prost, Onkel Erich!« Er hatte den Schwindel von Anfang an durchschaut und hatte nur geschwiegen, um uns Erwachsenen den Spaß nicht zu verderben.

Meine Mutter in Dresden wird also an vergangene glücklichere Weihnachten denken. Und in München werde ich es auch tun. Erinnerungen an schönere Zeiten sind kostbar wie alte goldene Münzen. Erinnerungen sind der einzige Besitz, den uns nie-

mand stehlen kann und der, wenn wir sonst alles verloren haben, nicht mitverbrannt ist. Merkt euch das! Vergeßt es nie!
Während ich am Schreibtisch sitze, werden meiner Mutter vielleicht die Ohren klingen. Da wird sie lächeln und meine Fotografien anblicken, ihnen zunicken und flüstern: »Ich weiß
schon, mein Junge, du denkst an mich.«

Quellenverzeichnis

Karl Heinrich Waggerl, DER STÖRRISCHE ESEL UND DIE SÜSSE DISTEL, aus: K. H. W., Und es begab sich, Otto Müller Verlag Salzburg, 44. Auflage 1986; *Charles Dickens*, EIN CHRISTBAUM, © der Übersetzung by Magnus Verlag, Essen; *Hans Fallada*, LÜTTENWEIHNACHTEN, aus: H. F., Gesammelte Erzählungen, © by Emma D. Hey, Urheberberechtigte für Hans Fallada, D-3300 Braunschweig; *Karl Heinrich Waggerl*, DAS WEIHNACHTSBROT, aus: K. H. W., Sämtliche Werke, Otto Müller Verlag Salzburg 1970

Brigitte Moog, DAS ERSTE GESCHENK, © by Voici-Agentur, Salzburg

Bernhard Speh, DIE NACHT, IN DER DAS CHRISTKIND STARB, © by Pahl-Rugenstein Verlag, Bonn

Rudolf Bayr, SCHNELLZUGWEIHNACHT, © 1976 by Residenz Verlag, Salzburg und Wien

Selma Lagerlöf, DIE HEILIGE NACHT, aus: S. L., Christuslegenden, © by Nymphenburger Verlagshandlung in der F. A. Herbig Verlagsbuchhandlung GmbH, München

Hermann Hesse, WEIHNACHT MIT ZWEI KINDERGESCHICHTEN, aus: H. H., Gesammelte Werke, Band 8, © by Suhrkamp Verlag, Frankfurt/M. 1970

Heinrich Böll, KRIPPENFEIER, aus: H. B., Gesammelte Erzählungen, Band 1, © 1981 by Verlag Kiepenheuer & Witsch Köln

O. Henry, DAS GESCHENK DER WEISEN, aus: O. H., Frühling à la Carte, © by Nymphenburger Verlagshandlung in der F. A. Herbig Verlagsbuchhandlung GmbH, München

Rita von Gaudecker, DIE WEIHNACHTSINSEL, aus: Winter- und Weihnachtsgeschichten aus Pommern und Ostpreußen, © 1973 by Pommerscher Buchversand, Hamburg

Bert Brecht, DAS PAKET DES LIEBEN GOTTES, aus: B. B., Gesammelte Werke, Band 5, © by Suhrkamp Verlag, Frankfurt/M. 1967

Heinrich Böll, MONOLOG EINES KELLNERS, aus: H. B., Gesammelte Erzählungen, Bd. 2, © 1981 by Verlag Kiepenheuer & Witsch Köln

Erich Kästner, FELIX HOLT SENF, aus: E. K., Das Schwein beim Friseur, 1962, © by Atrium Verlag Zürich

Langston Hughes, EIN HEILIGABEND, Rechte der deutschen Übersetzung von Sigrid Klotz liegen beim Reclam-Verlag Leipzig, © 1933, 1934 by Alfred A. Knopf, Inc., Abdruck mit Genehmigung der Liepman AG, Zürich

Hilde Fürstenberg, OLEANDER UND STERNTALER, © by Akademia Verlag Richarz, Sankt Augustin

Wolfgang Borchert, DIE DREI DUNKLEN KÖNIGE, aus: W. B., Das Gesamtwerk, Copyright © 1949 by Rowohlt Verlag GmbH, Hamburg

Marie Luise Kaschnitz, DAS WUNDER, aus: M. L. K., Lange Schatten, © by Claassen Verlag, Hamburg 1960

Ernst Heimeran, ERINNERUNG AN DIE SCHIEBETÜR, aus: E. H., Der Vater und sein erstes Kind, © by Carl Hanser Verlag, München 1981

Wolfdietrich Schnurre, DIE LEIHGABE, aus: W. S., Als Vaters Bart noch rot war, © 1958 by Verlags AG Die Arche, Zürich

William Saroyan, AM DRITTEN TAG NACH WEIHNACHTEN, aus: Moderne Amerikanische Kurzgeschichten, © 1956 by Langewiesche-Brandt, Ebenhausen bei München

Ray Bradbury, DAS GESCHENK, aus: R. B., Medizin für Melancholie, Erzählungen, aus dem Amerikanischen von Margarete Bormann, Copyright © 1981 by Diogenes Verlag AG, Zürich

Erich Kästner, SECHSUNDVIERZIG HEILIGABENDE, aus: E. K., Der tägliche Kram, 1948, © by Atrium Verlag, Zürich